新潮文庫

峠

上巻

司馬遼太郎著

新潮社版

7299

目次

峠

上巻

越後《えちご》の城下

雪が来る。

もうそこまできている。あと十日もすれば北海から冬の雲がおし渡ってきて、この越後長岡の野も山も雪でうずめてしまうにちがいない。

(毎年のことだ)

まったく、毎年のことである。あきもせず季節はそれをくりかえしているし、人間も、雪の下で生きるための習慣をくりかえしている。

紅葉がおわろうとするこの季節、城下は冬支度で華やぐ。

(まったく、華やいでいやがる)

ひとびとの動きが、めまぐるしい。街路いっぱいに薪売《まきう》りの車がならぶし、家々の女どもは春までの野菜を一度に買いこみ、それを何十という樽《たる》に漬《つ》けてゆく。相当な身分の武士までが、木にのぼっていた。木にわらを巻かねばならない。石燈《いしどう》籠《ろう》にも巻き、寺などでは、こま犬にまでわらをかぶせた。城も、同様であった。越後長岡は、牧野《まきの》家七万四千石の城下である。天守閣はなかったが、お三階とよばれる本丸の楼閣が、市中のどこからでもみえた。それらの塀《へい》や建物の壁がむしろでつつまれ、ところどころに竹の押しぶちがあてられた。その雪よけの作業だけで、足軽や人夫などが日に五百人もはたらいている。

継之助《つぎのすけ》は、町をあるいていた。

(北国は、損だ)

とおもう。損である。冬も陽《ひ》ざしの明るい西国《さいごく》ならばこういうむだな働きや費《つい》えは要らないであろう。北国では町中こうまで働いても、たかが雪をよけるだけのことであり、それによって一文の得にもならない。

が、この城下のひとびとは、深海の魚がことさらに水圧を感じないように、その自然の圧力のなかでにぎにぎしく生きている。この冬支度のばかばかしいばかりのはしゃぎかたはどうであろう。

(鈍重で、折れ釘《くぎ》や石ころを呑《の》めといわれればのんでしまう連中だ。のむ前はさすがにつらい。つい大酒をくらう。大酒で勢いをつけ、唄《うた》でもうたって騒ぎ、いざのみこんでしまっては、ぼろぼろ涙をながしている。——それが)

継之助は、つばをのんだ。

（越後長岡人さ）

継之助は途中、何人かの顔見知りの下級藩士に出あった。みなこの若者——といっても、部屋住みながら数えて三十二になるが——をおそれるように路傍に身を避け、小腰をかがめた。みな、視線をあわせない。それほどに継之助の眼光はつねにきらきらとしている。

胸中、つぶやきの多い男だが、しかしその歩きざまはゆるゆるしたものではない。股立《ももだ》ちをとるように——とってはないが——道路の中央をさっさと歩く。武士はりりしくあらねばならぬという気風が、この藩は他藩にもまして濃い。歩き方まで、しつけられている。たとえにわか雨がふってきても、軒端《のきば》へにげこむのは町人で、藩士は逃げず、雪駄《せった》をふところにほうりこみ、道の中央をためらいもなく歩いてゆく。

城の西側に出た。

柿《かき》川という小さな流れを越え、城の外郭のなかに入った。

そこに、藩の首席家老の稲垣平助の屋敷がある。継之助は、わらぶきの門をくぐり、

「おい、おい」

と、玄関わきで木の手入れをしていた稲垣家の下男をよび、ゆっくりと親指をつき

出した。

「おいでかね」

家老の稲垣平助殿は在宅か、という意味である。もう、これで三日も同じ用件でかよっている。

「ああ、そうか」

べつに落胆した顔でもない。当屋敷のあるじである首席家老稲垣平助は、親戚《しんせき》の法事に出かけているという。

「待つさ」

継之助は、門長屋から季節はずれの涼み台をもち出し、そのうえに寝ころんだ。枕《まくら》は、下男のを借りた。

稲垣家のひとびとは、この河井継之助がなぜ毎日屋敷にやってくるかを知っている。江戸や諸国へ私費で遊学したい、というのだ。ところが、藩ではゆるさない。五年前、それをゆるしたところ、江戸藩邸の役人がはらはらするようなことばかりしでかした、という。歴《れっき》とした藩士が、よそで事件をおこしたとき、苦情は藩へもちこまれる。どうもこまる、というのである。

却下されたが、当の継之助はそれだけでひきさがらず、この国家老の屋敷に日参しては頼みこんでいる。

昼どきになった。継之助はふところから竹ノ皮包みをとりだし、それをひろげた。

——弁当持ちだぜ。

庭木の冬支度をしている下男たちが、そっと袖《そで》をひきあった。

奥の女どものあいだでも、それが話題になっている。ただ稲垣家は、女たちのしつけのみごとな家だから、批評がましい蔭口《かげぐち》などはいわず、「座敷にあがっていただかねば」ということが論議の中心だった。いかに押しかけの客とはいえ、百石どりの歴とした士分の者に庭さきで食事をさせるなどということは、あってよいことではない。

結局、女中が使者に立った。

が、継之助のほうが、動かなかった。

——いや、このままで。

結構、というのである。

奥でも当惑し、せめて湯茶を、女中でなく一族の者が運ぼう、ということになった。

それでもって処遇するしかない。

稲垣家のあるじ平助の妹に、お夕《ゆう》というむすめがいる。年頃《としごろ》のころに病んだために婚期を逸していたが、その容色は城下でも評判であった。

「……わたくしが」

と、お夕はその役を買って出た。なにげなさを粧《よそお》っていたが、家中《かちゅう》の変りもので有名な河井継之助という男に興味がなかったとはいえない。

台所へ出て茶の道具をえらび、いそいでお茶を淹《い》れたつもりであったが、そのときは庭がしずかになっている。下男たちが、昼やすみをしているのであろう。

中庭をまわって玄関の横に出たとき、どっと笑う声がきこえた。

みると、涼み台の上に継之助があぐらをかいていた。いまひとり台の上に下男の貞吉がのぼり、膝小僧《ひざこぞう》をそろえてむかいあっている。

枕引きをしていた。

箱枕の両はしをつかみあい、たがいにひっぱりあうのである。

他は、それを見物していた。たちまち継之助が勝った。

「では旦那《だんな》サ、手前が」

と、宗十という下男が入れかわった。宗十は気おいこみ、四本指で立ちむかったが、三本指の継之助にぴっとひかれてしまう。

「おれに勝ったら、酒を一升か、まんじゅう二十買ってやる」

と継之助がいうと、みなわっと言った。その歓声が、お夕の耳に入ったのである。

（こまる）

とおもった。屋敷の風儀が、みだれるではないか。

ほどなく、稲垣平助がもどってきた。首席家老とはいえ、まだ若い。

稲垣家は、世襲の家老職である。平助はそれをついだだけだから、有能というわけにはいかないが、篤実《とくじつ》で謹直な男だった。齢《とし》は継之助より三つ四つ上だろう。色の白い、いかにも名家の当主らしいすずやかな容貌《ようぼう》をしている。

「お待たせしたようですな」

と、平素は下級者にも鄭重《ていちょう》なことばをつかう。しかし国家老の威厳はわすれず、言うべきことは、手きびしくいう人物で、いまも、

「お夕からききました」

と言い、屋敷内で物を賭《か》けて枕ひきをなされたそうな、それはなりませぬ、あくまでもなりませぬ、といった。

「たかが枕ひきぐらい、とお手前のことだから、ご不満であろう。しかしそれでは当家の道が立ちませぬ」

稲垣平助にいわせると、武門とは秩序美だというのである。武士とは秩序美の体現者であり、それ以外に他の階級と区別されるものはない、というのだ。たとえば忠義も武士の専売ではなく、商家の手代にも無類の忠義者がいる。勇敢なことも武士だけのものではなく、江戸の火消しなどにもずいぶんと勇敢な者がいる。

しかしそれらには秩序美がない。

「武士のみが、そうです」

われわれは懸命にこの秩序美をまもらねばならぬ。その武士の屋敷で、物を賭けての枕ひきなどをされてはこまる、とおだやかにいった。

「しかし」

継之助は、まるで別なことをいった。

「ご家老はお仕合せでありまするな」

「なぜだ」

「その武士の世が、ほろびようとしている。そのときにそれを憂《うれ》えず、枕ひきはいかぬなどという太平楽をのべておられる」

ときに、安政五年である。

江戸ではこの晩春、井伊直弼《なおすけ》が大老に就任し、この中秋、幕権回復のためいわゆる安政ノ大獄といわれる思想弾圧を開始し、幕威はとみにあがった。その時期に、この百石取りの部屋住みは、武家の世はほろびるなどというおだやかならぬ予言を口走っている。

「おみしゃん(おまえさん)は、それだから藩外に出せぬ」

「申しておきますが、私は流行の尊王かぶれではござらぬ。流行はきらいだ」

従って佐幕でもない。そういう単純な鋳型《いがた》にみずからはまって満足できる者は仕合せなるかな。私はそうはいかぬ。藩は今後どうあるべきか、侍はいかに生くべきか、それのみが気がかりで夜もねむられぬ。

「藩外に出してもらいたい。藩外でものを考えたい」

「その返事は、きのう致したとおりです」

「では、あす、いま一度参りましょう」

「なん日来られてもおなじだ」

「いいや、明後日、その次も参上つかまつる」

「待った。そのこと、べつに藩外に出るご必要はあるまい。藩内で考えられてはどうか」

「人間をごぞんじない」

継之助は、色のあわい、鳶色《とびいろ》の瞳《ひとみ》を大きくひらいていった。人間はその現実から一歩離れてこそ物が考えられる。距離が必要である、刺戟《しげき》も必要である。愚人にも賢人にも会わねばならぬ。じっと端座していて物が考えられるなどあれはうそだ——と継之助はいった。

稲垣国家老は、根負けがしたらしい。ついに折れ、江戸出府《しゅつぷ》と諸国遊歴をゆるすことにした。

「いやなやつだ」

継之助が辞去したあと、国家老の稲垣平助は、ひとりつぶやいた。小さな中庭のすみで、水仙《すいせん》が芽を出している。もう大雪がくるというのに、いまどき芽を出したりして、どうするつもりだろう。

「おや」

と、そのことを、つぎの間で茶を淹れかえていた妹も気づいたらしい。「水仙が、芽を」といった。

「そう、芽を出している」

「河井様とは風変りなお方でございますね」

と、茶がらを移しながら、話題を変えた。その話題に触れたくて茶を淹れにきた様子でもある。

「変っている」

愉快そうな声音《こわね》ではなかった。稲垣平助は——武士は他人に対し好悪《こうお》をあらわしてはならない、とくに国家老の立場にある者はそうである、というしつけを少年のころから受けてきた。だから懸命に自分をおさえているが、声音まではごまかせない。が、ともかくも不愉快であった。あの男は先刻、おのれが藩外に出たいばかりに、それを許可せぬ自分をなんと無能よばわりした。八つあたりというべきであった。国家老は、ものを考えぬという。藩の危機を考えぬという。

——藩に危機などがあるか。

と言いかえすと、あの男は大声をはりあげ、三百年の徳川の天下がいま崩れようとしている。歴史がかわる、日本のあすも知れぬ、七万四千石の越後長岡藩だけがその埒外《らちがい》に生きられるとおもいか、お思いとすればこれはまあ結構な国家老様でありますこと、といった。なんという雑言《ぞうごん》だろう。自分が江戸へ出たいの一心で、ひとをそのように傷つける。

——江戸でなにをするのか。

というと、

——吉原《よしわら》で女郎買いをする。

といった。本心か、なにか寓意《ぐうい》があるのか、それともこの稲垣平助をからかっているのか、そこはわからない。

「……どこが」

妹のお夕も、考えこんでしまっているらしい。「変っていらっしゃるのでございましょう」と言いながら、能登の塗りお盆に小さな煎茶茶碗《せんちゃぢゃわん》をのせた。

「そうだな」

腕を組んだが、じつは稲垣平助には答えが出ている。かの継之助めは物事を考えすぎるのであろう。あの男は、自分が人間にうまれたことさえ、まるでそれが自分の責任であるように血相をかえて考えている。武士にうまれたことについても考え、長岡藩士にうまれたことについても、まるで焼け鉄板の上にのせられたにわとりのような狂躁《きょうそう》ぶりで考えている。

「そういう根本義を、武士は考えてはならぬのだ。町人も百姓も、嫁も姑《しゅうとめ》も、ものを考えてはならぬ。それが、美徳なのだ」

と、平助はいった。でなければ封建制度はくずれる。この制度は三百年前家康が作り、身分も道徳も鉄のたがをはめたように固定させた。人は鉄のたがのなかで生きねばならない。そう生きてゆくところに暮しの平穏があり、世の無事がある。

「あの男の罪は、おのれの足もとから世のさきざきのことまで考えすぎている。それがあの男の悪徳になっている。あの男がそのあたりをうろつくかぎり、家族をも、人をも、世をも、不幸にするだろう」

継之助の屋敷は、塀のうちに大きな松がそびえている。門を入ると、父の代右衛門が庭石に腰をおろし、下男を指揮して松にわらを巻かせていた。

「もどったか」

代右衛門は、いった。庭木を育てることと茶器刀剣のめききができるというほかなんの能もない人物だが、しかし御役所はつとまっている。いま、藩の御勘定奉行《ごかんじょうぶぎょう》をつとめていた。

継之助は目礼し、奥へ入った。妻のおすがが居間にいた。

「母上は？」

継之助はきいた。母をお貞といい、無類のしっかり者で、河井家はこの婦人でもっているとさえいわれていた。

「ただいま、牧野へ」

と、おすがはいった。牧野とは、河井家の妹娘のお八寸《やす》の婚家である。そこへお貞は出かけたという。

「そいつは都合がいい」

継之助は、茶道具ずきの父よりも、女だてらに四書五経を暗誦《あんしょう》しているという、この母親のお貞のほうがにがてだった。

「話がある」

「わたくしに、でございますか」

おすがは、正直なところおどろいた。この夫が、こんなことを言いだすのは、かつてない。おすがは数えて十六歳のときに、おなじ家中の椰野《なぎの》家から輿入《こしい》れしてきたが、その当時あまりの子供だったせいか、継之助はろくに話相手にもなってくれなかった。それが癖になって、いまだにこの夫はおすがをこどもだとおもっているらしい。

「お話とは?」

つい、おすがはうれしくなり、心持、継之助に寄りそうようなしぐさをした。

「留守をせい」

継之助は、頭からいった。

「五、六年、留守をせい。話とはそれだけだ」

それだけで、この風変りな夫は立ちあがろうとした。おすがは、あわてて腰を浮かした。それだけでは藪《やぶ》から棒で、なんのことだかわからない。

継之助は、立っている。それだけで実は切りあげるつもりだった。心のうちを言ったところでおすがにはわかるまいし、多くを語れば語るほど、こんな亭主をもったおすがの哀れがわが身にかえってきて堪えられない。

「一体、どこへ参られるのでございます」

「信濃《しなの》川をちょっとのぼったところだ」

その川は、この越後長岡の郊外を流れているから、いくら世間せまいおすがでも知っている。その上流だという。

「なんという村でございますか」

「江戸という村だ」

「ああ」

おすがは、うなずいた。その地が日本の首都であるぐらいは、おすがも知っている。しかし江戸は信濃川のちょっとのぼったところにある、とふとおすがはおもった。それほど継之助は、かるがるといった。

——おれの女房などは可哀《かわい》そうなものだ。

と、後日、この男は江戸の寄留さきで面持《おももち》を悵然《ちょうぜん》とさせながらいったことがある。

「おれがこうして雲煙万里の江戸に出てきている。しかしおすがのやつは、故郷《くに》の川のちょっと川上におれがいるとおもって安心している」

冬が、存外、早くきた。

その夜から、とめどもなく雪がふりはじめたのである。

おすがが、当家に輿入れしてきたころ、物置に白木の供物台《くもつだい》のようなものがあった。その台に、古い血のようなものがこびりついている。

「あれは、なんの血でございますか」

と、無口な夫にきいた。夫は、石を割ったように戞《かつ》と唇をあけ、

「鶏の血だ」

とのみいった。鶏の血をどうしたのであろう、とおもったが、それ以上はとりつく島もない。あとで、舅《しゅうと》の代右衛門にきいた。代右衛門のほうがおすがにとってずっと話しやすかった。

「あれは、継之助が鶏を割いたのさ」

と、代右衛門はいった。

「手で鶏を？」

「刃物でさいたのか、そこはよく知らぬ。おれが見たのは、庭にあの台を置き、鶏の血をたらたらと台上に濺《そそ》いでいた」

継之助が十七の年、初秋のよく晴れた朝であったという。真っ青な天にむかってそれをした。中国古代の儒者などがやる天を祭る儀式だが、継之助はそれを念頭におき、自分なりの儀式をしたらしい。

「天を祭っているのかと思ったが、あとで想像するに、王陽明《おうようめい》を祭っていたらしい」

王陽明とは、明《みん》の学者である。若いころは放逸無頼で、任侠道《にんきょうどう》におぼれたり、武術に熱中しすぎたり、詩に惑溺《わくでき》したり、神仙《しんせん》や仏法に熱中したりしたが、結局は儒教にゆきつき、独自の学派をひらいた。知識は行動と一つでなければならないとする一見激越な思想で、陽明自身、官吏、政治家、軍人という遍歴のなかで身をもってその思想を体現した。継之助は早くからこの王陽明を敬慕しているが、この十七のときの奇行は、発奮して陽明のあとをたどろうとした誓いだったのであろう。

——十七天ニ誓ッテ、輔《ほ》国《こく》ニ擬ス

という詞句からはじまる継之助の詩を代右衛門はひそかに披《ひら》いてみたことがあるが、おすがにはその詩のことまでいわなかった。

雪は、五日ばかり、昼夜となくふりつづけた。長岡は、城の堀《ほり》と信濃川をのこし、ことごとく雪におおわれた。

ひとびとは、隧道《トンネル》のような、雁木《がんぎ》（アーケード）の下の道をとおってかろうじてゆききしている。

「こんな大雪でも、江戸へゆけるのでございますか」

と、ある夜、おすがはきいてみたが、継之助は行けるとも行けぬともいわず、藩庁から許可がおり次第ゆく、とのみいった。可能不可能を論ぜず、ねばならぬということをのみ論ずるのが継之助の思想であるようであった。

継之助は、日中ほとんど不在であったが、出発の前夜、かれの外出さきからおすがに使いがきて、すぐ来い――という。

おすがが雁木づたいにたどりついてみると、なんと芸者屋であった。継之助は芸者あそびがなによりも好きで、なかでも三味線をひかせて唄《うた》をうたうのがすきだった。

「おすがも、あそべ」

継之助は、いつものこわい顔でいった。この男にすれば自分がこれほど面白がっている芸者あそびを、おすがも当然おもしろがると思っていたのであろう。それをもって、おすがへの詫《わ》びにしようと思っているらしい。

その夜、継之助はさんざん唄い、おすがにも唄わせ、おすがの唄には自分で三味線をかかえて和してやった。

雪、といっても、太平洋岸の諸地方で考えるようななまやさしいものではない。人間がかろうじて呼吸できる程度の屋根の下の空間をのこして、その物質が天へ積みあげられてゆく。

「なあまちさま」

踊っていた芸者が、急にすわった。継之助のことをなあまちさまというのは、河井家の屋敷が長町にあるからであろう。

「ほんとに、あす、お発《た》ちやえかえ」

この大雪に、考えられぬ、と首を振った。

継之助は、鳶色の目で、芸者をみた。返事をしない。

じつのところ、けさ、次席家老の山本勘右衛門方にあいさつに行ったところ、この頑固《がんこ》で口のわるいことでひびいた老人は、

「越後で、馬鹿《ばか》がひとり減る」

といった。この雪のなか、信越の山路を越えるなど、馬鹿にもほどがある。行路で死ぬだろう、というのである。ちなみに、この勘右衛門の山本家は養子帯刀《たてわき》の代で絶えたが、はるかに後年、この町から出た海軍士官が家名だけを継いだ。山本五十六《いそろく》である。が、それはこの物語に縁がない。

「謙信《けんしん》でさえ」

と、勘右衛門は越後の戦国の武将の名をいった。「雪の季節には兵を出さなかったぞ」

継之助は、返事をしない。気に入らなければこの男はつねにだまっている。このため、あいさつに行ったのか、勘右衛門との関係を気まずくするために行ったのか、わからぬかたちで山本家を出た。

いま、おなじことを芸者にきかれている。

「春になさったら？　春になれば江戸が融《と》けて流れているというわけでもありますまいに」

「おすが」と、継之助は妻のほうをむいた。

「そこの三味線を、こっちへくりゃえ」

芸者をば、黙殺したなりである。この種の、継之助にとってどうでもいい話題というのは、かれはにが手であるらしい。
「鶯《うぐいす》の唄をやるて」
白い顔をふってうたいだした。声が、奇妙なほどいい。
鶯が、鶯が。
たまたま都にのぼるとき、
梅の小枝に昼寝して、
ゆうべ夢みた、朝夢に。
畳三枚、ござ三枚、
あわせて六枚敷きこんで、
金襴緞子《きんらんどんす》のそのかげで、
ほろりほろりと泣きやす。
(なんだろう)
長岡の童謡である。なにか意味があるのか、と芸者たちはさぐりかねて、一座がしずかになった。
継之助はうたいおわると、急にはしゃぎだし、横のおすがを顧み、

「芸者衆に、お祝儀《しゅうぎ》をやりやい」

といった。

おすがは、こんな座にきたことがないから、なにをどうしていいかわからない。

「はい」

かるくうなずき、懐中から財布をとりだし、金銀ことごとくをあたえてしまった。芸者たちは、おすがの豪儀さに目をみはった。

その夜、さらに雪がつもった。

この城下から江戸へは、宿場の数にして三十六次《つぎ》ある。雪のない季節で七日はかかった。

継之助は、発った。

道はいわゆる三国《みくに》街道をとる。上杉謙信のころからの古道であったが、しかし、謙信のころには三国峠はない。

三国峠は越後と関東とのあいだにそそり立つ峻嶮《しゅんけん》で、街道最大の難所とされ、江戸幕府の初期にきりとおされた。冬期、この峠をぶじ越えればまず命をひろったとみていい。

「一種の狂人かもしれない」

城外まで継之助の出発を見送ったひとびとは、それぞれわが家のいろりばたにもどって、みな首をふった。どの者の目にも、一望の雪のなかに消えて行った継之助の蓑《みの》笠《かさ》すがたが目にやきついていた。

――なぜ、春にしないのか。

というのが、城下の知人たちの不審であった。継之助は「この胸中にあるものごとへの疑問を明かしたい」とこの旅の理由をいう。それならば、春でもかまわぬではないか。

継之助は、雪のなかを歩いた。

(そのとおりだ)

と、われながら、自分をそうおもう。狂人であることを、ひそかにみとめていた。どころか、自分を狂人に仕立てようとしていた。陽明学とは、人を狂人にする。つねに人を行動へと駆りたてている。この思想にあっては、つねに自分の主題を燃やしつづけていなければならない。この人間の世で、自分のいのちをどう使用するか、それを考えるのが陽明学的思考法であり、考えにたどりつけばそれをつねに燃やしつづけ、つねに行動し、世の危難をみれば断乎《だんこ》として行動しなければならぬという、つねに激しい電磁性を帯びたおそるべき思想であった。

——大塩平八郎をみよ。

と、継之助は、おもっている。大塩平八郎は継之助の十歳のころに死んだ大坂天満《てんま》の奉行所与力であり、この学統の先輩であった。天保《てんぽう》七年、西日本の不作のために米価が高くなり、街に餓死者がみちた。大塩は何度か幕府にその救済方を乞《こ》うたが、黙殺された。ついに幕府の官吏でありながら兵をあげ、大坂城を攻めたが敗れ、自殺した。世に大塩ノ乱という。継之助は大塩の著「洗心洞劄記《せんしんどうさつき》」を愛読している。もっとも、人間の美というものに手きびしい継之助は、かならずしもこの大塩をたたえているわけでもない。もともと、なまの人間を崇敬できぬところが、この継之助のいらだちであり、不幸でもあったといえるだろう。

(——自分が)

という気持がある。自分以外に、人の世を救えぬという孤独さと悲壮感が、この陽明主義にとりつかれた者の特徴であった。自分のいのちを使える方法と場所を、自分が発見しなければならない。そのことがつねに継之助をいらだたせている。

(いわば、狂人のようなものだ)

それを、継之助はみとめていた。狂人でない者はこの冬、雪にうずもれ、炬燵《こたつ》を抱いてねむりこけるであろう。それが常識というものであり、人間のかわいらしさであり、かわいらしい人間どもは継之助を嗤《わら》うであろう。

が、継之助はこの雪中を歩いている。みずからを狂人に仕立てる以外に、生きる道をさぐれない。

そう、継之助は信じている。

途中の六日《むいか》町《まち》で行路が難渋し、越後湯沢についたのは、四日目の陽《ひ》も暮れおちる刻限であった。

ここには、湯が湧《わ》いている。現今《いま》は鉄道駅が魚野《うおの》川の河原ちかくにあるために湯の宿がそのあたりにおりたが、継之助の当時は山腹の街道ぞいにあり、はるかに渓流《けいりゅう》を見おろしている。

雪が、深い。

旅籠《はたご》の軒下までたどりつくと、女どもが駈《か》けよって笠と蓑をぬがせてくれた。

「お寒うござんしたろう」

と、女がいった。継之助はそのなまりを察し、おみしゃん（お前さん）は十日《とおか》町《まち》の出だな、と、白いあごにちょっと触れてやると、女は声をあげて燥《はしゃ》いだ。

——このお武家は女好きらしい。

と、女どもはおもった。この湯沢では、宿場のふうとして旅客にはかならず酌婦《しゃくふ》をあてがう。ことわれば、朝発ちにさまざまな不便をあたえるため、客もついその風に従わねばならない。自然、旅籠には酌婦の数が多いが、いまは大雪で往還に旅人がすくなく、そのため彼女らは客にうえているのであろう。

継之助は、まず湯に入った。

湯があつく、冷えきったからだではいきなりは入れない。継之助は湯ぶねのそとでしばらくかがんでいると、客が入ってきて、いきなり湯ぶねへ飛びこんだ。

湯のしぶきが、継之助にかかった。継之助は、だまっている。

客は酔っていた。武士である。しかしどうやら浪人らしくおもえる。

「江戸へ参られるのかな」

と、浪人はきいた。継之助は答えない。

「わしは京へのぼる」

浪人は言い、これから世に志をのべようとする者は江戸ではない、京だ、京には天子がおわす、といった。事実、黒船の到来以来、京都はにわかに政論の中心になり、諸国で志を得ぬ者たちが京にあつまり、公卿《くぎょう》の門に出入し、なにごとか、世の変を待つ気運がおこりはじめていた。

浪人は、湯ぶねのなかで、いま流行の尊王攘夷論《そんのうじょうい》をぶちはじめた。

(こいつも、はやりのあほうか)

と、継之助はおもったが、だまってかがんでいる。そういう流行思想を合唱するだけでこの世の難事が解決するくらいならおれも苦労はせぬ、と継之助はかねておもっていたし、生涯《しょうがい》――ほとんど奇蹟《きせき》といっていいが――その型どおりの思想にかぶれることはなかった。

「ぬしァ」

浪人はついに怒りはじめた。なにを問いかけても黙殺しつづけているこの鳶色《とびいろ》の目の男に腹が立ってきたのだろう。

「このおれを侮《あなど》っておるか」

「動くな」

継之助がいきなり湯桶《ゆおけ》をつかんでふりあげたため、浪人はおもわず湯のなかで立ちあがろうとした。動くな、と継之助はふたたび鋭くいった。じつのところ、継之助のほうが侮辱を感じている。最初この浪人がしぶきをはねあげたとき、詫びもしなかった。継之助という男は、そういうささかの無礼もゆるせぬたちの男だった。

浪人は、湯から顔だけを出したまま動けなかった。動けば、目の前の男が湯桶で頬《ほお》げたをうちくだいてしまうだろう。ながい時間、そのようにしてにらみあった。やがて浪人は逆上《のぼ》せてきたらしく、口をあけ、苦しそうに息を吐いた。

継之助はやっと気をゆるめ、桶に湯を汲《く》み、ざあっとわがからだにかけると、さっさと出てしまった。

——なるほど、女好きらしい。

と、おんなどもがおもったのは、旅籠の女主人があの客にしつこく酌婦をすすめたとき、客はちょっと考え、

「いっそみなよべ。おれがえらぶ」

と、いったからである。

やがて女どもは、客の部屋に行ってずらりとすわった。みなで、八人である。

——女好きにしては、無愛想な。

と、一同、そのことに閉口した。客は黙然と酒をのんでいた。笑いもしない。しかも酒がさほどすきでもなさそうな証拠に、ひどくにがそうにのんでいる。おそらく寒さふせぎなのであろう。

「みなには、湯呑《ゆのみ》をやれ」

継之助は、膳部《ぜんぶ》を運んできた下女にそういった。湯呑でのませよ、というのである。祝儀も、くばられた。無愛想なくせに、そういう心くばりは、じつに行きとどいている。

寒い。

おんなどもは、肩をすぼめて、しきりに手をこすっている。やがて酒がまわって体が温かくなってきたらしく、おんなどものその所作がおわった。

「たいそう、美人ぞろいだ」

継之助は、顔をあげていった。おんなのひとりが、嬌声《きょうせい》をあげた。

(おかめめ)

継之助は、腹のなかで舌打ちした。どのおんなも、女ぶりがひどくわるい。もっとも、美人であろうがなかろうが、継之助はこんな田舎宿で妓《おんな》を買うような趣味はなく、この問題をどうさばくか、先刻から考えていた。なにしろ湯沢には悪習があり、女を枕席《ちんせき》にはべらせなければ朝発ちの便宜をはからない。

(それならば、このまま夜どおしすわって朝をむかえてやろう)

とおもった。諸事思いつくことが極端で、諸事思案すればすぐ行動に転化させてしまう。

「おれは、唄《うた》がすきだ。唄を好むこと、色を好むよりもはなはだしい。さればみなかわるがわる一曲ずつうたえ」

——うた、けえ。

ひとりが声をあげ、みな顔を見合せた。たれもがはずかしがってうたわない。継之助はそういう一座を見まわし、やがてうなずき、

「うたうのが、はずかしいか」

といった。おんなどもは、当惑した。あたりまえであろう。こんな目ばかり光った武士の前で、鯱鉾《しゃちほこ》ばってうたったところで声もろくに出ぬ。どのおんなも沈黙をつづけた。継之助はさらにうなずき、

「されば、わしがうたって聞かせよう」

と、いきなり声を張りあげた。

四海波《しかいなみ》でも
切れるときゃ切れる
三味線枕《まくら》で　チョイト
コリャコリャ　二世三世《にせさんぜ》

継之助の愛唱歌である。声はさびて、よく透《とお》って、しかもあま味がある。とても素《しろ》人《うと》と思えぬ声のよさに、みなおどろいた。

「旦那《だんな》さま、もうひとつ」

おんなのひとりが、掌《て》を合わせてたのんだ。頼まれずとも継之助はうたったであろう。

「心得た」

と、箸《はし》をあげ、茶碗《ちゃわん》をたたき、つぎつぎにうたいはじめ、ついには夜をあかしてしまった。酌婦たちこそいいつらの皮だったといっていい。

未明に、継之助は発《た》っている。

翌日は三国峠のふもとの浅貝にとまった。この浅貝の宿場で、越後はおわる。あと、三国峠をこえれば関東である。しかしこの積雪ではとうてい越えられぬであろう。

「およしなさいまし」

と、帳場で番頭がいった。二、三日この浅貝で泊っているうちに、難所の雪掻《ゆきか》きがすむ。それを待てというのである。かつてこの峠で長岡藩士九人が江戸から帰国の途中、土地でいうアイ(表層なだれ)にあい、人足四人とともに死んだ。番頭のとめるのもむりはないであろう。

「いや、未明に発つ」

継之助はそう言いすてて部屋へ去った。それをきいていたのは、湯沢の旅籠で一緒になった例の尊王浪人である。

出羽《でわ》庄内《しょうない》の庄屋の次男坊で、吉沢助五郎というのだが、流行の国学に凝ってからは義麿《よしまろ》と名乗りをあらためている。

「番頭、わしもあす、朝発ちする」

と、吉沢はいった。湯沢の浴室での遺恨がある。峠で機会さえあれば、それを霽《は》らしたい。

「あれは、どこの男だ」

と、番頭の手もとの宿帳をのぞきこんだ。番頭はあわてて宿帳をとじたが、答えぬのもかどが立つと思い、

「お言葉のなまりでは、長岡のかたでございますな」

といった。吉沢はかぶりをふった。そうではあるまい、自分は出羽庄内の者で、長岡のあきんどがよく来るから知っている、長岡ことばは、ああではない、あれは長岡

ではあるまい、というと、この点では番頭のほうが学者だった。

「お言葉をかえすようでございますが、旦那さまがおつきあいなさっているのは長岡の町人衆ばかりでございましょう。お武家をご存じないからでございます。長岡ではお武家と町人衆とは、まるでことばがちがいます」

といった。この点、越後長岡というのは奇妙な町だった。長岡藩主牧野家は、もと徳川家康の幕将のひとりとして三河（愛知県）の宝飯郡《ほいごおり》にいたのだが、のち上州大胡《おおご》の城主をへて大坂夏ノ陣がおわってから越後長岡に転封《てんぽう》になった。以後、二百数十年この地七万四千石を統治しているが、先祖を三河に発している藩士たちは三河宝飯郡の語法やなまりをすてず、武士階級独特の方言をつくりあげている。

たとえば、越後では町人たちはひとへの敬称をさまという。武士たちはさんであった。殿様に対しても町人は殿さまと言い、武士は殿さんといった。三河風である。

——そうしてくらっしゃえ。

と、落語などで越後からきた風呂《ふろ》たきなどがいう。そうしてください、という意味だが、これを武士だと、「そうしてくりゃえ」と、どこか三河言葉を残している。

翌朝、継之助は浅貝をたち、雪を踏んで三国峠をめざした。ときに膝《ひざ》まで没する場所があり、五丁ものぼると息もきれぎれになった。

が、休まない。

背後から、例の出羽浪人の吉沢がついてくる。会釈《えしやく》もせず、無言で継之助のあとをのぼってくるのである。この男自身も、なんのために継之助のあとをつけているのか、自分でもよくわからないのにちがいない。


途中路肩がくずれ、崖《がけ》を抱くようにせねば通れぬところがある。

——通れるか。

と、継之助はさすがに判断に迷い、足をとめた。足もとの土が削《そ》げおち、はるかな下に渓流の音のみがきこえている。落ちれば雪がくずれ、命は万に一つもあるまい。

「おい」

背後で、浪人の吉沢がたまりかねて声をかけた。

「むりだ、浅貝の宿《しゆく》までひきかえせ」

と、吉沢はいった。この男は、継之助のあとをつけて登りつづけてくるうち、憎々しいながらも一種の好意を覚えはじめたらしい。

「なんのためにいそぐ」

吉沢は、しつこく質問しはじめた。俺《おれ》は湯沢のうらみをかえすためにこうしてつけてきたが、おぬしの息せき切って登ってゆく姿に心打たれ、つい敵意をすてた、わるいことはいわぬ、麓《ふもと》へひきかえせ、といった。

「いそぐ心があるゆえ、いそぐ」

継之助は雪の上に腰をおろし、腰をひねって莨入《たばこい》れをぬいた。ついでに蓑《みの》をぬぎ、谷へすてた。すでに晴れ間がみえている。この峠を越えるまで、もはや降雪にあうことはあるまい。

「話をしてくれ」

若い出羽浪人は、いった。この男も家郷をすてて京に出ようとしている以上、おのれの生きる場所を、料簡《りようけん》相応にもとめているのにちがいない。それが、この当節の風潮でもあった。

継之助は、莨を吸っている。

「わからん」

と、いった。事実、自分でもわからなかった。江戸へ出て学塾《がくじゆく》へ入る。たかがそれだけのために、なぜこうも道をいそぎ、行路の危険を冒さねばならないのか。次席家老の山本勘右衛門がいったとおり、春を待てばよいではないか。

「わからん」

と、継之助は、自分の胸のなかへするどく吹きこむような語調で、つぶやいた。

顔をすこしあげ、谷のむこうの天を見つづけている。吉沢の存在を無視していた。この男の知的宗旨である陽明学の学癖のせいか、つねに他人を無視し、自分の心をのみ対話の相手にえらぶ。たとえば陽明学にあっては、山中の賊は破りやすく心中の賊はやぶりがたし、という。継之助はたとえ山中で賊に出遭《であ》うことがあっても、賊の出現によって反応するわが心のうごきのみを注視し、ついでその心の命ずるところに耳を傾け、即座にその命令に従い、身を行動に移す。賊という客体そのものは、継之助にあっては単なる自然物にすぎない。

吉沢の存在も、自然物である。いわば、そのあたりの樹木や岩とかわらない。

眼前に、難路がある。これも、継之助の思考方法からみれば山中の賊であろう。継之助は、難路そのものよりも、難路から反応した自分の心の動揺を観察し、それをさらにしずめ、静まったところで心の命令をきく。

(その心を、仕立てあげにゆくのが、おれの諸国遊歴の目的である)

が、そのようなことを、この浪人にいったところでわかるまい。浪人は、継之助を狂人だと思うかもしれない。

継之助は立ちあがった。やがて岩角をつかみ、崖を抱いて渡りはじめた。

十六文

道中で年が明け、江戸についたときは正月の六日になっていた。すぐ江戸藩邸にあいさつにゆくと、江戸家老の牧野頼母《たのも》が、

「まるで親のかたきでも追ってきたようだ」

と、越後《えちご》の大雪を知っているだけに、それを踏破してきたこの男のいこじさにあきれてしまった。

江戸は、越後の冬をおもうとちょうど別天地のような温かさがつづいている。その夜は御長屋で寝たが、よほど疲れていたのか、翌朝目がさめたときは、陽《ひ》が高くなっていた。あわてて雨戸を繰ると、真青な天《そら》が戸の隙間《すきま》からひろがった。

（これが江戸だ）

継之助は、息をのんだ。この感動は、冬季、鉛色の雪雲にとざされている北国人でなければわからぬであろう。継之助は本然《ほんねん》のところ、この天が恋しさに南下してきたのかもしれない。

父と母に、ぶじ到着の手紙をかいた。妻のおすがには書かない。自分の妻にわざわざ手紙を差し立てるほど水くさくはないというのが、当時の侍の風であった。

書きおわると、外へ出た。陽ざしにまみれたいような、そういう気持である。日中、江戸のあちこちを歩きまわり、やがて九段坂を降り、俎板橋《まないたばし》のそばの学塾《がくじゆく》をたずねた。久敬舎という。江戸では、

「古賀先生の塾」

というだけでとおっている。幕府の蕃書調所《ばんしよしらべしよ》頭取古賀謹一郎の私塾であった。

この当時、当然ながら弟子が師匠をえらぶ。継之助は以前、最初の留学のとき、江戸きっての大儒といわれる斎藤拙堂《せつどう》についたが、その学風に失望した。

(詩文ばかりやっていて、くだらない)

とおもったからであった。そのころ木挽町《こびきちよう》で門人をとっていた洋式兵術家の佐久間象山《ぞうざん》の塾に入ったこともあった。が、継之助は蘭《らん》語を学ぼうとしない。

「蘭語など、あんな符号を覚えるだけで十年はかかる。おれは蘭語読みからものをきくだけでよい」

といっていた。ある日、象山が幕府の試射場をかりて門人たちに洋式銃の操作を教えようとした。継之助もその銃をとろうとしたが、象山は押しとどめ、

「足下《そっか》には資格がない。まず蘭語を学び、ついで機能を窮理し、しかるのちに銃をうて」

といった。継之助は象山が稀世《きせい》の天才であり、かつ先覚者としてこれほど巨《おお》きな人物もいないとおもっているが、しかしその容儀の尊大さがやりきれない。自分を尊大に演じようとするのあまり、たかが洋式鉄砲ひとつうつのに、まず蘭語からまなべ、それほどの学問がなければこれを撃ってはならぬ、というのである。

——そういう理屈をこねる腹の曲りぐあいが気にくわぬ。

とおもい、象山からそれとなく遠ざかった。

そのころ、いま訪ねようとする古賀謹一郎の塾にもかよっていた。こんどもこの古賀塾に入りたい。

継之助にとって古賀塾の魅力は、その蔵書であった。なにしろ幕府の儒官古賀家は、精里《せいり》先生以来三代の学者の家なのである。当代の謹一郎にいたって半洋半漢の学者になったが、とにかく三代相伝の蔵書がおびただしい。

(学問などは、ゆらい、人から教えられるものではない。自分の好きな部分を、自分でやるものだ)

古賀塾は、継之助にとっていわば図書館としての魅力であろう。

継之助にとって、古賀塾は再入学になる。

塾は、二階だてであった。塾生は三十人で、諸藩の自費、公費の留学生があつまっていた。そのほとんどが寄宿生である。

齢《とし》も、まちまちであった。四十を越えた男もいれば、髪を細元服《ほそげんぷく》にした十六歳の少年も一人いる。この少年が、のちに刈谷無隠《かりやむいん》と称した鈴木佐吉であった。かれも入塾してほどもない。

「塾で私が一番若く、あとは父親か、叔父のような年がっこうのひとばかりでした」

と、佐吉はのちに語っている。

当の古賀先生は、蕃書調所（東京大学の前身）の長官で公務がいそがしいため、門人の面倒をつきっきりでみるわけにはいかず、多くは自習であった。それに塾頭が肝煎《きもいり》になって輪読などをする。この輪読をきいて、

（たいへんな塾だ）

とこの佐吉がおもったのは、その三十人の門人が、みななんらかの面で傑出していることであった。詩文に長ずる者もいれば、経書《けいしょ》や史書にくわしい者もいる。学問より道義を重んずる者もいれば、道義よりも気節を尚《とうと》しとする者もいた。それら同学の

士がたがいに師になりあうところが、古賀塾だけでなくこの当時の学塾の特徴であった。佐吉もくにの伊勢を出るとき、郷里の先輩が、

「古賀塾はむかしから人材が多い。これはと思うひとをみつけて師事せよ」

と、おしえてくれた。つまり大先生の古賀謹一郎はともかくとして、直接の先生を自分でみつけねばならない。が、たれがいるであろう。塾頭の小田切盛徳は米沢《よねざわ》藩士で経史にかけては右に出る者がなかったが、傲慢《ごうまん》で人柄《ひとがら》がずるいような感じがする。

ある日、佐吉の横に新顔がすわった。目のぎょろりとした人物で、一見して様子が変っている。

(このひとがいい)

と、とっさに思った。なおも観察していると、輪読がはじまっているというのに、この人物は書物もみず、自分だけ勝手に習字をしている。その文字をのぞくと、齢の三十前後というわりには、あまり上手な字ではない。

が、一劃《いっかく》々々、気根をこめ、一字をまるであぶら汗を垂らすようにして書いてゆく。あとで佐吉は、塾の事情にくわしい先輩に、あのひとはどなたです、ときくと、

——あれが越後の河井継之助だ。

と教えてくれた。以前この塾にいたことがあり、いわば帰り新参だという。

「あのかた、輪読のときに書をかいていらっしゃいましたね」

「そういう男だ」

この事情通のはなしでは、河井は訓詁《くんこ》つまり字句の意味のせんさくなどをばかにし、それがはじまると他のことをするという。かれは学者というより行動家を志し、行動の原理をさぐっているらしい、と事情通はいった。

「そばで拝見していると、まるで唸《うな》るような気合をこめて文字を書いていらっしゃいます」

「あれか」

事情通は笑いだした。

「河井のは文字をかくのではなく、文字を彫るのだ」

なぜ文字を彫らねばならぬのか佐吉にはわからなかったが、一見上手でもない文字をあれほど気魄《きはく》をこめて書こうとする精神には他の塾生にはない何事かがあるのにちがいないと佐吉はおもった。

二月になり、江戸のあちこちで梅がほころびはじめた。

佐吉は、なおも継之助を観察した。が、話しかけてゆくのは、どうもおそろしいような気もする。

塾のめしは、台所で食う。そこに猫足《ねこあし》の膳《ぜん》がならび、手のあいた者から食ってゆく。副食物はなく、沢庵《たくあん》だけであった。これではとうていやりきれぬため、ほとんどの塾生は部屋でこっそり副食物をつくり、それを皿に入れて持ってくる。

が、河井の様子をみるのに、いっさいそういうことはせず、沢庵だけで食っていた。

――なぜ、そうなのです。

と、後日親しくなってからきくと、こそこそと副食物をつくって皿に入れて運ぶ、そういう薄ぎたない姿勢がおれはとれぬ、と河井はいった。

（ひょっとすると、金がないのか）

とおもったが、そうではなく、月に一、二度は柳橋《やなぎばし》にゆき、芸者をあげてあそび、そこで粗食のうさを晴らしているらしい。事情通のはなしでは、以前この塾にいたときもかれはそうであったという。

（このひとに決めた）

と佐吉はおもい、機会を見て頼み入ろうと思ううち、当の河井継之助から話しかけてきた。この日、古賀先生から詩文の宿題が出た日で、みなそれぞれ課題をあたえられていた。

「あんたは、鈴木さんだな」

継之助は、意外にやさしい声でいった。たのみがある、これだ、竹だ、という。竹というのは継之助が古賀先生からあたえられた詩文の題らしい。

「すまぬが、あんたは勉強家だ、私のかわりにこの詩を作ってくりゃえ」

というのである。佐吉はおどろいた。継之助といえば他の古参塾生も一目《いちもく》おいているから、どれほどの学問があるかと思っていたのに、宿題の詩をつくれとはどういうことであろう。さらに継之助はいった。

「作ってくれれば、あれだ、焼芋を十六文がとこ、買ってやる」

「しかし」

佐吉は、泣けてきそうになった。作ろうにも、自分は詩の勉強は初等教科書の詩語粋金や幼学便覧《びんらん》をやっと仕上げたばかりで、大人《おとな》の詩などつくれそうにない。

「河井さんの恥になります。古賀先生が、河井さんとはこんな詩をつくるのかと驚かれましょう」

「いいのだ」

詩など、うまくても下手でも、河井継之助の値うちがどうなるわけでもない。

「そういうものでしょうか」

佐吉には意外であった。この当時、漢学修業といえば字句の解釈か、詩文をつくることばかりで、詩文さえ一人前に作れれば、もう学者として十分に通用した。それを継之助は、そういうものはくだらぬという。

「頼んだぞ」

といって行ってしまった。やむなく佐吉がそれから三日間大汗かいて詩作し、ついにできあがった竹の詩を継之助にわたすと、継之助は一読し、結構だ、といってそれを塾頭の手もとまでとどけ、そのあと焼芋をかかえてもどってきた。

「礼だ」

(このひとではとても師匠はむりだ)

佐吉は、落胆した。

妙な男である。

(なにが目的で、この塾に籍をおいているのだろう)

と、佐吉は、河井継之助という男を、そういう興味で観察するようになった。他の多くの塾生は藩に帰って儒官にでもなるのが目的であり、佐吉自身もそうであったが、この継之助は学者になるつもりはないらしい。

「よせよせ」

ある日、継之助は読書中の佐吉にいった。

佐吉は読書がすきで、塾にある書物をできるだけ読もうとしていた。この日、孟子《もうし》に関する宋《そう》時代の註釈をよんでいた。

「よくも毎日、退屈もせず、そうがつがつと勉強ができるものだ」

「私は」

佐吉はこの先輩に閉口した。

「べつにがつがつと勉強しているわけではありませぬ。おもしろいから勉強しているので、退屈などしておりませぬ」

「おもしろいだけのことで本を読むというなら、いっそ本を読まずに芝居か寄席《よせ》へでもゆけ。あのほうがずっとおもしろい」

「ははあ」

佐吉には、わからない。とすれば継之助はなんのつもりで塾へ来ているのか。

佐吉のみるところ、継之助は塾の輪読や課題演習にはお義理で出ている。が、平素熱中しているのは、かれ自身の独自の課題であった。ちなみに、この塾の書庫には、王陽明全集がある。

古賀家初代の精里先生の蔵書である。精里は佐賀藩の出身で、最初京にきて在野学派である陽明学をとったが、のち大坂で研学するうちそれを捨て、幕府の官学である朱子学に帰した。さらにその後この朱子学によって幕府の儒官になるのだが、要するに若いころ陽明学徒であったがために、その全集を所蔵している。全集を所蔵しているのは江戸でもこの古賀家だけであり、それをよむために継之助はこの塾にきているらしい。

その読み方も、かわっている。単に読むのではなく、例の彫るような難筆《なんぴつ》（こんなことばはないが）でもって、書写しているのである。

（ずいぶん、ご念の入った読み方だ）

と、佐吉もその点をおかしく思っている。筆写などしていてはとほうもない時間がかかり、生涯《しょうがい》多くの書物はよめまい。

「ではないでしょうか」

と、ある日、きいてみた。継之助は笑いもせず、これが本当だ、といった。

「おれは知識を掻《か》きあつめてはおらん」

せっせと読んで記憶したところでなにになる。知識の足し算をやっているだけのことではないか。知識がいくらあっても時勢を救済し、歴史をたちなおらせることはできない。

「おれは、知識という石ころを、心中の炎でもって熔《と》かしているのだ」

「熔かす」

佐吉は、おかしかった。なるほど、継之助の面構《つらがま》えは、石でも熔かしかねぬところがありそうである。もっとも熔かす、とは継之助のすきな陽明主義にあっては、知識を精神のなかにとかしきって行動のエネルギーに転化するということであろう。

「お言葉がむずかしくてよくわかりませぬ」

「おみしゃん、吉原に行ったことがあるか」

「ありませぬ」

「それでいい。行くには若すぎる」

と、こんどは妙な例をあげた。

「――吉原の帰りにさ」

と、継之助はいった。タンボを歩いていると、肥桶《こえおけ》をかついだ百姓がいきおいよくやってくる。こっちが通るというのに、道もよけない。会釈《えしやく》もしない。御府内の百姓は侍をおそれないからね、とくに吉原界わいの百姓はそうさ。

ぴしゃっと、汚物が、襟《えり》、袖《そで》、足もとにかかった。汚物だぜ。

「どうするかね」

継之助はいった。そんな例をわざわざあげたところをみると、現実、継之助はその不幸を体験したのだろう。

原則でいえば、当然無礼討ちにすべきである。武士は四民の上に立っている。農工商の連中から侮辱をうけたときは無礼討ちをしなければならないし、またそれが、武士階級の権威を保持するために徳川体制では不文律としてゆるされており、討ったあと、手つづきとしては、町奉行に届けずてにしておけばいい。

が、現実にはそうはいかない。

百姓の親族がうるさく奉行所にねじこんできて、別な事実解釈をのべるであろう。それを奉行所では幕府の目付《めつけ》に報告する。目付は藩の江戸家老をよびだす。その間、さんざんうるさいことがあったすえ、結局は斬《き》りすて御免の原則のもとに百姓は泣き寝入りになっても、その武士はそのままではすまされず、

——平素のおこない、不料簡《ふりようけん》である。

というような、別な罪状を仕立てられて、軽くて蟄居《ちつきよ》閉門、重くて改易《かいえき》か切腹、ということになる場合が多い。

庶人どもも、このことは知っている。そのため、春、上野の山で花見などにゆくと、酔ったあぶれ者どもが、酔ったいきおいで武士にけんかを吹っかける。抜け、抜いてみやがれ、抜けねえのか、などと毒づくが、武士にとっていったん抜けば家そのものを賭《か》けねばならず、このため容易に抜けぬ。ついには面罵《めんば》に堪えて我慢せねばならぬ。それが普通になっている。

「それでは、武士の面目《めんぼく》が立たぬ」

継之助はいう。武士にとって最高のモラルはいさぎよさということであり、この道徳美は自分が武士であるかぎりまもらねばならぬ。この場合、家や家禄《かろく》やわが身のいのちを目方にはかって行動をきめるようでは武士が立たず、その原則から考えれば、ぬく手もみせず肥かつぎの首をはねるべきであろう。

が、そうもいかぬ。別に、それとおなじ重さの原則がある。百姓のいのちということである。当然、人間の本然のあわれみという惻隠《そくいん》の情というのがおこるべきであり、この情こそ仁の根本であると儒教ではおしえている。武士の廉潔《れんけつ》をまもるか、惻隠の情という人間倫理の原理にしたがうべきか、その両原則がたがいに相容《あいい》れぬ矛盾としてそそりたっているだけに、この場合の判断が容易にできぬ。

「人間万事、いざ行動しようとすれば、この種の矛盾がむらがるように前後左右にとりかこんでくる。大は天下の事から、小は嫁姑《よめしゆうとめ》の事にいたるまですべてこの矛盾にみちている。その矛盾に、即決対処できる人間になるのが、おれの学問の道だ」

と、継之助はいった。即決対処できるには自分自身の原則をつくりださねばならない。その原則さえあれば、原則に照らして矛盾の解決ができる。原則をさがすことこそ、おれの学問の道だ、と継之助はいう。それが、まだみつからぬ。

「だから、おれには、たとえ汚物をかけられても、斬るべきか、生かすべきか、まだわからぬ」

——江戸で、なにか仕出かさねばよいが。

と、長岡の父は心配しているらしい。

その様子が、月に二度は来る母のお貞からの手紙で知れる。そのうち、父の代右衛門が老齢のためという理由で、藩に隠居とどけを出した。

(おもいきったことをなされたものだ)

継之助は、その飛脚便をうけとったとき、あきれるおもいであった。おだやかな吏僚として生涯を送った代右衛門にすれば、一生に一度の勇断ともいうべきであろう。

あとは継之助が河井家当主になり、藩の正規の構成員になる。代右衛門としては継之助に責任さえもたせれば自重するとおもったのにちがいない。

これにともない、継之助は、江戸藩邸へゆき、家老たちにあいさつした。

「もはや部屋住みではない。身をつつしみ、よく恪勤《かくごん》なされよ」

と、家老たちはいった。

(わかりきったことをいう)

継之助はそんな感想を露骨に顔に出して押しだまっていた。わかりきったことを、いちいちもっともらしく言う以外にこれら藩の閣僚たちは能がないのであろう。

翌日、藩邸から使いがきて、すぐ来い、とせきたてられた。

(これだからいやだ)

当主になると、以前とちがって藩の御用が多い。すぐ辻駕籠《つじかご》をひろい、塾《じゆく》から藩邸まで駈《か》けた。藩邸に入ると、藩公から格別なおぼしめしによりとくに謁《えつ》をたまわる、という。

藩公というのは、十一代忠恭《ただゆき》である。三河西尾藩主松平家から入った養子で、大名としてはめずらしく俊才であった。

それだけにただの大名ぐらしをきらい、早くから幕政に参加し、この翌年奏者番《そうじやばん》になった。ゆくゆくは大坂城代、京都所司代、老中《ろうじゆう》、というコースを、おそらく忠恭ほどの才幹ならくらくと進むであろう。もっとも（余談だが）、藩主がこういう幕府政治家の道をすすむことは一種の道楽で、藩にとっては出費がかさみ、かならずしも藩役人たちのうれしいことではない。

継之助は、急の拝謁というので支度ができておらず、紋所のあう裃《かみしも》を借り、詰め間で待った。やがて家老たちにつきそわれ、広間にまかり出た。ほどなく、はるかな上段で忠恭が着座した。継之助は平伏した。

「所存をいえ。——」

それが、お言葉である。なんの所存をいうのか、ご質問の意味が解《げ》しかねた。大名というのは、忠恭のような出色の人物でも、おおかたそういうところなのであろう。が、継之助の頭脳は迷わない。つねに迷わぬように鍛錬している。

「継之助、このたび家督をつぎましたるにつき、存念がござりまする。ゆらい、武士の家のことを弓矢の家と申しまするが、このことばを守るかぎり、今後は藩をうしない、日本を破るもとになるかと存じまする」

「どういうことだ」

忠恭はいった。継之助は、弓矢の家でなく砲艦の家と申さねばなりませぬ、一藩の軍制をあらため、砲を備え、軍艦を海上にうかべねば御家はオロシャ、エゲレス人の奴隷《どれい》に相ならねばなりませぬ、といった。
もっともこの日は継之助もあがっていたのか、われながら言葉が飛躍し、忠恭の理解をえられなかった様子であった。

――自重せよ。

と、藩邸を辞するとき、藩重役はふたたび念を押した。継之助が、どこからみても危険人物にみえるらしい。

（なにをいってやがる）

と、継之助はばかばかしかった。なにをどう自重するのか、聞くほうも言うほうも、さっぱりわからない。世間にはそういうむだな言葉が多い。たがいに相手の皮膚をなであうようなやりとりをしている。自重せよ――か。

藩重役の気持はわからぬことはない。かれらはひたすらに無事がほしいのである。無事を、宝石のようにおもっている。

（糞《くそ》くらえ）

継之助は、その精神をさげすんだ。

封建制というものは、そういうものだ。ぶじであればそれだけでいい。無事であれば、上は将軍大名から、下は徒士《かち》足軽にいたるまで、先祖承伝の家禄をいただいてひそひそと食ってゆけるし、その家禄を子や孫にうけわたしてゆける。うまい仕組だし、役割である。息をするのもしずかに息をし、荒い言葉をはかず、他人に迷惑をかけられまいと始終気をくばり、おのれの行儀をよくし、ひとの不幸は見てみぬふりをしてこっそりと座をはずす、そういう生活技術であり、精神である。

たとえば越後長岡藩士である河井家は、継之助で五代である。家中では新参のほうといっていい。戦国のころ、この家系の遠祖は家康の発祥地である三河に住んでいたが、それがどんなはたらきをしたかは伝わっていない。牧野家につかえてからの初代代右衛門信堅というひとは、徳川の初期、近江膳所《おうみぜぜ》の城主本多《ほんだ》家につかえていたが、その本多家の姫君がこの牧野家へ輿入《こしい》れをした。そのとき主命によって姫君にしたがって牧野家に入った。

泰平の時代だから、この初代にはべつに武功などはない。藩主のおそばちかくに仕えてひどく気に入られたというから、機転のきくひとだったのであろう。その証拠に、はじめ三十石だったのが、のち百四十石に加増されている。その百四十石を、代々世襲してきた。継之助の父の代でちょっとした事故があり、二十石減らされた。いずれにせよ、大過がなかったおかげで河井家百年のあいだ、百石あまりの家禄を、代々相続して来ることができたのである。継之助も「自重」さえすればこの家禄を子孫にうけわたすことができるであろう。もっとも、どういうものか、継之助の妻のおすがはいっこうに子をうみそうにないが。

ともあれ、わが身のぶじを祈る心が、徳川三百年の最高の道徳になっており、武士も百姓をもふくめてこの世襲道徳が血肉になり、骨をもかたちづくっている。いわば骨髄の思想のようなものだ。

(おれの代からは、そうはいかぬ)

外夷《がいい》が、その武威と野望をもってこの六十余州の海浜におしよせてきている。嘉永《かえい》六年のペリー来航以来のこのさわぎはどうであろう。江戸幕府の武権はゆらぎ、志士たちは京にある潜在政権に目をつけ、幕府を否定して天子を擁立しようという気運をもりあげている。封建制そのものが、ゆらぎつつあるのではないか。

そのときにあたって、わが身だけが押入れにかくれて無事を祈りつづけているような、そういう性根ではどうにもならぬ。

あれやこれやが、継之助の藩重役に対するばかばかしさになっている。

継之助は、毎日、夕餉《ゆうげ》がおわると、銭湯にゆく。

湯銭は、十六文である。出かけるとき、一文銭を十六枚、きっちりと観世《かんぜ》よりでさして括《くく》ってゆく。

「お湯ですか、焼芋ですか」

と、出かけしなに、鈴木佐吉がきいた。焼芋も、おなじく十六文なのである。

「湯だ」

継之助は言い、着流しで出かける。脇差《わきざし》のみ腰にし、大刀は帯びない。武士たる者は戸外に出ればかならず大小を帯びるのがたてまえだが、継之助はそうではない。この一事でも、かれの生きている時代では信じられぬほどの不作法だった。

湯は、気がみじかいくせに長いほうである。かならず三助をとる。この日も背を流させていると、背いっぱいに山姥《やまんば》のほりものをした壮漢が、やはり刺青《ほりもの》入りの同類ふたりをつれて入ってきた。

——あいつは、山姥ノ芳《よし》、というやつなんで。

と、平素無口なはずの三助が、このときめずらしく継之助の耳もとで、ききもせぬことをいった。この近所で、俠客《きようかく》気どりで住んでいる鼻つまみだという。

「俠客か」

継之助は、笑いだした。継之助の知識では、俠客の俠の字は人べんに夾《はさ》むとある、左右の子分に夾まれ、それを従えている図をいう、とかつて斎藤拙堂にきいたことがある。決してひとり歩きはせず、徒党を組み、人数をたのんで、それによって我意《がい》をとおそうとする人間のことだが、銭湯にやってくる姿まで文字のとおりというのがおかしい。だから、笑った。

が、三助の懸念《けねん》は、別なところにある。

この浴場に、先刻から入っている鳶《とび》が二人いる。その兄い株が、いま湯のなかにいるのぼり竜《りゅう》の刺青の男である。そののぼり竜と山姥は、怨恨《えんこん》関係にある。

「その証拠に」

と、三助のいうところでは、山姥の子分が、手拭《てぬぐい》でもってさしみ庖丁《ぼうちょう》をぐるぐるまきにし、それをさりげなくもっている。きっと喧嘩《けんか》がはじまる。だから旦那《だんな》はもうおあがりなすったほうがいい、というのである。なるほど他の客もそれを察したらしく、どんどんあがってゆく。

「いや、かまわぬ」

継之助は、ひきつづき流させた。その落ちつきぶりをみて三助は、

(さすがはお武家だ)

とおもった。内心、そうとう剣術《やっとう》にも自信がおありなさるのだろう、とおもったが、

そのわりには横びんの面摺《めんず》れのぐあいもひどくはないし、手首のあたりの竹刀《しない》だこもさほどではなさそうである。

継之助は、武術家ではない。

かれも他の藩士の子弟のように適齢に達すると、剣技を鬼頭六左衛門に、弓術を根岸勝之助に、馬術を三浦治部平《じぶへい》に、槍術《そうじゅつ》を内田甚弥に、といったぐあいにそれぞれの師について学んだが、もともと方式に遵《したが》いにくい性格と頭脳をもっているのか、我流のみを演じていっこうに上達しない。ついにひらきなおってしまい、

「たとえば馬術なども、馬を駈けさせることととめることを知っておればいい。どの技も、用さえ達すればそれで十分だ」

と言い、ベッダン習熟した武術というのはない。

ただ、喧嘩がうまい。

というより、この男は喧嘩の呼吸を天成からだのなかで知っているといったほうが正確だろう。が、この場合、継之助は当事者ではない。かれはただ、いまからはじまろうとする喧嘩の見物人であればよかった。

ざあっ、と三助が湯を継之助の背に流したとき、むこうの湯ぶねのふちで、もうは

じまっていた。

山姥ノ芳が、まず売った。

（なるほど、あのように売るのか）

と、継之助が感心するほどうまい。

最初に山姥は湯に手をつけるなり、

「熱ぇ」

と叫び、章魚《たこ》をゆでるわけじゃあるめえし、こんなばかあつい湯に平気でつかっているやつァ、どういう料簡《りょうけん》だ、うめろうめろ、といって子分にどんどんうめさせた。入っているのが、のぼり竜とその弟分である。ものもいわずに山姥の子分の腕をつかみ、湯へたたきこんでから、竜が池からとびだすような勢いであがってきた。そのときはもう、板をつかんでいる。

「野郎、もう一度いってみろ」

いうなり、板でもって山姥の横っ面《つら》をなぐりつけた。山姥はあやうく避け、背をまるめて桶《おけ》をひろい、そいつを力まかせに投げた。乱闘がはじまった。

「旦那」

といったのは、三助である。こいつはよかありませんよ、とばっちりをくってもつまりません、どうぞおあがりくださいまし、といったが、継之助はだまっている。

（すでに家督をついだ以上、自重せよ）

と藩老からいわれたのは、きのうのことである。君子はあやうきに近よらずという儒教のことばもあれば、無事是好日《これこうじつ》という禅語もある。長岡藩の士訓十七条の第二条にも、「頭をはられてもはっても恥辱の事」ということばがある。いずれも無事であることを処世の第一原理にしたことばであろう。

（が、これをだまってみていられるか）

と、継之助はおもうのである。先刻、山姥のほりものをしたあの芳というならず者が入ってきたとき、ひとびとは大きに迷惑を感じてみな出てしまった。そのときから継之助は他の浴客たちのためにこの傍若無人な連中をなんとかしたいとおもっていた。だから、この場を去らない。

（余計な、お節介だろうか）

諸事、行動に原理をもとめたがる継之助は一度はおもった。あきらかにお節介である。儒教の祖の孔子がここにいれば、あやうきに近よらず、ということで身を避けるにちがいない。長岡藩の士訓第二条の素朴《そぼく》な教訓のことばも、要するに武士たる者はつまらぬいさかいに手を出してわざわざ恥を求めるべきではない、ということである。

が、そのような教訓が百束あっても、こういう場合の解決にはどういう役にも立たない。

げんに、山姥の子分は、さしみ庖丁をくるんだ手拭を、あわただしく解きはじめているではないか。

——てめえ、それでも江戸っ子かあっ。

と、のぼり竜が、喧嘩に刃物を出した相手をののしってはいるが、しかしこのぶんでは血を見ずにはすまぬであろう。

継之助は、立ちあがった。

ここからむこうは原理ではなく、気質というものだろう。

「やめろっ」

と、一喝《いっかつ》した。そのまま歩き、双方のあいだに割っていり、まず顔を右にまわしてのぼり竜のあばた面をにらみすえ、ついでゆっくりと山姥を見た。

(存外、可愛《かわい》い顔をしていやがる)

と、継之助はおもった。山姥ノ芳などというものものしい二ツ名をもっているが、市松人形のような姿のいい目をもっている。

「わしが仲裁をする。双方、ひきさがれ」

「この野郎」

と叫んだのは、その山姥だった。山姥が売った喧嘩だからいまさら仲裁をうけいれれば、手前《てめえ》の弱身になる。このさい、風呂釜《ふろがま》がわれるほどの大声でわが威を示さねばならなかった。

「うぬァ、勤番侍か、さんぴん（旗本に奉公する渡り徒士《かち》）か。なにを血迷って江戸っ子のけんかの仲裁を買って出やがった。どきゃがれ。どかねえと、うぬからたたんじまうぞ」

「…………」

継之助は、腕を組んだままだまって山姥をにらみすえている。

「もっと、ほえろ」

と、継之助はいった。山姥は、ほえた。がしだいに語気が萎《な》えてきた。

継之助の鳶色の目が、すさまじく光っている。

「どきゃがれ」

と、継之助の右うしろののぼり竜も、叫ばざるをえない。叫ばねば、仲裁をよろこんでいるようで、こけんにかかわるのだ。

「やかましい」

継之助は、四肢《しし》に気力をみなぎらせつつ、そのわりにはききとれぬほどのひくい声を出した。低い声のまま、

「おれは越後の河井継之助という者である。ただいまそこの古賀先生のもとで厄介《やっかい》になっているから、おみしゃんらとは町内同士の身である。そのよしみによって仲裁する」

ほとんど、ききとりにくい。双方、つい耳をかたむけた。継之助は、つづけた。

「武士たる者が、このように仲裁を買って出た。出た以上、雷がおちてもひきさがれねえのが侍の道だ。仲裁をうけぬとあれば」

と言い、あとは飛びあがるほどの大声でいった。

「おれが相手だ」

叫びおえると、すぐ首を動かし、三助をかえりみ、脇差をもって来い、と命じた。

みな、その気に呑《の》まれた。

——気がかんじんだ。

と、継之助は平素いっている。喧嘩にしろ剣術にしろ角力《すもう》にしろ、勝負の技術などは問題ではない、という。余談だが、継之助は角力をこのみ、本場所がはじまると一

日もかかしたことがない。ことに伊勢海《いせのうみ》という力士が越後刈羽《かりわ》郡小国郷《おぐにごう》の出であるためこれをひいきにしたが、この伊勢海にも、

――角力は、立合う一刹那《いっせつな》の気合にすべてがある。

と、言い言いしていた。

その継之助の気合に、山姥ものぼり竜も閉口したらしい。おそれ入りやした、と双方ついに平身し、継之助の仲裁をうけることにした。仲裁には、多少の金が要る。継之助は一同を湯屋の二階につれてゆき、酌《しゃく》をする女をよび、大いに酒をのませた。

「旦那ににらまれたときゃ、こう、毛穴がちぢむような思いでござんした」

「そうかえ」

継之助はにがい顔でうなずいたが、腹の中では笑っている。あのときたしかに山姥のいうとおり、この男のきんたまがちりちりと縮みあがっていた。

堀切《ほりきり》の花菖蒲《はなしょうぶ》が見頃《みごろ》というころ、少年塾生《じゅくせい》の鈴木佐吉が継之助の部屋にゆくと、この男は机にむかって端座している。

(いいうしろ姿だ)

と、佐吉はこのところ、継之助に傾倒しきっていたから、その背のたたずまいまでがきわだったものにみえた。

継之助はもともと小柄《こがら》で、その姿《なり》、身ごなしは武士というより江戸前の職人、といったいなせさを感じさせるのだが、すわらせるとまるでちがう。きりっと空を截《き》ったように背骨が立ち、わずかにあごをひいて書見している。

「お邪魔をしてよろしいでしょうか」

「いいぜ」

と答えてくれたが、背中はうごかない。佐吉はどういう書物をよんでいるのだろうかとおもい、横へまわり、かしこまった。

のぞくともなしにのぞくと、継之助は小さな、それも掌《たなごころ》に入るほどに小さい書物を前に置き、ときどき筆をとりあげては朱点を入れている。

「小さな書物でございますな」

「ああ」

継之助はうなずいた。

少年は、知らない。書物は、江戸の遊冶郎《ゆうやろう》ならたれでも知っている吉原細見《さいけん》であった。吉原の遊女の名簿と案内書をかねた書物で、これ一冊をもっていれば吉原の様子はほぼわかる。

「それは、武鑑《ぶかん》でしょうか」

と、佐吉はきいた。武鑑とは、三百諸侯の紳士録で、ほぼ毎年改訂されて世に出る。しかしそのかんちがいを、継之助は笑わなかった。

「いやさ、妓《おんな》の武鑑だ」

と、言い、簡単に説明した。佐吉はさすがに赧《あか》くなった。

継之助にゆるされてその書物を手にとると、遊女の名前のうえに◎○△×のしるしを朱筆で入れてある。継之助が入れたらしい。

「これは？」

「感想だ」

継之助のいうところでは、馬鹿《ばか》で醜くてとるにたらぬ女は×になっている。手取《てどり》がいいというだけの女は△であり、美しくて利口なのは○である。さらに人間としてみごとに出来あがっている女が◎であり、さすがにこの印はすくない。

（おどろいたな）

と佐吉がおもったのは、ほとんどの名前にしるしがついているところをみると、吉原の遊女の七、八割までをこの継之助が買ったということになるであろう。

たまたま、佐吉にも話題がある。一昨日、塾の先輩たちにつれられて、堀切の花菖蒲をみにいった。帰りにしらずしらず吉原につれこまれ、

——おぬしも登楼《あが》れ。

といわれた。佐吉は真っ青になり、私はそういうわるい遊びはいたしませぬと言いきって帰ってきた。……その一件を話すと、

「その一件は、他の者からきいていた」

と継之助は言い、机の下から菓子をとりだしてきて、

「ふりきって帰ってきたことをほめてやろうと思い、このように菓子を買い置いた。ほうびだ、たくさん食え」

と、この師匠はいった。

どうも、佐吉には、かれが選んだこのお師匠のいうことと為《な》すことがわからない。夫子《ふうし》自身、これほどまで吉原に通いつめているというのに、佐吉にはそれをするなというのはどういうことであろう。

とにかく、少年の身で遊里などに足を踏み入れるなという。

「それでは、生涯《しょうがい》、足を踏み入れてはならぬのでしょうか」

「左様、その一事に越したことはない」

継之助は腕をくみ、こわい顔ですわっている。その顔をみると、佐吉はちょっとからかってみたくなった。

「なぜでしょう」

それほど悪いところなら、継之助が通いつめるということ自体おかしいではないか。

「男子の志をうしなうからだ」

と、継之助はいった。そもそも——と継之助はいう。男子が男子たるゆえんは、志の有無にある。詩が貴く絵が貴く書が貴く礼楽《れいがく》が貴いのは、それによって男子の志をのべるからであり、それをもって男子の志を養うからである。

「志とは、なにか」

継之助は、目をつぶった。自分に対してつぶやいているような気配である。

「世は、絵でいえば一幅の画布である。そこに筆をあげて絵をかく。なにを描くか、志をもってかく。それが志だ」

継之助の志とは、男子それぞれがもっている人生の主題《テーマ》というべきものであろう。どういう絵をかく、ということになれば主題《テーマ》があらねばならない。その主題をどのように描くということになれば工夫《モチーフ》が必要であろう。主題と工夫《モチーフ》というのが、継之助のいう志という意味であるらしい。といってこのことはべつに継之助の造語ではなく、儒教一般ではことに志という一事を尊ぶ。

「その」

と、継之助はいった。

「志の高さ低さによって、男子の価値がきまる。このこと、いまさらおれがいうまでもあるまい。ただおれがいわねばならぬのは」

と、継之助は息をひそめた。

「志ほど、世に溶けやすくこわれやすくくだけやすいものはないということだ」

そのように継之助はおもっている。志は塩のように溶けやすい。男子の生涯の苦渋というものはその志の高さをいかにまもりぬくかというところにあり、それをまもりぬく工夫は格別なものではなく、日常茶飯の自己規律にある、という。箸《はし》のあげおろしにも自分の仕方がなければならぬ。物の言いかた、人とのつきあいかた、息の吸い方、息の吐き方、酒ののみ方、あそび方、ふざけ方、すべてがその志をまもるがための工夫によってつらぬかれておらねばならぬ、というのが、継之助の考えかたであった。

「妓《おんな》は、いい」

と、継之助はけげしくいった。その語気のはげしさから察して、継之助はよほど婦人を好んでいるのであろう。

「それだけに、婦人ほど男子の志を溶かすものはない。おそろしいのは、志の薄弱な市井《しせい》の遊冶郎のみが婦人におぼれるかといえば、そうではない。英雄豪傑のほうがかえって溺《おぼ》れる」

それは、わが身に言いきかせているのであろう。しばらく沈黙し、

「多感だからだ」

といった。英雄豪傑ほど多感であるという。手練手管《てれんてくだ》にはだまされぬが、しかしながら、

「一種言うべからざるの情において鉄石の志をも溶かされてしまう。わかったか」

だからこればかりはやるな、という。しかしそれにしても、当の継之助がなぜそれをやっているのであろう。

「おれかね」

継之助は、めずらしい動物でもみるように自分の胸もとをながめた。

「おれは、別さ」

「ご自分だけ、別あつらえの人間である、とおっしゃるのでございますか」

「ばかめ」

わざと、声をひそめていった。

「別あつらえの人間など、どこの世にいる。ただの人間だから、おたがい自分をもてあまして苦労している」

「では、やはり婦人がお好きなのでございましょうか」

「残念だが」

継之助は、笑わない。

「ひとよりも三倍がた、そのようだ」

「すると、河井殿もまた、遊里で魂を蕩《とろ》かされることに相成りましょうね」

「相成る」

「冗談を申されてはなりませぬ」

佐吉は少年の身ながら、ひらきなおった。

「少年と思い、あなどって頂いては迷惑でございます」

そうだろう。いままでさんざん、女はならぬと説諭しておきながら、自分が遊里で平然と魂をとろかされている、というのではどうにもならぬではないか。

「そうだな」

継之助は、考えこんだ。じつのところ、継之助の時代には、政治や自然を語る日本語の語彙《ごい》はふんだんにあるのだが、自分の内側のことを語る言語としてはあまり発達しておらず、ひどく語りにくい。語るとすればたとえばなしでも用いるほかなく、それではどこか真実が逸《そ》れてしまう。

だまっているほかない。

「答えていただかねばなりませぬ」

「おれの面《つら》で察しろ」

「面で」

少年は、おどろいて顔をあげた。あらためて継之助の顔をながめてみたが、変哲もなく、いつものままである。ひとことでいえば拳固《げんこ》を思いきりにぎりしめたような、そんな面構えをこの越後人はしている。

「このつらで察するのだ」

「よくわかりませぬ」

「はっ」

継之助が、ひと声笑った。石を玄翁《げんのう》で一撃したような、そんなわらいかたである。

「わからぬか」

「はい、残念でございますけど」

「つらで相手が察せられるまで、自分をそだてろ。大丈夫たる者はみなそうだ。つらで相手の心の機微がわかる」

「わたくしのような童蒙《どうもう》の身では、言葉でなければわかりませぬ」

「言葉では、機微はわからぬ」

「はい」

といったが、少年は不服であった。継之助は禅問答のようなことをいっているが、ごまかされているのではあるまいか。そう思い、質問の方角を、思いきってかえてみた。つまり、先刻来、継之助が吉原細見という遊冶郎用の袖珍本《しゅうちんぼん》をみていたのはどういうわけか、ということを、思いきってきいてみたのである。

「そのことか」

継之助は、すらりと答えてくれた。いままでに買っていない妓のなかでめぼしそうなものをさがしていたのだ、という。

「この稲本《いなもと》という楼《うち》の小稲というおいらんが、どうもなかなかの人物のような気がする」

佐吉は、へきえきした。

継之助がきいたひとのうわさでは、吉原稲本楼の小稲というのはひどく権高《けんだか》なおんなであるという。

（はたしてそうか）

と、継之助はそのことを考えていた。ちょうどその思案中へ鈴木佐吉が入ってきた、という寸法なのである。佐吉は継之助のちょっと解《げ》しかねる説法をきき、毒気にあてられたような顔で部屋を去った。

（小稲のことだが）

それを考えている。継之助は自分で物事を見たしかめた以外に風説を信じない。

（男でいえば、佐久間象山のようなやつかもしれない）

と、おもった。象山はいまでこそ天下にかくれもない名士になっているが、数年前、かれがまだ無名にちかかったころは、一部でひどく評判がわるく、権高であるとか、虚喝漢《はったりや》であるとかいわれていた。そこで先年、最初の江戸遊学のころ、継之助は木挽町で私塾《しじゅく》をかまえる象山をたずねた。風説よりも象山の本質をこの目でたしかめてみたかったのである。入塾はせず、一種の客分になった。

（なるほど、虚喝漢《はったりや》だとおもわれるのもむりはない）

とおもったのは、象山が傲然《ごうぜん》として世間を見くだし、幕府のおかかえ洋学者や、京都で公卿《くぎょう》にとり入ってその攘夷《じょうい》気分をあおっている浪人漢学者どもを低能あつかいにし、口をきわめて罵倒《ばとう》しているからであろう。しかし継之助のみるところ、象山は虚喝漢ではない。

（これはほんものだ）

とおもった。象山とくらべれば、古今の学者などは低能あつかいにされてもしかたがないであろう。しかしその偉さを象山のばあいはみずから誇示しすぎるのである。つねに大名かとおもわれるような風采《ふうさい》をし、この鬚《ひげ》のはやらぬ時勢にあごひげを垂らし、眼光を必要以上に怒らせ、つねに相手を威圧しようとしている。このいわば教養人ばなれのした押し出し好きが、一部の評判をあやまらせているのにちがいない。

継之助は、そうみた。

この小稲のばあいも、あるいはそうであるかもしれない。

（この目で、見ねばわからぬ）

継之助は、大まじめであった。吉原の遊女と佐久間象山とを一緒にして考えているおかしさに、自分自身は気づいていない。いやたとえひとにそれを指摘されても、

——おなじことだ。

と、きびしく言いきるであろう。吉原の遊女も佐久間象山も同一次元で考えてはじめて人間の問題がでてくるのである、と継之助は信じている。

(小稲を買うか)

とおもった心境と、佐久間象山に会おうとした心境にかわりはなかった、ただ小稲へのばあいは性欲が弾機《ばね》になっており、象山へのばあいは知識欲が媒体になっている、というわずかなちがいがあるにすぎない。

翌日、めざめると朝の塾務をすませ、まだ昼にはだいぶ時間があるというのに吉原をめざして出かけた。

武士のあそびは昼になっている。遊里へ夜分にゆき一泊するなどというのは歴《れっき》とした武士のすることではなかった。武士はいつ主家から陣触れその他の御用があるかわからぬため外泊はゆるされず、そのためにやむをえぬ昼あそびが、自然武士の嗜《たしな》みある風儀とされてきたのであろう。

浅草観音からむこうは、田圃《たんぼ》である。継之助は、駕籠《かご》でゆく。道は山谷《さんや》堀《ぼり》までひとすじであった。駕籠の垂れが風でまいあがり、目いっぱいの田圃のむこうに吉原がうかびあがっている。男としてこのあたりを駕籠でいそぐときほどいい気持な次第はないであろう。

やがて駕籠は土手にのぼる。山谷堀のほんの小さな土手だが、しかし通称は大きく、日本堤《にほんづつみ》という。粋客が、よほどいい気持でつけた名前にちがいない。

土手に沿って大門《おおもん》のそばで駕籠をすて、門を入ると、そこがもう吉原である。ここだけが日本の別天地といってよく、いったんここに入れば四民の階級はなく、幕府から特別な自治がみとめられており、ここであそぶ者の階級といえば金の有無か、粋か不粋かのふたとおりしかない。

大門を入ってすぐ茶屋がならんでいる。継之助はそのうちの一軒に入った。土間に三尺の油障子がはまっていて、そこに、

「山口巴《やまぐちともえ》」

という屋号がかかれている。階上の座敷に通されると、熱い茶が出る。

ついでながら、茶屋は、それぞれの妓楼《ぎろう》への申し次ぎをする仲介機関といっていいであろう。茶屋には、妓《おんな》はいない。

吉原でも中以下の妓楼は、遊女が店にならんで客をひき、客はぞめき歩きながらその楼と直《じか》の交渉でなかへ入る。

しかし大見世《おおみせ》といわれる上級の妓楼についてはかならず茶屋を通さねばならない。

「稲本楼の小稲だ」

と、継之助は、めざす妓を名ざした。茶屋の者はかしこまり、男衆が稲本楼へ走る。様子をききにゆくのである。

そのあいだ、茶をのんでいる。茶菓子は、郭内《くるわうち》の菓子屋竹村伊勢大掾《いせのだいじょう》という店で名物の最中《もなか》ノ月である。

やがて男衆がもどってきた。継之助は大刀を茶屋の幼い養女にあずけ、男衆を供に路上へおりた。

歩くまでもない。すぐそこが仲《なか》ノ町《ちょう》である。角の楼が角海老《かどえび》で、右手が大文字屋《だいもんじや》、左手が継之助がめざす稲本楼であった。この三軒だけが大見世とよばれ、遊女の格式も高い。

まっ昼間である。

が、継之助はそのあかるさに卑下することはなく、このさとにあっては昼にくる客こそ上客とされている。

上《じょう》は昼きて夜帰る

中は夜きて朝帰る

下下《げげ》の下の下が居続けをする

とされている。

ついでながら高尾太夫《だゆう》などの伝説にあるように、客が大名であろうと気に入らねば拒絶するというほどに遊女の見識を高くしてあったのは江戸も中期ごろまでで、継之助のこの時代になると吉原の風儀も崩れ、客を振るなどということもなく、すべて大衆本位になっている。

しかしこの稲本楼をはじめ右の三楼だけはちがっており、古格をまもり、太夫の教養やしつけもむかしどおりであるという。ことに小稲はそのなかでも格別であるというわさをきいて継之助はやってきている。

やがて、小稲の部屋に通された。

部屋が上《かみ》ノ間と次ノ間にわかれ、みたところ小大名の居間でもこうは贅《ぜい》をつくせまいとおもわれる様子であった。

継之助は、床柱の前にすわった。背後に、古筆らしい三行の軸がかかっている。

こういう大見世へあがって、小稲ほどの太夫と時間をともにするという客は、むろん、そのあたりをぞめきあるいている尋常の嫖客《ひょうかく》ではない。

よほどの富商か、それとも諸藩の江戸留守居役といった連中である。江戸留守居役というのは、諸藩の江戸駐在外交官で、毎日のように他藩の者や幕吏と遊里で会合し、始終酒びたりになっているのが公務であるという、ふしぎな役目の者たちである。

継之助のような万年書生とは縁がない。服装ひとつにしてもそうであった。ここへ来る客は武士であれ町人であれ、みな凝りにこった衣装でやってくるが、継之助は絹っ気のひときれも身につけていない。黒もめんの紋服に小倉《こくら》のはかまといった、この男が一生、制服のように着つづけた田舎侍の風である。

——どうも、妙な客だ。

というのが、稲本楼の奉公人たちの感想であったであろう。さいわい、継之助は茶屋の山口巴に顔がきいていたればこそ、ここへあがれた。稲本楼のほうも、内々妙な風儀の客だとおもいつつも、山口巴から送りこまれてきたということで安堵《あんど》している。ついでながら、楼であそぶ客は、勘定は茶屋のほうへはらう。楼のほうは、茶屋から送りこまれてくればたとえ乞食《こじき》でもあげざるをえないし、あげても損にはならないのである。

——たいしたものだ。

とおもわず、継之助はこの小稲の部屋の調度品をながめている。

みな大名道具であった。

床《とこ》はりっぱなつくり床である。みごとな花が活《い》かっている。むろん、小稲自身がいけたのであろう。

（相当なやつらしい）

と継之助がおもったのは、その活けかたであった。継之助は父親の代右衛門が家中きっての茶人であるために、活けかたのよしあしぐらいはわかる。

煙草盆《たばこぼん》が出されてきたが、これは金蒔絵《きんまきえ》であり、横たえられている煙管《きせる》は、紋散らしの銀《ぎん》の延べであった。

碁盤、将棋盤、すごろく盤もある。部屋のすみに文台《ぶんだい》がおかれており、そのうえには螺鈿《らでん》がきらきらとひかるすずり箱に、いつでも客が手紙をかくといえば用がはたせるように料紙がそろえられている。別のすみには茶道具もおかれていた。

茶は、重要な表芸《おもてげい》のひとつであった。客が、茶を一服と所望すれば、亭主になって手なみをみせねばならない。

（まるで、大名の姫君だ）

とおもったが、あるいは大名の姫君よりもこの部屋のぬしのほうが、学芸の素養があるかもしれない。

幼女のころから、浮世ばなれの品格をつくるために、そのように仕立てられている。たとえばいっさい金銭に手をふれさせず、金のかぞえかたも教えぬために、彼女らは金銭についてはなんの感動ももたない。芸ごとや歌学などを専一にし、ひたすらに教養のみを身につけさせてゆく。

（うまくできている）

継之助はおもった。それだけの女を買うことによって、金銭だけが素姓の町人たちに一夜だけでも大名の気分をあじわわせ、階級の憂《う》さをはらさせる。継之助がおもうのに、もしこの吉原がなければ、身分固定でできあがっている徳川封建制は、大げさにいえばとっくにくずれているかもしれない。

継之助のために、番頭新造《しんぞ》というものがそこへきて、こまごまと世話をする。

「いったい、何人がかりかね」

と、継之助はきいた。小稲には何人の従者がついているのか、ときいたのである。

「八人でございましょうかしら」

と、番頭新造はわかりきったその数を、わざわざ手をあげて指を折り、一本ずつゆっくりかぞえてみせた。従者のことをお末社《まつしゃ》という。番頭新造が三人、振袖《ふりそで》新造が二人、禿《かむろ》が三人である。

(たいした仕掛けだ)

継之助の長岡の屋敷では、爺《じい》やがひとり、若党の松蔵と下女が一人しかいない。継之助は、人間の世のなかの仕掛けというものに興味をもっている。剝《む》いてしまえばただの人間にすぎぬものを、それに権威をもたせようとするばあい、どのような仕掛けが必要か、ということである。将軍や大名の権威の仕掛けは、血統と官位、城郭殿舎、それにそれをとりまくおびただしい家来の数と、さらには権威を権威たらしめる礼儀作法や儀典というものなどがその仕掛けのかずかずであろう。

もっとも継之助は、冷笑主義者《シニク》ではないから、それを笑おうとはおもわない。人間社会をつくりあげている秩序には、存外そういう仕掛けが必要であることもみとめているし、現に継之助も歴とした越後長岡藩士としてその仕掛けのなかに住んでいる。武家の行装《ぎょうそう》――大小を帯していることすら(ときどきこの男はそれをはずしたがるが)、権威の仕掛けというものであり、その仕掛けのおかげでこの徳川社会の秩序が保《も》っているのではないか。

(佐久間象山のあごひげもそうだろう)

と、象山という百世にぬきんでた大学識をひそかに尊敬しつつもその人柄《ひとがら》がきらいでたまらぬと、この男はおもった。象山ほどの男なら、あごひげを剃《そ》り、その大名まがいの絹服をぬぎすてても十分に真価がひかるはずだのに、やはり押し出しに金箔《きんぱく》をはりたがる。妙なものさ、と考えている。

（華魁《おいらん》こそ、その最たるものだな）

と、継之助はそのことに興味があった。

もとはといえばどこの兎《うさぎ》の骨かわからぬ童女を、このように育てあげる。身のまわりに八人もの家来がつけば自然人間に品がでてくるし、この部屋の調度品のように庶民にとっては一品でも一財産といったものをずらりとそろえておけば、象山のあごひげ以上の役割ははたすであろう。この世の権威というものを考えるとき、華魁を考えるのがもっともわかりやすい。

やがて、ふすまがひらいた。

禿に手をひかれ、小稲が入ってきた。やがて継之助の前にすわった。

客のほうに横顔をみせ、正面にはすわらない。傾城《けいせい》ずわりと言い、客には横顔をみせるのである。婦人というのはややななめの貌《かお》のほうが美しいからであろう。

新造が、継之助に小稲を紹介した。ああそうかえ、と継之助はうなずいた。

華魁というものはめったに口をきかぬというはなしはきいていたが、継之助がみるところ、なるほどそうであった。

顔もうごかさない。用事があれば目をちょっと動かすだけである。お末社たちはそれだけで察し、用をかなえてやらなければならない。この点でも、大名の姫君であろう。

（これが、仕掛けか）

継之助にすれば、仕掛けをとりのぞいたあとの人間の真価というものにつねに興味がある。

小稲がちらりと目をうごかしたのは、

「そこのたばこを」

という意味であろう。新造がその意味を察し――というよりそれがこの郭《さと》の型のようなものであろう――すぐ新造は呼吸をあわせたように伸べのきせるをとりあげ、それへたばこを詰め、小稲へわたした。

小稲は無表情でそれをうけとり、煙草盆のなかの炭火へかざした。

火が、ついた。

「いっぷく、喫《の》みなまし」

と、継之助にわたした。顔が無表情なわりには声にいきいきとしたつやがあり、継之助ははじめて人間と接しているおもいがした。

——ああ、いただこう。

とは肚《はら》のなかで言い、きせるをとり、すぱりと一服のんだ。

うろたえているわけではない証拠に、輪がひとつ、ゆっくり天井へ舞いあがった。

(いやまったく——いいおんなだ)

正直なところ、継之助は落ちついてはいるがじつは降参をしたいほどのおもいで、たばこをながながと喫《す》っている。やがてきせるを置くと、

「おれは越後長岡の河井継之助というおとこだ」

といった。おんなはうなずき、

「よう来なました」

そのように小稲はいった。ひくい、濡《ぬ》れたような、鼓膜を羽毛でなでられるような声である。ことばは、むろん郭言葉《さと》である。遊女は諸国からくるが、その方言を統一するためにこのような人造のことばをつかわせられる。もっともおなじ吉原でも小見世の遊女たちはよほどのことがなければこんなことばはつかわない。

「ご勤番ざますか?」

と、小稲はきいた。これはちょっと失礼な質問になるだろう。勤番侍というのは主君の参覲交代《さんきん》による江戸出府についてきている国侍で、ひとつは国許《くにもと》に女房をおいてきているために色に卑《いや》しく、そのくせ金がなく、そのうえふるまいが野暮で、といったふうな概念ができており、江戸っ子たちは勤番侍といえば田舎者の代表のようにみてひどくきらった。

「なにを言やがる」

と、継之助は苦笑した。が、べつにはらも立たなかったのは吉原の大見世の遊女といえばみな世間知らずで、ご勤番ということばにふくまれているわるいほうの意味には通じていないようなのである。

「ではお定府《じょうふ》」

小稲は、ちょっとあわてた。お定府とは先祖代々の江戸屋敷詰めの侍である。ことばも江戸弁をつかい、風儀も当然江戸風になっている。べつに侍の階級として国詰めと定府に上下の区別があるわけではないが、江戸の者からみれば野暮か野暮でないかの点でひどくちがう。

「勤番より、もっとわるいさ」

わるい、というのは野暮ったいということだ。江戸っ子の価値基準というのは粋《いき》か野暮かということだけで、野暮はときに悪にさえなるらしい。

「おれは書生だよ」

「まあ、学者ざますか」

「おお、ことばは便利だ」

継之助は、書生を学者と言いかえた小稲の苦心にわらいだした。

「人間、虚飾などは屁《へ》のようなものだ。越後うまれの継之助だと、こうおもってもらえばいい」

——人間、虚飾など屁のようなものだ。

と、あたりまえのことをわざわざ口に出していうなど、野暮の骨頂だということは、継之助は百もわかっている。が、このばあい、それを知りつくすためにわざわざ稲本楼という大籬《おおまがき》（大見世）にあがって小稲を買っているのだから、これはやむをえまい。

先刻、引手茶屋で、あらかた小稲について知識はえた。

——お旗本の娘らしい。

というのである。そんなばかな、と継之助は信じなかった。いかに幕府がおとろえたりとはいえ、将軍ご直参《じきさん》の殿さまが、むすめを吉原に売るほどにはおちぶれていまい。

——いや、それがほんとうなのでございますよ。

と、茶屋の女将《おかみ》がいった。しかも三百石の旗本であるという。親は石河《いしこ》新左衛門といい、二代にわたる小普請組《こぶしんぐみ》で、屋敷に下男もおけぬほどに窮迫していた。ちなみに小普請組というのは、無役のことである。幕臣の家計は主人に役がつき、役料がもらえ、役にともなって多少の役得があればこそ息がつけた。それが小普請組ともなれば固有の家禄《かろく》だけであり、家禄などはどこの家でもぜんぶ借銀方にひきとられて、現実には無一文と同然なのである。その小普請組が二代もつづけばもうどうにもならない。ましていて当主が病気でもすれば、売るものといえば娘ぐらいのものであろう。

（そういうものか）

継之助は江戸の旗本が窮迫しているというはなしは毎度きいていたが、そこまでひどいとおもわなかった。

諸事、ものをおもうことの多い男なのである。その幕府困窮のもとはといえば米にあるとこのおとこはおもった。

（米では、どうにもならない）

平素、そうおもっている。米とは、農業立国と言いかえていい。幕府の直轄《ちよつかつ》領は四百万石といい、算定のしかたによっては八百万石といい、実際の収入としては二百万石程度しかないともいわれている。その程度の石高でもって国政の入費をわりだし、旗本八万騎（実際には五万人程度だが）の俸禄《ほうろく》を出してゆかねばならない。それが、関ヶ原いらいの幕府の経済である。

幕府成立の当初は、ひとはまだ戦国の気風をのこし、くらしむきは質素で、日常の入用が食費だけあればほぼまかなえ、世間もそれですんだといえるが、その後二世紀たち、世の中もすすんだ。

町人が勃興《ぼっこう》し、貨幣経済が発達し、世の中は米ではなく貨幣でうごくようになり、かつひとの暮しもぜいたくになった。ところが幕府経済のすがたが二世紀前と同様である、となればこれは娘を売らねばならぬ旗本も出てくるであろう。

諸藩はちがう。とくに目さきに敏感な西国諸藩はもう百年も前からこの体制の欠陥に気づき、米作本位の経済にあわせて、殖産と内国貿易を開発し、長州藩などは表高三十六万九千石というのに年々百万石の収入があるといわれ、薩摩《さつま》藩もそれに密貿易などをして大いに金銀をたくわえているという。

ところが、幕府はそれをしない。

——将軍さまが、町人のまねはできぬ。

というほこりもあり、かつ幕府を基本からやりなおすほどの財政家が出ぬ、ということもあるであろう。ともあれ、いま目の前にいる小稲は、継之助からみれば幕府経済の犠牲者であるといっていい。

ほどなく小稲は着がえに立ち、継之助も用足しに行き、やがてもどってくると、部屋に寝床がしかれている。絹のぶのあつい夜具が二枚がさねになっている。初会《しょかい》の客はたとえ大名でも夜具は二枚であった。三度目から馴染《なじみ》ということになり、三枚になる。客の階級は、初会と馴染という二階級にわかれているといっていい。

やがて番頭新造がふとんのすそのほうで指をつき、

「御寝《ぎょし》なりまし」

と鄭重《ていちょう》にいった。こうもうやうやしくもてなされるあたり、客としてはいい気持なことこのうえもない。ことに天秤棒《てんびんぼう》一本から大身代をきずきあげた町人などは、この郭《さと》へきてこのように遇されたとき、はじめてわが身が栄達したおもいをあじわうであろう。

新造は、聞えなかったとおもったのか、もう一度、

「殿様、御寝なりまし」

といった。継之助はわらいだした。

「おれは殿様じゃねえよ。おれのほうの殿サンは従五位《じゅごい》牧野備前守《びぜんのかみ》といわれるたいそうな明君だ」

「いいえ、この郭ではお武家さまはみな殿様と申しあげます」

「ははあ、そうかえ」

継之助は、神妙にうなずいた。侍は殿さま、ちょっと金をもった町人は、みなお大《だい》尽《じん》である。すべてはこうしたこしらえもの――たとえば芝居の舞台のようなまぼろしの栄華を、せめて一夜でも金を出して買おうというのがこの郭のしくみであり、この郭のおもしろさであろう。そのこしらえものの夢を夢としてきれいに堪能《たんのう》するのが、いわば通人、粋客といわれるあそび上手というものかもしれない。

継之助は、ぱらりと着物をぬいだ。

新造はそれをうけとり、懐中物はふみだれに入れ、着物は呉服台におさめつつ、継之助のそぶりをそれとなく観察していた。彼女にとっては客人の人柄を値ぶみする以外にたのしみというものがない。

なにしろ、この客の着ているものといえば上から下まで木綿である。袴《はかま》ときたら、剣術諸生のような小倉織であった。この風体で稲本楼のような大見世にとびこんでくるなどは、それだけでもたいそうな冒険家である。

(しかし、国もとはご裕福なのだろう)

そうおもうより解釈の仕ようがない。

しかも、寝巻をすすめたのに、この男はそれを用いず、下帯ひとつの素っ裸になった。雪国のひとというのは赤裸《あかはだか》で寝るというが、やはりそういう習慣によるものだろうか。

(いやいや、風体はそうでも、越後ではよほど大身のご身分にちがいない)

とおもったのは、その寝床への入りかたであった。新造がかねがねおもうのに、寝床の入りかたで育ちがわかる。大身代の町人でも小僧からたたきあげた者はどうしても小僧の習慣がぬけず、子犬がくるくると藁《わら》にもぐりこむような、そんな姿で入ってゆくものだが、この客はばらりと上ぶとんをはねあげ、大の字でねそべった。新造がたちあがってその上ぶとんをかぶせてやらねばならなかった。

(おもしろいおひとだよ)

先刻からなんとなくそうおもっていたが、このときも、ふと思った。

やがて新造は去り、入れかわって小稲が寝装束《ねしようぞく》で入ってきた。

四半刻《しはんとき》ほどたち、継之助は寝がえりをうってあおむけになった。

「まだだぞ」

と、注意をはなった。まだ自分はねむってはおらぬ、だからそなたもねむってはならぬ、ということである。

「はい、ねむりは致しませぬ」

小稲は、おだやかにこたえた。わざわざ言われずとも、客がねむる前に寝入ってしまうのは、中見世以下の安女郎のことである。大籬の遊女となればその点は礼儀ただしい。

(いいおんなだ)

継之助は、正直なところ、この世にうまれてこれほどのおんなに出遭ったことがない。

――郭ことばを、つかうな。

と、命じてある。継之助の欲求は、おんなの剝《む》きにむいたしんのようなものに触れてみたい。衣装や調度や郭ことばでくるまれた小稲の虚飾にはどうにも酔えぬ体質である。

——使うな。

と継之助が命じたとき、さすがに小稲はからだをかたくした。むっとしたのだろう。こんな無法な注文をする客などみたことがないし、侮辱でさえ、あるではないか。

こういう客に対しては、小稲ほどの遊女ならば容赦なく振ることができる。だまって床をぬけでてしまえばいいのだ。あとで客が不平を鳴らしても、それは客の恥になるだけのことなのである。

（そのように、してしまおうか）

と、小稲はげんにおもった。

江戸の遊女は、上方《かみがた》の遊女にくらべ、その点は権高い。たとえば江戸では安女郎なども俗にいうまわしをとる。客を部屋にまたせておき、他の客の部屋をつぎつぎとまわってゆくのである。客はおとなしく部屋に待たされていねばならない。それが慣習なのである。

上方の色里には、そういう慣習はない。おそらく、これと言い、遊女の権高さといい、これは江戸の町のなりたちにかかわりがあるらしい。

江戸は、豊臣時代、徳川家康の関東入部によってできあがった。それまではまったくの沼沢地《しょうたく》にすぎず、わずかに半農半漁の住民がすみついているにすぎなかった。そこへ一時に大人口が入った。武士だけでなく、江戸の殷賑《いんしん》をあてこんで多くの商人や職人が入ってきた。その多くは独身であり、娼妓《しょうぎ》を必要とした。つねに娼妓が不足であった。

それが、江戸の娼妓の気風をつくったようにおもわれる。以後、江戸はいよいよ膨《ぼう》脹《ちょう》したが、流入人口がつねに独身であることはかわらず、それをむかえる遊女の数はつねに不足し、不足は慢性化した。いつの時代をとらえても、江戸の人口の男女比率が均衡していることはなかった。この点、継之助以後の明治になってもおなじであり、こんにちでもかわらない。

が、小稲は従順にしたがった。このあたり継之助の風情《ふぜい》のどこかに惹《ひ》かれたとしか、彼女自身もおもえない。

かといって、こどものころから郭ことばに馴《な》れているために、世間のことばをうまくつかえない。

江戸の武家ことばをおもいだしつつ、たどたどしくつかった。すると――彼女自身ひどく奇妙におもったことだが――郭のうわべかざりのうそがしゃべれず、なにごとも本心がつぎつぎと出てしまうのである。

継之助は、彼女の幼いころのことをきいたりした。小稲は、そんな質問に乗るまいとおもいながら、つい言葉すくなながら語ってしまう。

その日は、みじかい時間で継之助はきりあげ、さっさと吉原を出た。初会は、みじかいほど粋《いき》というものであろう。

(どうも、いいおんなだ)

見返り柳を右手に見つつ、継之助は衣紋坂《えもんざか》をのぼってゆく。のぼれば、そこが日本堤である。風が、田町のほうから吹きわたってくる。

(こいつは、高くつきそうだな)

この月のうちには裏をかえさねばなるまい、とおもった。まったく高くつく。揚げ代は三両、それに祝儀《しゆうぎ》などをふくめると七両は越えてしまう。下女の給料が年に三両とちょっとのころである。もっともおなじ吉原でも、三百女郎といわれたふつうの安女郎なら一両の金で二十回はあそべるが、こんどはそんなわけにはいかない。

(まあ、覚悟ものだな)

継之助は、ずいぶんと吉原にかよっているくせに、いまだかつて遊女に裏をかえしたことがない。裏というのは、二度目のことである。三度目で馴染になる。むろん、馴染などはいない。こんどはどうやら、そういうわけにはいかなくなるであろう。

国もとには、金がある。

河井家はわずか百石そこそこだが、父祖代々新潟奉行や勘定奉行などについて役料の蓄積があり、それに理財にあかるい家系で、家禄のほかに田畠《でんぱた》などが多く、藩でも資産家にかぞえられていた。それに、父の代右衛門は、継之助のためにはかつて金をおしんだことがない。

（しかし、こんどはおすがに頼まねばなるまい）

すでに、継之助が河井家の当主である以上、隠居の両親にたのむよりも、妻のおすがの面目もあるであろう、この件はひとつ、おすがの義俠《ぎきょう》にまたねばなるまいとおもったのである。

とりあえず藩邸に立ちより、手紙をかいて国もとへの飛脚にことづけ、その足で塾《じゅく》へもどり、持ち金をしらべた。それをぜんぶはたけば、裏はかえせるであろう。

「ああ、河井さん、お帰りでしたか」

と、少年の鈴木佐吉がやってきた。留守中に先生から詩の宿題がでています。河井さんは白鷗《はくおう》という題です、といった。

「はくおう？」

「白いかもめですよ」

「そうか、しかしおれはいまいそがしい」

「なぜですか」

「ちょっと、思い鬱《うつ》していることがあって、詩どころではない。また焼芋を十六文がとこ買うから、おみしゃん、そいつをこしらえてくりゃえ」

「また、くりゃえですか。しかしわたくしは白鷗など、にがてですなあ」

佐吉はまったくの鳥知らずで、雀《すずめ》とからす以外はどの鳥がかもめか、知らぬという。

「つまり、都鳥《みやこどり》のことですか」

「いや、都鳥というのは古来この武州の名物だが、あいつはチドリの大型だ。かもめは鳩《はと》よりも大きくて胴は白く、背中とつばさだけがこう、青っぽくて灰色だな。脚は九月ごろの銀杏《いちょう》の葉のような色をしている」

「ははあ、脚がな」

佐吉は、当惑した。それだけの知識で詩をつくれというのはむりである。しかし継之助はびしびしと命じた。

「品川の海へ行ってこい。いくらでも飛んでいる」

(酷だ)

とおもったが、しかしこの河井継之助という人物はこういいながらからりとしていて、どうしても命令に服さざるをえないような気になる。

数日後、継之助は有り金のこらずふところに入れて吉原にゆき、茶屋の山口巴でその金を財布のままわたし、

「小稲だ」

と、みじかくいった。その前に茶屋で飲食するのがふつうだが、継之助に好意をもっている茶屋の女将はできるだけ金をつかわせまいという配慮なのか、きょうも菓子一つ茶一杯で稲本楼へ送った。この日は昼遊びでなく、あたりはとっくに暮れている。このため茶屋の女中が送り提灯《ちょうちん》で足もとを照らしつつ送ってくれた。

二度目のせいか、きょうは多少待遇がちがう。稲本楼の主人が玄関まで出むかえ、

「こんにちは、ようこそ御入来《ごじゅらい》でございまして」

と、鄭重にあいさつした。継之助は吉原で遊び馴れているが、楼主に玄関で出迎えられたのははじめてであった。山口巴の女将のさしがねか、それとも小稲がそうしてくれと楼主に頼んだのか、あるいはこれが大籬《おおまがき》の慣習なのか、継之助にもわからない。

部屋に案内されると、もういきなり寝床が敷かれていて、

であった。継之助はいわれるままにすぐ床に入った。ほどもなく小稲が禿《かむろ》に手をひかれて入室し、枕《まくら》もとにまわった。すべて、初会のときよりも手間が早いようである。小稲も、初会のときのような無表情ではなく、例によって傾城《けいせい》ずわりにすわると、小首をかしげ、小さく弾《はじ》けたように微笑《ほおえ》みながら、

「主《ぬし》は、よう来なました」

と、実を籠《こ》めた声音《こわね》でいった。こいつ、おれに惚《ほ》れやがったか、と継之助はさすがに頭にかっと血がのぼったほどであった。

(いかん、どうも英雄豪傑ほどこうだ)

うぬぼれと血の気がありすぎる、かれが鈴木佐吉少年にいった情痴論では、とにかくそうである。

「いやさ、茶でも一服所望するか」

と、継之助は突如起きあがって、くるくるとその綿服をつけた。いかに遊女相手でもいきなり寝るとはあさましすぎるようだとおもったのである。

小稲は、次室にしりぞいた。そこに茶道具の用意がある。

「いや、煎茶《せんちゃ》でいい」

「御寝《ぎょし》なりまし」

と手軽なほうを所望したつもりだったが、それはそれで準備に手間がかかり、たいそう本式なものになった。やっと茶がはいり、継之助はすこし哺《ふく》み、やがてのどへ入れた。

「絵心があるのか」

と、卓上の画仙紙《がせんし》をみながらいった。いいえ、と小稲はかぶりをふったが、継之助はゆるさず、

「そいつに、からすの絵をかいてくれ」

とたのんだ。

その要求を、小稲は従順にきいた。継之助が茶屋の女将にきいたところでは小稲は墨絵に長じ、ほとんど玄人《くろうと》はだしであるという。しかし容易に客のもとめに応ぜず、よほどのことがないかぎり筆をとらないというのである。それを、小稲はおとなしく従った。

もっとも継之助にすればからすの絵なんぞに興味はなかったが、とにかくいま、首筋をあつくしてしまっている血を、すこしでもおさえたい。

小稲は、考えこんでいる。

脳裏に、からすの形状をおもいうかべているのであろう。

――お気の毒に。

という顔を、かたわらで墨をすっている番頭新造はした。おなじ鳥でも色合のくっきりとしたおしどりなどは描けても、からすなどはむずかしいにちがいない。

酒が、運ばれてきた。継之助は新造に注がれながら、しかし視線は小稲からはなさず、じっと見つめたままである。

小稲は、三十分も考えている。新造はいよいよ気の毒になり、なにか囀《さえず》るような口調で小稲に話しかけた。すこし休んでお酒のお相手でもなさったら、ということを、たすけ舟のつもりで言った。小稲はうつむいて画仙紙を見つめたまま、

――あなたがたは、おさがりなさい。

と、手きびしくいった。思案の邪魔になるというのか、それとも別の意味か、わからない。末社《まつしゃ》たちはやむなくひきさがった。

席画というのは、士大夫《したいふ》のあそびである。本画は志をあらわすが、席画は才気をあらわさねばならない。

（よほど勝気な女だ）

継之助がそうおもったのは、からすなどいいかげんに描いてもよさそうなものを、

小稲はその構図におのれの才気をゆだんなく表現しようとして懸命に張りつめているのであろう。

「讃《さん》には、どのようなことをお書きあそばします?」

と、小稲ははじめて顔をあげた。継之助が絵の余白に讃をかく。小稲はその意味次第で構図をきめようとおもったのであろう。

「考えてはおらぬ」

と、その問いを継之助は流したが、すぐ別なことをいった。おれは鴉《からす》がすきだ、というのである。風変りな好みである。鳥のなかで不吉《ふきつ》だといわれている鴉などを好む者はまずいないであろう。

「なぜでございますか」

「あいつは、おれに似ている」

「どのように」

「鴉を、知っているか」

この鳥が他の鳥とちがっているのは、つねに太陽にむかってまっしぐらに飛ぶところである。鴉は、朝は昇ってゆく朝日にむかってまっしぐらに飛び、夕は、沈んでゆく夕日にむかって目をそらさずに飛ぶ。鳥の種類は幾千幾万あるか知れないが、太陽にむかって飛びうる鳥は、鴉のほかない。

「おれは、そう心掛けている」

継之助のいう意味は、自分のきめた生涯《しょうがい》の大目的《おおめあて》にむかって目をそらさずに翔《と》びつづけようということなのであろう。

「目が、焦《こ》げましょうに」

と、小稲は、ふと鴉の身になってそういった。焦げはせぬわい、と継之助は笑い、かたわらの燭台《しょくだい》をひきよせ、

「みろ」

と、小稲にいった。継之助はその百目蠟燭《ひゃくめろうそく》のほのおを、じっとみつめている。またたきをしない。眥《まなじり》が裂けるほどに見ひらき、目の乾くのもかまわずに見つめている。

——河井は、太陽を見つめてもまたたきをしない。

というのは、塾でも有名であった。どういうわけだか、またたかない。

「これが、鴉だ」

つまりおれだ、ということであろう。小稲はうなずき、やがて筆をとりあげた。

線は、用いない。

いきなり付立筆《つけたてふで》を寝かせ、大胆に刷《は》きつけ濃淡の墨面をつくった。あとは筆のおもむくままに画面をつくってゆく。

夕鴉らしい。冬枯れの柿《かき》の枝に、一羽だけとまっている。ごく月並にいえば、寒鴉《かんあ》とでもいうべき構図であろう。

が、小稲がかきあげつつある鴉は、木枯しに肩をすぼめている鴉ではなく、まるで鷲《わし》か鷹《たか》のようにこれから飛びたとうとし、羽をなかばひろげ、いかにも意気揚々としている。本来冬のさびしさの風物ともいうべきからすとしては、これは場ちがいな、うってかわった勇みようといえるだろう。

そのくせ柿の枝はもう冬日に枯れ、葉が落ちている。ただ落ち残りの実がひとつ、薄ら日のなかでかろうじてこの画面を装飾しているようである。その柿の実に、陽《ひ》があたっている。鴉はいま、その夕陽にむかって飛び立とうとしているのであろう。

「こいつはおれのようだ」

継之助は首をかしげながらいった。どこがおれのようなのか、継之助にもうまくいえなかったが、なんとはなく、おれのような気がする。

小稲は、相手にならない。

うつむいたまま、描きすすんでいる。墨の色がいきいきしているだけでなく、絵のなかに気魄《きはく》のようなものがうごいている。婦人の絵としてはめずらしいといえるであろう。

そのとき、階下が騒がしくなった。

路上でも、騒いでいる。半鐘の音がちかぢかときこえ、さわぎが階下から階上にのぼってきた。廊下を、人が叫びながら駈《か》けてゆく。

火事である。

しかも、ひとびとの叫び声によれば、隣の楼が火もとであった。気のせいか、けむりのにおいがただよいはじめた。とおもううちに、そのあたりに薄くけむりが流れてきているようである。

が、小稲はうごかない。

絵をかきすすめている。

「おい、隣が火事だぜ」

と、継之助はおしえてやった。小稲は小さくうなずいた。が、筆をすてない。

「逃げないのか」

「でも、途中でございますもの」

あわてたところで火が消えるわけでもないから、まあみんな描きあげてしまいましょうと、ひとごとのようにつぶやいた。

（こいつは、相当なやつだ）

継之助はあきれた。

やがて小稲はかきあげ、継之助に渡した。継之助はそれを折りたたんでふところに入れ、そのままあぐらをかいている。

「どうするんだ」

「ちょっと、片づけて参ります」

と、小稲はそのまわりを片づけはじめた。この間、どういうわけか、末社どもがあらわれないのである。小稲をすてて逃げてしまったのか、それとも客と一緒にいるあいだは部屋に入ってはならぬということを愚直にまもっているのか、あとになっても継之助には解《げ》せない。従者だといっても遊女の末社は武士の家来とはちがい、こういう場合はまったく薄情なのであろう。

壁のむこうで、火が爆《は》ぜる音がきこえはじめた。

小稲の物の片付け方には、一種の風趣のようなものがある。

体をこせこせとうごかさず、しずかに、たとえば舞でも舞いつづけているように悠々《ゆうゆう》と動き、そのくせ物がひとつひとつすばやく片付けられてゆく。この女の度胸と才質につながるものであろう。

(なんというやつだ)

と、継之助はけむりのなかで感動し、その感動がわれながら危険であるとおもった。すでに惚れているのである。

小稲は、持ちだすべきものを、自分で持とうとした。軸とか、金銀類の小物とか、そういう金目のものである。

他の金目のものは、たとえば茶釜《ちゃがま》とか、屛風《びょうぶ》とか、螺鈿《らでん》の手箱とか、そういった大きなものはこれは焼かざるをえず、それははじめからあきらめ、見むきもしない。

「ぬしも、持ってくンなまし」

と、継之助のそばに寄り、うむをいわせず軸二本と、金銀でつくった小さな香炉をかれの胸に押しつけた。

(おやおや)

とおもううち、小稲はもう離ればなれに逃げざるをえないとおもったのであろう、ここでお別れ申しあげます、ずいぶんお気をつけて退《の》きくださいますよう――と鄭重《ていちょう》に会釈《えしゃく》し、継之助を部屋の入り口までおくりだした。

「ばかにしちゃいけない。侍のおれがさきに逃げられるものか」

と、継之助はいったが、小稲はぬしがお侍であろうとなかろうと、それはこの部屋では通りませぬ、この部屋にこうしているかぎりはわたくしがあるじであり、あるじの法に従っていただかねばなりませぬ、と、ぴしゃりといった。

（言やがるなあ）

客として送り出された。小稲はあるじとしてあとから出た。

廊下は、もう白煙が立ちこめている。継之助は邪慳《じゃけん》に小稲の手をひいた。小稲はひかれるまま、自然小走りになった。こうでもしなければこの女は駈けようとはしないだろうと継之助はおもったのである。

路上に降りたとき、すでに火が屋根へ突きぬけはじめていた。もう数秒遅れておればふたりとも焼死はまぬがれなかったろう。

――とんだ心中者になるところだった。

継之助は混雑する大門を通りぬけ、やがて日本堤を降りた。提灯《ちょうちん》をもたずとも火事の火で足もとが十分にあかるい。そこで辻駕籠《つじかご》をひろい、塾《じゅく》へ帰った。

部屋でひと息ついていると、少年の鈴木佐吉が入ってきた。

「軸ですか」

みせてくれ、とせがんだ。継之助はかぶりを振った。

「あずかりものだ」

十日ばかりして継之助は、もう火事場のあとさわぎもおわっているだろうとおもい、吉原へ行ってみた。茶屋の山口巴が焼けておらず、稲本楼の連中はここを避難所にしていることを知った。

入って行ってかまちに腰をおろし、小稲をよばせた。小稲が出てきてすわると、それへあずかりものを渡した。

「ありがとう」

かるく、小稲は会釈したのみである。冗談じゃねえ、と継之助はおもい、「おれがどこの馬の骨かもしれぬのに、もし持ち逃げでもしたらばどうする気かえ」というと、小稲はしみとおるような微笑をうかべた。

「わちきは、持ち逃げなさるようなお方にお頼みは致しませぬほどに」

継之助は、一言もなかった。

横浜出陣

このとし、安政六年である。

武江《ぶこう》年表に、
七月十八日、ロシア使節の船《ふね》、品川沖に着す。

同二十四日、三田大中寺に宿す。

とある。

「幕閣では、たいへんなさわぎらしい」

ということは、塾《じゆく》でも評判だった。塾生三十余名が、それぞれ諸藩の江戸藩邸に属しているために、情報はわりあい入りやすい。鈴木佐吉少年だけはどの藩にも属していないが、しかし持ち前の腰がるさと健脚をもっていてわざわざ品川まで見に行った。

「四隻《せき》です」

という。もっとも品川沖まで進入してきたのが四隻だが、神奈川港にも三隻入っており都合七隻だという。大艦隊といっていい。

もう、世間は黒船にはおどろかない。

六年前の嘉永《かえい》六年にアメリカの提督ペリーが東洋艦隊をひきいてやってきたときは、日本国中、灰神楽《はいかぐら》の立ったような大さわぎだった。その後、井伊大老が無勅許ながらも、米、英、蘭《らん》、仏《ふつ》、露の五カ国と条約をむすんだし、神奈川（実際は横浜）も開港したから、世間も黒船などにいちいちおどろいてはいられない。

が、こんどのロシア艦隊のばあい、すこし軍艦の数が大きすぎる。

「それほど軍艦がおおぜいでくるというのは、よっぽどの無理難題をもってきやがったんだろう」

と継之助はいったが、かといって他の攘夷《じょうい》家のようにおもてだって激昂《げっこう》するというふうはない。

「河井さんは、なぜ怒らないんです。僕なんざ……」

と、佐吉少年までつかをたたいて昂奮し切っていた。僕、などという志士気どりの流行語をつかうというのも、鈴木少年が時勢のざわめきにかぶれはじめたということであろう。

「僕なんざ、ロシア艦《ぶね》に斬《き》りこんで日本刀の斬れ味をみせてやりたい」

「それだけのことだ」

継之助は、鼻で笑った。かれには胸中ひそかに期するところがあり、塾生たちの日本刀的攘夷論にくみせず、それがはじまるとさっさと部屋にもどってしまう。

「なぜです」

と、佐吉がきくと、勝てやしない、とあたまからいった。急務はあの連中と互角の勝負がやれるように砲も艦もそろえることだ。その前に、その砲や艦をつくり出す国家をつくることである。さらにその前に、どうすればこの日本を藩国の現状のままでその体制へきりかえることができるか、という方法をさがしだすべきだ。それが急務であり、おれが日夜身を焦《こ》がして考えているところである、と継之助はいう。

「おれはそういう頭脳だ。ここに、織田右大臣（信長）、上杉不識庵《ふしきあん》（謙信）、豊太閤《ほうたいこう》、東照権現《とうしようごんげん》（家康）を連れきたっても、みなおれと同じことを考えるだろう。かれらが、いまの志士気どりの連中のように、日本刀をひっつかんで品川まで空《から》っ脛《すね》をとばすようなばかはすまいぜ」

その後、十日ばかりたってから、ロシア人が幕閣にねじ入れてきた問題があきらかになってきた。

——樺太《からふと》をよこせ。

というのである。いままでいろんな外国使節がきたが、みな貿易強要ばかりで、領土をよこせといってきた手合はいない。

ロシア帝国の使節というのは、シベリア総督のムラヴィヨフ伯爵《はくしゃく》という男である。

幕閣ではこの発音しにくい名前を、

「村冷《むらびえ》」

として記憶した。

かれが七隻の大艦隊をひきいて相模《さがみ》湾にあらわれ、さらに旗艦以下四隻を進めて品川沖に錨《いかり》を投じたとき、幕閣ではおどろき、とりあえず外国奉行をやってその来意を問わしめた。が、ムラヴィヨフは会見せず、

「わしは大ロシア帝国の貴族であり、皇帝の命によってこの国に使いしてきている者である。相当の礼をもってきたれ」

と、通訳官にいわしめた。幕府における外国奉行というのは本省の課長程度にすぎないことを、すでにかれらは知っていた。

かつかれらは、日本の幕府に対しては恫喝《どうかつ》外交がもっとも効果的であるということを、先年のペリーの成功で知りぬいている。ペリーはそれまでの列強外交がひどく温和な態度で鎖国の不利を説いてきたためにことごとく不成功におわっていることに気

づき、大艦隊を東京湾にならべることによって日本人を威喝し、さらに幕府の小吏が会いにきても会見に応ぜず、「大君陛下《たいくんへいか》（徳川将軍の国際的呼称）か、その権限を代行する者にのみ会う」とのっけから宣言して、これがために事に成功した。この成功は、ヨーロッパ諸国の極東担当外交官のあいだに対日本通念を生み、ロシアのムラヴィヨフもそれを大いに参考としてやってきている。

結局、幕府では若年寄を出すことにした。これならば次官・局長を兼ねたような高官だから「村冷」も満足するであろう。

出かけて行ったのは、若年寄遠藤但馬守《たじまのかみ》、酒井右京亮《うきようのすけ》のふたりであった。会見の場所は、神奈川開港場のロシア領事館である。ムラヴィヨフは大いに満足し、かれらに料理と上等の酒を出してもてなし、やがて目的をいった。

まず、言う。

「わがロシア帝国は、このたび清国《しんこく》に要求して、黒竜江《アムール》一帯の土地（旧満州の一部から沿海州方面）を割譲させることに成功した。念のためにいうが、この地方はわがロシアの永久領土になったのである」

ムラヴィヨフは、緒顔白髯《しやがんはくぜん》の巨漢で、目を据《す》え、胸をそらし、ふたりの日本人高官をまず肉体的威容をもって威圧することにつとめた。子供のような感覚だが、シナに対する外交がすべてこれで成功してきている以上、日本人に対しても有効とおもったのであろう。

多少、有効であった。というよりも、遠藤、酒井は話の内容に戦慄《せんりつ》した。シナが、それだけの広大な地域を、ただおどされただけでさしだしたというのである。

それからの論法が、無法であった。

「だから、貴国も樺太を出せ」

というのである。その理由は、新ロシア領の黒竜江沿岸地方と樺太とは海峡ひとつでへだたっている、大いに近い、近いゆえ当方にとってはぜひ必要であり、貴国も当方の必要に協力すべきである、というものであった。

さらにムラヴィヨフはいう。樺太は日本の領地であるといっても、その領土権ははなはだあいまいである。なぜならば日本漁夫が活動しているのは最南端のアニワ港(大泊《おおどまり》)ぐらいのものであり、樺太全土に日本人がすんでいるというものではない。その漁業権は権益として尊重する。しかし領土そのものはよこせ、というものであった。

——なんということだ。

と、遠藤、酒井というふたりの若年寄は顔を見あわせた。

横暴にも、程がある。

たとえていえばこのロシア皇帝の使節は、よその家（中国領黒竜江沿岸）を横領したあげく、そのむかいの家（樺太）までも、「むかいだからおれによこせ」と正面きってやってきているのである。道理もなにもあったものではない。

むろん、ロシア人もヨーロッパの外交界ではこんな居なおり強盗のようなことはいわず、また通りもしない。かれらにとって欧州だけが道理の通る世界であり、アジアでは武力と恫喝でなにごとも通ると信じている。ほとんど、これは信仰にちかい。

（攘夷志士がさわぐのもむりはない）

と、ふたりの幕府の高官は、幕府をくるしめている攘夷志士たちとむしろ抱きあいたいほどの感慨をもった。

すでに、夕方になっている。

「事は国家の重大事でござれば、帰府してから上司とも謀《はか》り、なにぶんのお返事つかまつるでござろう」

と両人がいうと、ムラヴィヨフ伯爵は、それはいかぬそれはいかぬ、といったように叫びながら大きな手をはげしくふった。

「即刻、ここで決めてもらう」

「めっそうもない」

樺太をここでロシア領にしてしまうというような話を、たかが若年寄級が、聞いてすぐにきめられるはずがない。しかしロシアの伯爵はまるで日本人が児童であるかのように認識し、そうしろ、話は早いほうがいい、と笑ったり、凄《すご》んだりすかしたりしようとしている。

若年寄遠藤但馬守は、近江《おうみ》三上《みかみ》一万石の大名であり、酒井右京亮も越前敦賀《えちぜんつるが》でおなじく一万石の大名である。どちらも有能ではないが大名そだちだけに物腰が典雅で、決して怒らず、礼を失するような粗剛なところはみせず、

「そこはまあ」

と、微笑をうかべて、ムラヴィヨフに邪をさとらせようとした。これがもし薩摩《さつま》、長州、土州の田舎侍であれば、激昂のあまりムラヴィヨフを斬ってすてたであろう。

ムラヴィヨフは、ふたりの小大名の典雅な微笑が、かれの信じている東洋人特有の無知と気弱さと面従腹背《めんじゅうふくはい》のあらわれであると見、いよいよ声を大にして喚《わめ》いた。

「無礼である」

という論法であった。自分はロシア皇帝の使節であり、大ロシア国の貴族である。

自分相当の者をよこせといったところ、貴官ら二人がこられた。当然、日本政府の代表たるべき人物である。それがここで決めかね、帰ってどうこうとはなにごとであるか。

というのである。ムラヴィヨフの背後の海には、七隻の艦隊がいる。ふたりの若年寄はその武力への遠慮もあり、ずいぶんと下手《したで》に出て、とりあえずムラヴィヨフを江戸にきてもらうことに話を落ちつけた。

かれらが江戸に入ったのは、二十四日である。幕府は、芝の大中寺をその宿館とし、二十六日から宿館の近所の天徳寺で正式の談判にとりかかった。

八月に入っても、結着がつかない。

この談判の模様を洩《も》れきいた下野《しもつけ》真岡《もおか》の郷士で小林幸八という子供っぽい顔の男が、継之助らの塾にあそびにきて、

「おらあ、殺《や》る」

と、言い、知人らしい塾生の二、三をさそった。

そのとき継之助はたまたまその部屋で足のつめを切っていた。背中で小林幸八という男の議論をききつつ、

（こんなやつが、こわい）

とおもった。殺りそうである。

小林幸八は唇《くち》もとのあどけない、赤ン坊のような顔をしていた。その激しくまくしたてる議論は、意見といったようなものではなく、ただの叫び声といっていい。論理の肉付けは、一剣をもっておぎなおうという型なのであろう。

「河井さん」

と、小林はこちらをむいた。幸八もこの古賀塾にあそびにくるだけあって、塾の名物男の継之助の名は知っている。

「あなたも陽明学徒だ。この醜夷の暴状をみて、座してつめを切っている場合でもありますまい。一味に加わりなされ」

「敵は、軍艦七隻だぜ」

ぱちっ、と爪《つめ》が飛んだ。

「それが、こわいのですか」

「馬鹿《ばか》だな。敵は七隻も軍艦をならべてやがる。怖かねえというはずがないじゃないか」

「あなたは、日本武士か」

「いよいよ馬鹿だなあ。お前さんのは、盗賊の理屈というものだ」

「盗賊の？」

小林幸八は、むっとした。が、継之助の表情には、口ほどに毒気がないから、すぐこぶしをふりあげるわけにはいかない。

説明してやる、と継之助はいった。人はたれでも金銀がほしいが、しかし百人中九十九人までは盗賊にならない。盗賊というのは幼児のような本性の者で、欲しいとおもえばもう手がのびてそれをつかんでしまっている。盗賊だけでなく町の無頼漢もそうだ。

が、百人中九十九人の正常人は、その金銀を得るまでに気の遠くなるほどの手続きが必要だということを知っている。商いをするとか、職をみがいてそれだけの腕になるとか、あるいは出費を節約するとか、まったく人間というものは偉いものさ。

「それとこれと、どんな関係《かかわり》がある」

「大いにある。ロシア人の暴状をみて腹がたつというなら、こっちも軍艦を造ることだ。七隻はおろか二十隻もつくることだ」

「迂遠《うえん》だ」

「そこが盗賊の理屈さ」

「軍艦二十隻をつくるうちに日本がほろびてしまってはどうにもならぬ」

「異人の十人や二十人を斬れば日本はたすかるというのかえ」

「懲《こ》らしめてやるのだ」

「どうも議論がまじわって来ぬなあ。いま日本を救う方法を論じているので、異人を懲らしめることを論じておらぬ」

「おれは、懲らしめることをいっているのだ。日本武士がどういう心胆のものかを、オロシャの海賊どもにみせてやるのだ。河井さん、それでも加わらぬのか」

「おれの命は、刺客になるほどには廉《やす》かねえよ」

継之助は、飛んだつめを拾いつついった。

「ゆくゆくは長岡藩七万四千石を背負わねばならぬ」

「そんな男か、河井継之助とは」

「そうだ。小さいか」

「小さい！」

「へっ」

継之助は小さく笑った。

「おみしゃんたちにゃ、物の大小はわからん。物の大小というものは達人にしてやっとわかるものだ。おれは達人ではないが、そうあろうとつとめている」

幸八は舌打ちをし、議論をやめた。どうもにが手だとおもったのだろう。

やがて、ロシア士官が殺されたという変報をきいた。

(幸八め、やりゃがったな)

と、継之助はおもった。まちがいなく下野郷士小林幸八のしわざであろう。殺戮《さつりく》の場所は、神奈川宿の横浜開港場である。殺戮されたのは、士官一人、水兵二人であった。

「凄かったですよ」

と、その夕、鈴木佐吉少年が継之助の部屋にやってきて、声をひそめた。

「なんだ佐吉、おみしゃんはあいつらにくわわったのか」

「とんでもございません」

「ならばなぜ知っておる」

「お白洲《しらす》のようだ」

佐吉は、継之助の語気に閉口した。

「後学のため、とおもってついて行ったんです」

小林幸八は、古賀塾《じゅく》では同志をあつめることができず、結局神田お玉ヶ池の剣術塾千葉道場の友人二人をさそいだした。この当時、江戸における攘夷《じょうい》の熱気がもっとも高かったのは千葉道場の塾生であったし、この門からこの翌年、桜田門外の襲撃者がひとり出ている。

佐吉少年は、

――検分役としてついてゆきたい。

と小林らにたのむと、かれらは快諾した。

横浜へ出かけた。

この町はほんのすこし前までは人家五十軒程度の漁村にすぎなかったが、先々月にここが開港場に指定されてから日に日に内外の商店がふえ、もはや市街地を形成しはじめている。

めぬき通りは、本町通と弁天通のふたすじで、それへ洋商、和商がそれぞれ店舗を張り、おもいおもいの商品を売っている。たがいに何を欲しなにが売れるかがわからず、日本人商店はとりあえず漆器、陶器、銅器、小間物、反物などを置きならべ、外国商館は、毛織物や時計、雑貨をならべており、その裏町や横町は、町民のための魚屋、鳥屋、八百屋などが店を出している。

各地から無一文で出てきた連中や、出かせぎの清国《しんこく》人たちは店舗をもつほどの資力もないために夜間路上であかりをともし、露店を出していた。そういう露店が何丁もつづき、まるで連日祭礼のようなにぎわいを呈している。

沖に、ロシア軍艦がいる。

小林らは昼のあいだにその上陸兵をみて制服をおぼえてしまい、夜を待った。

夜に入ると、露店街をものめずらしげに見物してまわったが、やがてロシア軍艦の乗組員らしい連中がやってきた。

士官が二人、水兵が五人である。

(ばかに大人数だ)

と、小林はおもったが、すぐ仲間二人を魚屋横丁にかくし、自分だけが本町通に出ていてかれらのやってくるのを待った。

目と鼻のちかさまでかれらが接近したとき小林は大きくくしゃみをした。

それがあいずである。

どっと——といっても二人だが——仲間がとびだし、腰をひくめ、折り敷くような姿勢になり、抜く手もみせず二人を斬《き》った。かれらが悲鳴をあげて逃げはじめたのを、うしろにまわった小林が一喝《いっかつ》し、横ばらいに一人を斬り、倒れるや、とびかかってとどめをさした。

そのあと、小林らはちりぢりになって闇《やみ》のなかに姿を消し、品川で一泊し、翌朝江戸へ帰った。

そんな事件である。この外国人暗殺事件はその後連続して幕末の政情をゆさぶってゆく同種事件の最初であった。

それだけに、さわぎも大きい。

余談ながら、明治後、新聞記者になったり戯作者《げさくしゃ》になったりした福地桜痴《おうち》（源一郎）はこの当時幕府の通訳官として横浜に在勤しており、当日夜十時、

——運上所（税関）にあつまれ。

ということで、いそぎ役宅からかけつけて事件を知った。

現場には下手人のものとおもわれる麻ねずみ色のぶっさき羽織が一枚に、あさうらぞうり半足が落ちていたが、それ以外に手がかりがない。

ついに下手人はわからずじまいであった。小林幸八はのち水戸天狗《てんぐ》党に入り、武田耕雲斎《こううんさい》の乱に参加し、越前でとらえられ、敦賀で斬首《ざんしゅ》されている。斬られるとき、

「あの件をやったのは、おれだ」

と幕吏につげて死んだ。

とにかく、横浜は大さわぎである。ロシア公使だけでなく、英仏蘭など条約加盟国すべての問題であるとして英国公使オールコックが代表して江戸へ行き、幕府に談じ入れる一方、それぞれが陸戦隊を上陸させて市中を警備し、さらに増兵を上海《シャンハイ》の東洋艦隊基地に要請するなどのさわぎになった。

——これは開戦になるかもしれぬ。

と、幕府は緊張し、万一にそなえをするため数藩に対し横浜警備を命じた。

すでに、秋が立っている。

その八月のはじめ、継之助が塾で宋《そう》の名臣李忠定《りちゆうてい》の著書をよんでいると、藩邸から小者がやってきて、差紙《さしがみ》をみせた。御用である、すぐ参れ、という。

「なんだろう」

と、首をひねった。この書生に、藩から御用があるはずがない。

「裃《かみしも》はいるのか」

「いいえ、御家老のおよびでございます」

すぐお屋敷に参上すると、江戸家老や中老、年寄、用人といった連中がずらりとならんで、

「御用召である」

といった。御用の内容をきくと、このたび御家では大公儀から横浜警備をおおせつけられた、ついてはそれを宰領するように——ということであった。警備隊長になれ、というのである。一介の書生にこれほどの軍事役を命ずるというのは尋常ではないが、要するに藩の江戸藩邸にはいざ開戦のときに大将になるほどの材がいないのであろう。

「ありがたくおうけ申せ」

(ことわろう)

とおもった。継之助にすれば幕府の横浜警備そのものがばかげており、いったん開戦になれば敵の艦砲や野砲、新式銃に攻めたてられて、さんざんの敗《ま》けいくさになるだろう。それに勝つだけの軍備をととのえずに、いたずらに人数が出張したところで、国の恥を世界にひろめるだけだとおもっていた。が、武士は主命にはさからえない。

「ひとことおうかがいつかまつりますが、その宰領役には、生殺与奪《せいさつよだつ》の権があるのでございましょうな」

つまり、部下を殺す権能をもたされているか、ときいたのである。重役どもは、あわててかぶりをふった。

無い、という。

「主命である」

と、重役のひとりがいった。なにが主命なものか、と継之助はおもった。この連中が勝手にほどよく協議したまでのことだ。

もっとも、継之助はそれはいわない。いったところで屁理屈《へりくつ》というものであろう。戦国時代とはちがい、いまの世でいう主命とは組織の命令ということだから、重役たちのつかっている意味にまちがいはない。

まちがいはないが、その組織そのものが継之助には気に入らない。上は幕府から下は小藩にいたるまですべてそうであり、にぶい頭脳と、ゆるみきった職務感覚で、日々事なかれの暮しをおくっている。

——おろか者の極楽浄土だ。

と、かねて継之助は封建門閥制というものをそう思っていた。たとえば藩のたてまえは(幕府でも)同職はつねに複数で、責任の所在というものがなく、いったん事がおこればけむりのごとく問題をうやむやにしてしまう。その点、まるで魔法のような組織なのである。

が、主命にはさからえない。そのために、

「部下に対する生殺与奪の権さえあたえてくだされればおうけいたします」

と、条件をもちだしたのである。専断権のないところ、まともな軍事活動はない。

「でなければ、とてもおうけ致しかねまするな」

と言い、それを主張しきったために結局この主命は不調におわった。継之助は、にがい表情の重役連をしりめに、さっさと藩邸を出て塾にもどってきた。

この日、塾ではたまたま文章の会があり、継之助がもどると、古賀謹一郎先生がめずらしく師の座についていた。

「御用召とは、どういうことであったか」

と、古賀先生が継之助にきいた。

継之助はいちぶしじゅうを語った。ききおわるなり、先生はにがい顔でいった。

「それは、足下《そっか》がまちがっている」

古賀謹一郎のいうところでは、国家（藩）の事変にあたって一介の書生を抜擢《ばってき》して横浜警備という大任にあたらせるというのはよほどのことである、それを軽々におことわりもうすとはどういうことであろう、「先祖いらい大恩をうけてきた御主君の命をあまりにかるく心得すぎはせぬか」

「どうだ」

と、問いかさねた。

継之助は、たちどころに反駁《はんばく》した。師弟の議論というよりも、この問題は継之助にとって生きかたの大事といっていい。

「愚考いたしますに、人というものが世にあるうち、もっとも大事なのは出処進退という四つでございます。そのうち、進むと出ずる《い》は上の人の助けを要さねばならないが、処《お》ると退くは、人の力を藉《か》らずともよく、自分でできるもの。拙者がいま大役をことわったのは退いて野《や》に処る、ということで、みずから決すべきことでござる。それをそのようにふるまって帰ったまでのこと、天地に恥ずるところはございませぬ」

「なるほど、河井は男だ」

古賀謹一郎は言い、自説を即座にひっこめて弟子の意見に服した。

それから三日経《た》った。

ふたたび藩邸から使いがきて、

——御用召である。

という。継之助はすぐ出かけた。藩ではどうやら、あくまで継之助をひきだそうとしているらしい。

少年の鈴木佐吉は、継之助の挙動に注意をはらっている。

（御用召で出て行ったな）

とおもううち、昼ごろにはもう塾へ帰ってきて自分の手荷物を片づけはじめた。

荷物といっても、書物を入れる小さな革製の手箱をもっているだけである。そこへ、
継之助は数冊の書物を入れ、あとは袴《はかま》をぱんぱんとはたいた。

「どうなされました」

「出てゆく」

「どこへゆかれます」

「なんでも、おみしゃんは訊《き》くのう」

「気になります」

「おれが、それほどふしぎないきものにみえるのか」

「それもありますけど、河井さんは私の師匠でございますから」

「藩命で、これから横浜へゆく」

「やっぱり」

佐吉は、大人っぽくうなずいた。

「すると、あれでございますか。生殺与奪の権を、御家からゆるされたのでございま

すか」

「こいつ」

継之助は、佐吉の頬《ほ》っぺたを指さきではじいてやった。大人くさく言う佐吉のシタリ顔がおかしかったのである。しかし——そうだ、ゆるされた、とまじめに答えてやった。

「もし、英国《エゲレス》や露国《オロシャ》が発砲してきたら、どうなされます」

「そこを考えている」

「戦われますか」

「あたりまえだ。おれは日本男子だ」

「ではなぜ、考えている、とおっしゃいました」

「別のことさ」

継之助は、このあと塾頭の米沢藩士小田切盛徳の部屋にゆき、事情を話し、

「先生にそうお伝えしてくれ」

といった。古賀謹一郎は役所に出ており、その帰宅を待つ余裕がないからである。

「わかった。みやげに異人の首をくれ」

「軽薄なやつだ」

と、継之助はいきなり吐きすてた。継之助はこの小田切という男がなんとしても虫が好かない。

以前、塾の連中五、六人と新宿のちょっとさきにある銀世界へ梅見に行った。帰路、この小田切が、

——ちょっと寄ろうではないか。

と、そのあたりの料亭へ入った。みなその二階で酒をのみ、めしを食った。いざ勘定となって小田切が懐《ふとこ》ろに手を入れ、財布をまさぐるかっこうをしてから、

「どうも二分金ばかりだ。小銭がないから、たれかかわりに出してくれ」

といった。そのじつ、金がないか、出したくなかったのであろう。悪い男ではないが、この男にはこういう癖《へき》がある。

継之助は、その点がゆるせなかった。

「よし、おれが勘定しよう」

財布をとり出して女中に渡し、すぐ小田切にむかって切るようにいった。

「ただし、小田切のぶんは勘定しない」

結局、小田切をその家へ居残りさせて、一同でさっさと出てしまった。これが継之助の論理であった。

「なぜ、異人の首をみやげにくれ、というのが軽薄なのだ」

「それほどほしければ、夫子《ふうし》自身でとってこい。この意味がわかるか」

継之助にすれば、例の料亭の勘定事件と同質のことなのである。

継之助は塾を出て藩邸へむかう道すがら、この世をうごかしている者が気ちがいか低能のあつまりで、やることなすこと、ばかばかしいかぎりだ、とおもった。

（制度がわるい）

まったく行政制度がわるい。世の仕組もわるい。この固陋《ころう》な封建制では人物も出られないし、出たところでなにもできないだろう。

横浜警備などに行って、なにになるか。

もともと英国など五カ国の公使が、幕府の閣老をつかまえて大きにおどかしをかけているが、しかし継之助の見ぬいたところ、嘉永《かえい》以来のかれら異人どもの態度をみるにいくさをする気などさらさらあるまい。日本と商売をしたいだけだ。いくさをするつもりなら、最初からそういう腰できている。

（であるのに、幕府はまるで、臆病《おくびょう》な馬のようだ）

いちいちおびえすぎる。おびえるから奴等《やつら》はおどしにかかるのである。おゝ、どゝしの利《き》かぬ相手なら、連中も別な態度で出るだろう。

——倒せばよい。

と、継之助はふとおもう。こんな政体を、である。こんな弱々しい政体を日本が持っているかぎり、ついには外国の餌食《えじき》にされてしまうだろう。

(おれが、西国の外様藩《とざまはん》にうまれておればきっとそうする)

いわゆる勤王倒幕の士になっていたにちがいない。長州藩、薩摩藩などは徳川家の外様で、徳川家に対する恩義がうすく、むかし乱世のころの力量の相違で、たまたま徳川家の下に屈してしまっただけの関係である。かれらが天下を憂《うれ》えるとき、当然、この腐りきった幕府体制を一掃してあたらしい統一国家をつくり、それをもって外敵にあたろうとするだろう。

(が、おれはそうはいかぬ)

かれの藩は、徳川の譜代である。牧野氏は戦国のころは三河の牛久保《うしくぼ》(豊橋市北方)の小さな土豪で、早くから家康の傘下《さんか》に入り、家康の創業をたすけ、「徳川十七将」のひとりとしてあらゆる合戦に参加し、家康が大をなしてからはその功によって牧野氏は大名になった。外様大名とはちがい、譜代大名とは徳川家の番頭なのである。その番頭の家来であるこの継之助が、西国出身の志士どものように、あっさり徳川家を否定するようなことはできない。

（それは断乎《だんこ》としてできない）

というのが、継之助が自分自身をしばりつけている重要な拘束であった。士たる者が自分で自分をしばりあげているこの拘束こそ、かれ自身を一個の漢《おとこ》たらしめてゆくもっとも大事な条件であると継之助はおもっている。その拘束のなかで人間は懸命に可能性を見出《みいだ》し、見出すために周囲と血みどろになってたたかわねばならない、とおもっている。

藩邸につくと、すぐ出陣の身支度をした。陣笠《じんがさ》は、親戚《しんせき》の者から借りた。ぶっさき羽織に馬乗袴《うまのりばかま》も、藩邸の知人がかしてくれた。

刀だけは、さすがに自分のものである。念のため目釘《めくぎ》を入れかえた。無銘である。

かねがね塾《じゆく》の者が目をみはってうらやましがっているほどの業物《わざもの》で、長さ二尺三寸、幅一寸二分、反《そり》は深く、両面に血みぞがほられている。この刀は明治後、長州出身の陸軍中将松本鼎《かなえ》の手に入り、この鼎の差料《さしりよう》として西南ノ役、日清、日露の諸戦場に携行され、生涯《しようがい》かれの自慢のものであった。

出陣する藩士は、それぞれ国許《くにもと》からよびよせられた士分・足軽をふくめて百人という大人数であった。

みな、意気軒昂《けんこう》としている。家重代の具足に身をかためている者もあり、先祖が大坂夏ノ陣で一番槍《いちばんやり》の功名をたてたという、その皆朱《かいしゅ》の大槍をりゅうりゅうとしごいている者もあった。

(ああ、日本も長岡藩もほろびる)

と、継之助は、いま目の前で太陽が落ちてゆくような、そういう感慨をもった。

継之助は、かれらを藩邸の剣術道場にあつめ、正面に着座した。戦陣の作法により、大将床几《しょうぎ》をすえてそれに腰をおろしている。多少いい気がしないでもない。

「諸氏、ご苦労に存ずる」

継之助はいった。

しかしそれ以上はいわず、目をぎょろりとさせたまま押しだまった。そのつら構えに凄味《すごみ》があり、満座は息をさえひそめた。

(負けだ)

継之助は胸中、さけびたい。英国その他の欧州の列強に対してである。藩祖以来百戦百勝の武勲をもつ長岡藩も、それは所詮《しょせん》は大坂夏ノ陣までのことであり、こんにちの世界の列強には敵すべくもない。

なぜか。

継之助は、つねにものの本質を見ぬくことによって、そこから思考を出発させるくせをもっている。継之助は、佐久間象山や古賀謹一郎から産業革命のことをきいた。欧州で蒸気機関が発明され、その後ここ半世紀ほどのあいだに欧州の機械文明が飛躍し、国力が充実し、列強がたがいに刺《し》戟《げき》しあって兵器を進歩させ、東洋とのあいだに大きな差がついた。

その間、日本はねむっていた。そのため、

――いざ戦《いく》さ。

といえば、このかっこうである。三百年前の武者の亡霊が出てきたようではないか。日本と欧州の差は産業革命でついた、それだけである、その点に追いつくだけでい、い、と継之助はかねがね思っている。おもっているものの一介の藩士の身ではごまめの歯ぎしりで、どうすることもできない。

(幕閣も藩重役も、みな無知無能、臆病で事なかれでおざなりである。その無能な幕閣が藩重役に横浜出役《しゅつやく》を命令してきた。藩重役はただ幕府をおそれるのあまり、なんの意見も上申せず、おれにおっかぶせてきた。その結果が、この鎧兜《よろいかぶと》と火縄銃《ひなわじゅう》の祭りだ)

この連中を、つれてゆかねばならない。

「河井氏《うじ》、なにかおはなしを」

と、かたわらの目付役の者が、ぼんやりとすわっている継之助に注意をうながした。

「心得た。申しのべよう」

継之助は、例の生殺与奪の権をこの隊長である自分がもっている、軍令の批判沙汰《ざた》をせず、即座にきいてもらいたい、とまず申し渡したうえで、

「その具足をぬげ」

と、大喝《だいかつ》した。みなおどろいた。継之助のいうところでは、戦さ装束などは無用である、おれとおなじ恰好《かっこう》をしろ、槍も鉄砲も荷造りしてさきに横浜へ送っておけ、ということであった。

「それじゃ、まるで野武士の集団じゃありませんか」

「野武士でいい。いかに重代の鎧を着こんで行っても、西洋式の鉄砲玉の前には浅草紙のようなものだ」

と、にがい顔でいった。

継之助は、出発した。

大将のかれのみは、騎馬である。一隊百人が増上寺《ぞうじょうじ》山門前を通過したのは、昼をすぎていた。このぶんでは横浜につくころには日も暮れているだろう。

小男の継之助は、ゆらりと鞍壺《くらつぼ》に腰をすえて、馬をいそがせるでもない。

馬術はさほど得意でもなく、むしろそういう術に凝るのはきらいなほうだった。

年少のころ、逸話がある。馬術は、藩の指南役三浦治部平にまなんだ。

治部平というひとは、専門家としてひどく権威ぶる人物で、初心者にはなかなか馬にのらせず口講釈ばかりをし、門人がやや修練を積んでくると、こんどは容易に秘伝を教えない。教えてしまえばわが権威がうすらぐとおもっているのであろう。

藩の剣術師範や槍術《そうじゅつ》師範にもその傾向がつよく、継之助は、なによりもその手の、そういう権威者というものが大きらいだった。

「たかが馬ではないか」

「馬は、乗るというそれだけの道具である。乗って事が足りればいい」

などと言い、初心のための講釈を聞く気がせず、いきなり馬に乗り、鞭《むち》をあげて駈《か》

けだした。治部平は大いにおこり、徒歩でそのあとを追いながら、

「おりさっしゃい。おりさっしゃい」

と叫んだが、継之助はやめない。毎度、こうだった。師が面罵《めんば》すると、

「私は深刻な馬術を学ぼうとは思わない。駈けるのととめるのと、そのふたつだけを教えてもらえばよいのです」

と、反抗した。治部平はついに継之助を憎み、やってきてもものもいわなくなった。

継之助のは、そういう馬術である。

やがて江戸を発《た》っての最初の宿場である品川に入った。宿が、街道の両側にならんでおり、左手の軒なみの裏はすぐ海だった。

宿場、といっても品川は事実上は娼家《しょうか》の町である。どの宿も、飯盛り女という名目で遊女を置いており、その人数は宿場総ぐるみで千人ぐらいはいた。

飯盛り女、といっても、実際の風俗は吉原をまねてさほど変らず、そのかわり値がうんとやすい。

土蔵相模《どぞうさがみ》という屋号の店があり、その前までくると継之助は急に馬から降りて手綱を若党にわたし、さっさとその家にあがってしまった。

脚絆《きゃはん》も解き、はかまもぬぎ、着流しのまま二階の一室に落ちつき、やがて隊の頭分《かしらぶん》

の者ふたりをよびよせて、

「おれはここで女郎を買う」

と宣言した。

「横浜へは行かぬ。横浜へ行って固めたい者は勝手に行って固めろ。おれと一緒に女郎買いをしたい者はこの家へあがれ。藩邸へもどりたい者はもどれ」

「冗談ではありませぬ」

と、おどろいたが、継之助は即座にその鼻さきをおさえ、「命令だ」といった。

「おれは、藩から生殺与奪の権をあたえられている。きかぬやつは叩《たた》っ斬《き》るぞ」

――馬鹿《ばか》な。

とおもったが服従するほかなく、その頭分がいま一度路上にもどって一同に相談すると、さすがに女郎買いをする勇気はたれもなく、みなとりあえず江戸へ帰ることになった。

(河井どのは、切腹だぞ)

と、足軽のはしばしまでおもった。

じつはこの土蔵相模という楼《うち》ははじめてではない。なじみの妓《おんな》もいる。

「どうしたのさ、いまごろ」

と、その敵娼《あいかた》のおよしがいきなり入ってきた。先刻の路上のさわぎを知っているらしい。

「なんでもない」

継之助はぴしゃりと言い、酒をたのんだ。

海ぎわの窓をあけさせ、そこでひとりで酒をのんだ。およしがときどき入ってきて、申しわけのように酒をついでゆく。

海に、軍艦が数隻《せき》みえる。

（あの艦《ふね》だな）

と、おもった。あのロシア艦が樺太をよこせとねじこんできて、そのため上陸中の士官以下数人が攘夷《じょうい》浪士に斬殺されたのかとおもうと、あまりそらぞらしくもみえない。

いまごろ、あの軍艦からも陸戦隊が横浜に上陸して警備をしているであろう。万が一の場合は継之助はその連中と戦うべく藩命によってここまで出かけてきたのである。

（まあ、軍艦の面《つら》でも見ておけば、多少、役目の手前、申しわけが立つというものだ）

およしが帰ってきて、継之助の横へすわった。ちなみに品川では吉原のような源氏《げんじ》名《な》を名のることはゆるされず、遊女たちはみな世間同様の名でよばれている。

「あたしに会いにきたの？　軍艦をみにきたの？」

と、継之助の膝《ひざ》に重みをかけてきた。

「どっちもだ」

と、継之助はいった。これは正直なところだろう。

「つい先だって、大騒ぎだったのよ」

と、およしはいった。先日、あの軍艦が空砲をつづけさまにぶっぱなしたため、このあたりは軒並に屋根瓦《やねがわら》がゆるんだという。

「なにかの礼砲だったのだろう」

と、継之助はいった。

そのあと、攘夷浪士らしいのが五、六人、この土蔵相模にとまり、車座で酒をのみ、「夜陰小舟を出して斬りこんでやる」と真顔で相談していたという。

「やった様子もないな」

と、継之助はいった。かれらの多くは空《から》さわぎで、どうせ大それたこともできないのに気焔《きえん》だけは大きい。

「大砲とは、どんなぐあいだ?」

「このむこうの白木屋じゃ、あかり障子が、ぴりっとふるえて、桟《さん》からはずれたそうです」

「そいつはうらやましい」

「白木屋さんがですか」

「オロシャが、だ」

障子の桟をはずすぐらいの大砲をもっているか、もっていないかで、地球上の民族は強弱二つの階級にわかれてしまっている。

「越後《えちご》長岡七万四千石も、ああいう大砲と軍艦がほしい」

「ないから、すねているの?」

このおよしは、藩重役よりも慧《さと》いらしく、継之助の気持の一部を言いあてた。

「男衆がいうのに」

と、およしが心配そうにいった。路上で男衆がきいていたところでは「河井どのは江戸へ帰れば切腹だろう」ということだった。

「まず、十中八、九、そうだな」

「なぜそんなことをするのです」

「酒をつげ」

およしにいったところではじまらない。要するに切腹を賭《か》けた奇行を演じてみせなければ藩重役などは目をさまさないのだ、とおもう継之助はこの馬鹿を演じた。

一方、江戸藩邸にもどった隊士たちは、藩重役から問われるままに事実をのべざるをえなかった。

「それで、継之助はどこにいるのだ」

「品川の女郎屋でございます」

「あっ、あいつめが」

みな、口をあけ、しばらく息をするのもわすれた。やがて用人の野村織居《おりい》が、

「古今、こういう話はきいたことがない。切腹はまぬがれぬのう」

とつぶやいた。江戸家老の牧野が、

「それにしても、なぜあの男はああも女郎買いが好きなのであろう」

といった。

「でもありますまい」

と弁護してくれたのは、名児耶《なごや》軍兵衛という人物だった。

「いかに女郎買いがすきであろうとも、女郎屋の前まできて横浜ゆきをやめ、隊を解散し、自分だけがさっさと登楼してしまうまでに好きとはおもえませぬ。なんぞあの男なりに仔細《しさい》があるのでございましょう」

「女郎買いに仔細もくそもあるものか」

などと論が果てなかったが、ともあれ継之助が帰邸したうえで尋問し、次第によっては腹を切らせてしまうことにした。

翌日昼前に継之助がぶらりと帰ってきた。

藩邸の門を入ると、門番までがうつむいて顔をみない。笑いを噛《か》みころしているのか、それとも切腹を気の毒がっているのか、どちらかだった。

御用部屋に通され、多少待たされた。その間、番茶も出ない。

やがて諸重役がそろった。

「どうしたのだ」

と、藩邸のお目付がきいた。

「応さ」

継之助は望むところ、といったふうな気合で背骨を立て、ひざをすすめた。こういう場合、事の是非よりもむしろ気魄《きはく》が充溢《じゅういつ》しているかどうかである。気魄が萎《な》えれば負けだ、ということを継之助は知っている。

「英国《エゲレス》は横浜に臨戦態勢を布《し》き、公儀を恫喝《どうかつ》している。ただしおどしばかりで戦争をする意思などはござらん」

「それと女郎屋とどういう関係がある」

「ない」

継之助は、すごい目で目付役を見すえ、

「貴殿などの頭なら、それとこれとは関係ないであろう。しかしこの継之助においては関係は大いにある。いや、大ありだ」

継之助のいうところでは、相手がおどしとわかっているのに真にうけて兵をさしむける、これほどばかな話はない、なぜか、ひとつには当方の装備をみせることによって異人どものあなどりをうけ、かれらをいよいよ増長させる、ひとつには藩費の濫用《らんよう》である、横浜に百人の人数が、三カ月も四カ月も駐屯《ちゆうとん》すればその費用は莫大《ばくだい》であり、ただささえ疲弊しきっている藩財政が、この無用の出役で底をつくことになる、というのである。

それをるるとのべ、そのあげく、

「ご異存ござるか」

と、逆に詰めより、諸重役をにらみまわした。これには重役たちも閉口し、

「大公儀のお言いつけだ」

とその一点を楯《たて》にするしかない。低い、低い、低い、と継之助はいった。言うことの次元が低すぎる、というのであろう。

翌日、塾《じゆく》には帰らない。その日からむこう当分、継之助は藩邸のお長屋で寝起きすることにした。

理由は、一つである。諸重役に対し、一藩一天下のことを考えてゆくその考え方の性根骨をずっしりと入れさせるためであった。

「小僧。うるさい」

と、年をとった家老の牧野などは怒声を発し、この出すぎた男をさがらせようとした。

「これは慮外な」

継之助も、負けずに声を凄《すご》ませた。

「一藩の危難がうるさいとは、これは御家老ともおもえませぬ。なにごとでござる」

「うるさい、と申したのは、おみしゃんがうるさいということだ」

「御家老、まちがっている」

「まちがっている？」

（この女郎買い侍め）

と、牧野はむらむらしてきた。

「まあ、おききくだされ」

継之助はそのこんにちの家老職たる者の心得を説いた。これからの世界はどうなる、日本国はどうなる、幕府はどうなる、さればさ越後長岡七万四千石はどうなる、という大きな見通しなくしては一藩のささいなことも決められぬ、ところが家老はまるでその日暮しの執務をしておられる、このことこそ大いなる罪悪でござるぞ。

「罪悪！」

老いた家老は叫んだ。

「たれが罪悪だ」

「あなたさまが」

「うろたえるな」

家老は、白扇でたたみを打った。

「継之助、おみしゃんどういう立場だ。戦場で軍勢を捨てたという大罪の罪目がまだきまっておらぬのだ。切腹をさせるか、どうか」

「切腹させなされ」

継之助は、即座にいった。

「これは切腹人継之助の遺言である、と思うてききなされ。それを聞かぬとあれば、あなたさまが切腹じゃ」

「おれが切腹?」

老いた家老は、はなしの風向きが逆になっていることに気づいた。

「おれが切腹、というのか」

「鎮《しず》まりなされ、卒中になりますぞ」

「不快なやつだ。おれがなぜ切腹だ」

「あなたさまだけでなく、江戸・お国もとのご重役はみな切腹でござる」

「こいつ、乱心したか」

「あなたさまのような俗吏からみれば、正気な人間はみな乱心者にみえましょう」

継之助は平素、

——無能者は、罪悪である。

と考えている。一藩の運命をになっている藩重役たる者が、めざましい世界観をもたず藩の今後をどうすべきかの方途ももたず、その日ぐらしに暮している、というのは盗賊の罪よりはなはだしい。

「そういう意味でござる。この継之助が書生の身ながら、地球上の動向、日本の運命、一藩の今後について語ろうとしているのに、怒声罵声《ばせい》を放つのみでお耳をかたむけようとなさらぬ。一藩をになうお身柄《みがら》を考えると、その罪は、万死にあたいします」

「こいつ」

といったが、本気で憎む気になれないのは、継之助の人徳というものだろう。

「きょうはご気分がおわるいようだから、あす参ります。あすは聴いてくだされ」

と、継之助は退散した。

いま一度、訊問《じんもん》ということになった。

——継之助に腹を切らせたくない。

という感情が、江戸家老以下藩邸の重役のぜんぶにある。それがため藩邸では国もとへこの事件を正式に通報していない。

どの藩にもある相身互いの人情であり、事なかれの美徳といっていい。なぜならば継之助に腹を切らせた場合、かれにあとつぎがない以上、河井家はお取りつぶしになる。そうなれば、家中の河井家の親戚《しんせき》がこまるのである。

「父の代右衛門どのの多年の忠誠恪勤《かくごん》に免じて、事を穏便におさめたい」

というのが、江戸家老以下の趣旨であり、それにはここで再度の訊問をし、なんらかの理由を見出《みいだ》したいのである。

その日、この査問会は夕食後にひらかれた。

「継之助、あのとき腹痛をおこしたであろうが」

と、牧野老人がいった。

「…………？」

継之助はきょとんとしている。

「さればその腹痛にたえかね、その付近に旅籠《はたご》があったのをさいわい、そこへ駈《か》けあがり、いそぎふとんをしかせ、おだやかに打ち臥《ふ》し、癒《い》えるのを待った。腹痛なかなか癒えざるによって看病人として婦人がついた。そうであろう」

(うまいものだ)

聞いている継之助のほうが、藩重役たちの創作力に感嘆した。女郎が看病人とはなんという秀抜さであろう。

これが、封建官僚の智恵《ちえ》である。

三百年の徳川体制はこの智恵を日本人のなかに発達させ、その意味では世界に比類のない一性格をつくりあげた。継之助没後百年のこんにちでも、民族的特性のひとつとしていきいきと生きつづけている。

「そうであろう、恐れ入れ」

牧野老人がいうと、目付のひとりが継之助のそばへ膝を近づけ、低声《こごえ》で——それもこれも仕組まれた芝居だが——

「河井どの、恐れ入りましたな」

とささやき、さて目付はあらためて牧野老人のほうへ膝をむけ、

「成りかわって申しあげまする。恐れ入りましたと申しておりまする」

といった。みごとな芝居である。

(こういう芝居を三百年しつづけて、徳川家も、御家も、家中の者どもも、それぞれ家とわが身を保ってきたのだ)

この感覚で、いまや国際社会に入りつつある日本をどうこうしようというのはむりであろう。しかし幕府も諸藩も依然としてそれをやりつつある。

(それをあらためるにはどうすればよいか)

一つしかない。

この自分が藩政を牛耳《ぎゅうじ》ってしまい、制度を洗いかえて再出発するよりほかない。しかしたかだか百石取りの河井家の分際では、奉行以上にすすむことはむずかしい。

「これで、おわる」

と、牧野老人は立ちかけた。継之助はお待ちくだされ、といった。

「なんだ」

老人は不愉快な顔をした。

「申しあげたき儀がございます」

「それより、礼を申せ」

「礼を」

「おうさ、礼をいえ。われらがはからいで河井家は改易をまぬがれた。その礼をいえ」

——ともあれ。

継之助の事件は落着《らくちゃく》した。

が、幕府の外交問題は、品川女郎屋事件とはちがい、すらりとはかたづかない。

継之助は、警備にこそ行かなかったが、この問題にしつこいほどの興味をもち、自分が無罪になったのと同時に、わざわざわらじがけで横浜まででかけ、しらべてみようとした。

（ごくろうなことだ）

たれから頼まれたわけでもなく、いわば継之助一流の好奇心である。しかしこの事件を知ることによってわれながらおもうが、日本をとりまく環境やうごきというものをつかんでおくことは、のちのちの役に立つにちがいない。

幸い、知るべがある。

横浜の幕府の運上所（税関）に、幕府外国方通訳官で、福地源一郎（のちの桜痴《おうち》）という若い役人がいる。それを継之助は知っている。

（目から鼻へぬけるような利口者だった）

とおもいつつ、継之助は江戸から横浜への道をいそいだ。といって福地とは懇意というわけではない。

継之助の先生の古賀謹一郎が、九段下牛《うし》ヶ淵《ふち》にある幕府の蕃書調所《ばんしよしらべしよ》の頭取をしている。その関係で、福地が古賀を慕ってちょくちょく塾へあそびにきており、それがいわば縁だった。

「変った童《わつぱ》だ」

というのが、塾でも評判だった。

福地源一郎は、もとからの幕臣ではなく、長崎のうまれである。

そのまえに、余談ながら明治後の桜痴・福地源一郎にふれておこう。

幕府瓦解《がかい》後、この気鋭の幕臣はさっそく屋敷を売りはらい、東京下谷茅町《したやかやちょう》の借家で「江湖《こうこ》新聞」という名の新聞を発行した。官軍が江戸城をその手におさめた直後だから、日本の新聞のなかでも草わけの一群のなかに入るであろう。

新聞の体裁は、半紙二ツ切りの木版ずりで、それを十枚か二十枚かさねたものであり、三日か四日に一度発行した。

源一郎の得意の語学のおかげで、この新聞は外国新聞からの翻訳欄がいい。それに源一郎はのちに戯曲や小説を書いただけに筆がやわらかく、世間ばなし欄（社会面）もなかなかいい。そのほか、新政府の公達《こうたつ》や上書建白欄（社説というべきか）もある。それらを、源一郎はほとんどひとりで書いた。もっともかれは旧幕臣であり、かつ佐幕主義者であったために、東北の山野でたたかっている会津藩の抵抗に対してこの新聞はきわめて同情的であった。

筆禍《ひっか》、未決監入りなどを経たあと、書物を書いたり翻訳をしたりして筆一本の生活をたてた。明治三年、新政府に仕えた。

明治七年野《や》にくだり、毎日新聞の前身ともいうべき東京日日新聞の主筆になり、二年後に社長になった。明治十年の西南戦争には「社長」みずから従軍し、戦況を新聞に掲載し、人気が大いにあがった。西南戦争の末期、参議山県有朋《やまがたありとも》のたのみで西郷軍への降伏勧告文をかいたのはこの福地桜痴だったといわれている。

つづいて才にまかせて、東京府会議員になったり、実業家めいたこともやってみたが、結局明治二十一年東京日日新聞を退社してからは作家に転向し、小説を書き、評論をかき、戯曲をかいた。こういう暮しがもっとも性《しょう》にあっていたのであろう。当時としては世間の注目をひくものを数多く書いた。

とくに戯曲が、その才能にあっていたようであった。かれは旧幕時代、大坂や京に駐在し、新選組などが大いに横行する時期に、すでにシェークスピアもシルレルも読んでいた。その素養が歌舞伎《かぶき》台本の改良に役立ち、とくに団十郎のためにかいた作品に傑作が多い。

桜痴・福地源一郎のことに、いますこし触れつづけたい。

その出身のことである。

幕臣といっても先祖代々の旗本ではなく、長崎の町医者の子である。

その父は長州藩の支藩の剣術指南役の子だから、源一郎には長州の血が流れている。しかしかれ自身がその語学力をもって幕府に採用されたことから明治後も幕府意識がつよく、薩長の士の栄達をうらやみつつもそれを白眼視した。

とにかく、生家は長崎本石灰町《もとしっくい》の町医である。

少年のころ、神童であったらしい。

いや、かれは生涯《しょうがい》その才子であることをつづけたといっていいであろう。その絢爛《けんらん》たる才能をさまざまの分野で浪費し、食いちらすようにして六十六年の生涯を、日露戦争後に閉じた。

十五歳で、長崎駐在の幕府通辞《つうじ》(通訳官)名村八右衛門の門に入ってオランダ語をまなんだのが、その語学修業のはじめである。それまでにすでに漢学の素養があり、少年の身ながら達者な漢文や漢詩をかいた。

オランダ語は、とくに会話がうまかったらしい。会話がうまい、というのは、才能というよりも性格である。平気でひとの口真似《くちまね》ができるという、軽忽《けいこつ》な性格があればこそであろう。このため十七歳というわかさで、稽古《けいこ》通辞になっている。稽古通辞というのは正式の官職でなく、稽古のために通辞の助手をつとめる、という立場である。なににしてもオランダ語をはじめて二年ほどのあいだにそういう通辞助手になったというのは尋常な才ではない。

が、源一郎は自分の才を高く評価し、長崎通辞を生涯の目標とはせず、十八歳で江戸に出て本格的な語学修業をした。

かれは、幕府における一流の洋学家たちの門をつぎつぎとたたいた。これによって外国奉行の水野筑後守《ちくごのかみ》や同岩瀬肥《ひ》後守《ごのかみ》、蕃書調所頭取の古賀謹一郎、軍艦頭取の矢田《やた》堀《ぼり》景蔵、勝海舟、榎本武揚《えのもとたけあき》などに知られ、かれらからその才を愛された。ただし性格については、

——傲《おご》った小僧だ。

という評価を、一様にうけたが。

「お前さんは、江戸っ子だろう」

と、勝海舟がのっけにたずねた。

「いや、長崎でございます」

「そうはおもわれねえな」

と、きっすいの江戸っ子の海舟でさえくびをひねるほど、長崎からぽっと出のこの若者は江戸弁がたくみだった。性格も、身ごなしも、どこかいゝなせなところがある。

——これからは、イギリス語だ。

と、江戸でこの若者はおもった。幕府はその創業初期の鎖国以来オランダ語をもって西洋語のたてまえとしてきたために、英語を知る者がすくない。日本で、二人しかない。漂流漁夫の身から幕臣にとりたてられた土佐出身の中浜万次郎と、幕府の外国方である長崎出身の森山多吉郎のふたりである。どちらも幕府の公務のかたわら、自宅で塾《じゆく》をひらいていた。森山塾は構文をまなぶによく、中浜塾は会話をまなぶによい。

源一郎はそのふたつの塾に入り、そこで福沢諭吉、沼間《ぬま》守一《もりかず》、津田仙（津田梅子の父）などと知りあった。たちまち源一郎はその英語を一年たらずで習得し、師匠の森山のすいせんで幕府の外国奉行支配の御雇通辞になった。わずかかぞえどし十九歳で、英語をもって十人扶持《ぶち》の御家人《ごけにん》になったのである。

横浜に駐在した。それへ、継之助は会いにゆく。

横浜は、この年の夏ににわかにできあがった町である。

開港するや、たちまち日本におけるもっとも商況のさかんな港市になった。

神奈川渡船場からむこうが横浜市域で、その渡船場に関所がある。いまの海岸通四丁目にあたるらしい。

関所はうるさい。

他の街道関所とはちがって、町人に対しては寛大である。武士にうるさい。攘夷《じょうい》志士に対する幕府の用心なのである。入る者は、藩の発行する鑑札がなければならない。継之助はそれをみせた。

その関所からむこうを、

「関内《かんない》」

という。関所は横浜のまわり三カ所にあり、この神奈川渡船場のほかに、吉田橋、野毛山《のげやま》にそれぞれある。この三つの関所をむすぶ内側の「関内」こそ、いまの横浜の最初の市街地であったといっていい。

その市街の中心地が、幕府の運上所なのである。現在、神奈川県庁になっている。

運上所には神奈川奉行（外国奉行水野筑後守忠徳が兼任）が詰めており、関税事務、貿易庶政、市政、外人居留地との接触、外国領事との交渉などを任務としている。

運上所が、日本人街と外人居留地との境界にもなっていた。運上所の西が日本人街、東が外人居留地である。

運上所のそばに、役人たちの役宅が二十数棟《むね》ならんでいる。小役人は、お長屋ずまいであった。

「福地源一郎どののお長屋は、どこか」

と、そのあたりのお店者《たなもの》風の男にきくと、

——あれだ。

というようにあごでしゃくった。継之助はむっとした。武士に対しこの無礼な態度はどうであろう。階級秩序の整然たる江戸ではみられないぞんざいさである。

(どういうことだ)

継之助は怒りもできず、考えこんだ。開港後わずか数カ月のあいだにこの新都市の町人は外国人の風儀をまねはじめたのかもしれない。なるほど、外国には武士という特殊な特権階級がない。

しかも、この土地は町人が商いをするためにできた町である。町人が主役であり、町人が生糸《きいと》、茶、漆器でかせぐ富が、幕府の貿易利潤になってゆく。武士は、なんの役にも立たない町なのである。

(時のいきおいだ)

とおもった。いまは横浜という特定の地で制限貿易をしているからまだいいとして、のちのち日本中の港市が横浜同然になれば、武士階級はほろび、町人の世にならざるをえないであろう。

(いずれ、そうなる)

継之助は、些少《さしょう》な事象をみても大きな問題にむすびつけたがる思考癖をもっている。自分が、源平時代以来の武士の長い歴史の最後のひとりになるかもしれぬと、ふとおもった。

すでに、夕刻である。

(福地は帰っているであろう)

とおもい、その小さな玄関の軒下から声をかけると、ちょうど在宅していた。

「これはおめずらしい」

と、式台の上から福地はいった。

継之助は土間に立ち、自分の用件を手みじかにのべたが、さて腹がへっている。

「そとへ出ませんか」

と、継之助はこの若僧に鄭重《ていちょう》にいった。若僧といっても、福地源一郎は幕臣だし、なんといっても蘭《らん》語、英語に通じた洋学者でもある。その点に、敬意をはらった。若僧はちょっと肩をそびやかして、

「女郎屋にでもゆきますか」

といった。ちかごろ、そういう悪遊びをおぼえたらしい。

「ほほう、横浜にも悪所《あくしょ》が」

と、左様、出来ましてな、ちかごろ」

と、得意げにいった。幕府の方針により、品川遊郭の出店のようなものがこのあたらしい町にもできている。それも長崎同様、外国人のための娼妓《しょうぎ》と日本人のための娼妓と、二種類にわかれているらしい。

「おもしろうござんすぜ」

「それも結構ですが」

継之助は、つねに目的専一主義である。この福地にものをきくためにきたので、遊里へゆくためではない。

「それよりめしを食いたい、お話もききたい。それに適《かな》う場所は、ござらぬか」

「さればおもしろいところへご案内しましょう。ただし私は無一文だ」

「いや、金ならば多少の用意がある」

ふたりは、外へ出た。

やがて居留地に入ると、埠頭《ふとう》に近いところに継之助にとって不可思議な建物がたっていた。色は緑《グリーン》である。みどりいろの建物などは、継之助の視覚にとって異様であった。

(これはなんだ)

継之助は見あげた。植民地風《コロニアル・スタイル》の木造二階だての洋館だが、その色彩のめざましさ――あとで見なれてしまえばなんでもないことであったが――ひどくおどろかされた。

「洋夷《ようい》は、家に色を塗るのか」

「あなた」

福地は、苦笑した。

「日本でも寺に青や丹《に》を塗るじゃありませんか。そういきなりおどろくものじゃない」

福地は例の軽薄な口調でなにげなくいっただけだが、その言葉が、継之助の心には重く突きささった。

(それもそうだ)

とおもうのである。日本の寺も、浅草寺《せんそうじ》の雷門《かみなりもん》のように青や丹で塗りあげている。それらの形式は、千数百年前、唐から渡ってきた。最初、大和《やまと》のあたりで唐様《からよう》のお寺ができたとき、当時のひとびとはその巨大さと色彩のあざやかさに継之助のごとくおどろいたことであろう。おどろくのあまり、天子以下ことごとく仏法の心酔者になってしまった。視覚の驚愕《きょうがく》は、網膜をおどろかせるだけでなく、思想をさえ変化させるものらしい。

(おどろきすぎてはいかん)

継之助は、おのれを叱《しか》りつけた。これは単に風俗の相違だけであり、それにおどろきすぎてはこちらの思想が動揺し、士魂をさえうばわれるおそれがある。

(おれは、おどろきゃせん)

と言いきかせたが、さてこの建物はなにをするところであろう。

「ホテルですよ」

と、福地は説明した。洋夷どもの宿屋であるという。横浜開港直後は、西洋の商人たちは港内の船を宿所にしていたが、ちかごろはそれに不便を感じ、上海《シャンハイ》から宿屋業者がやってきてこれをつくりあげたという。

福地源一郎は運上所詰めの通辞だけに、こういう西洋式の施設での身うごきが、ひどくものなれていた。

「万事、それがしにおまかせあれ」と若僧は得意げに入ってゆく。

(軽薄なやつだ)

継之助はそういう福地がおかしくもあり、ときには感心したりして、胸中なかなか多忙だった。

入り口で、清国人《しんこく》のボーイがむかえた。薄っぺらい面《つら》つきの男で、日本人をどこか小馬鹿《こばか》にしているらしい。そのくせ福地が懐中から小銭をひねって渡すと、にわかに追従《ついしょう》笑いなどをし、福地の腰にまとわりつくような歩きかたをした。それが継之助の目には、どうにも見ぐるしくみえた。

「あれが、清国人ですか」

継之助は、卓子《テーブル》につき、大刀を股《また》にはさみこむようにして抱くと、隣席の福地にむかってささやいた。左様でござる、と福地はうなずいた。

(なるほど、あれが清国人とは)

継之助は、ひらひらと腰をひねるようにして去ってゆくボーイのうしろ姿をみながら、胸中、ひどく当惑した。

はじめて、継之助はその民族の代表者を見たのである。しかしながら文字のうえではかれらの文化的所産を知りすぎるほど知っており、そのおかげで継之助の精神は形成されているといっていい。見る、というのはおそろしい。

(見なければよかった)

とさえおもった。あれが継之助の教養の源流である孔孟《こうもう》(孔子・孟子)の子孫であり、継之助の学祖である王陽明の同国人であるということは、どういうことであろう。

「あなたは、どうもおおげさだ」

と福地は継之助の述懐をきいて、くすくす笑いだした。

「あの人種は、四億もいるんですぜ。四億のなかには孔子も出れば盗跖《とうせき》(中国古代の盗賊の親分)も出る」

「なるほど、私はおおげさだ」

継之助も、つい片ほおで笑った。福地にいわれるとおり、あのボーイに、継之助がいだいてきた中国の精神文化像を見出《みいだ》そうとするのはむりであろう。しかし中国人を最初にみたということの経験は、それほどに観察を誇大にした。

やがてボーイが、注文をききにきた。

「那清国話説把《なあしんくおはわしゆおはあ》」

と福地はいった。この語学の天才は、長崎そだちだけに清国語も多少知っているらしい。意味は清国語で話そう、ということらしいが、しかしボーイには通じず、あいまいな薄笑いをうかべているだけだった。福地はその様子をみて継之助をふりかえり、

「このとおりです。こいつにはわからない」

と、妙に威張ってみせた。

「足下《そつか》の唐音《とうおん》が通じないのか」

「通じない。私がいまいったのは、北京《ペキン》の旗人《きじん》のことばです。しかしながらこいつはおそらく上海か福建あたりのうまれでしょう。あの国では音《おん》が無数にあって、一つの地方の音は他の地方では通じない。清とひと口にいってもそれほどに広い、ということを、あなたにお見せしたかったのです」

「ふむ」

継之助はうなずいたが、福地の才子ぶりには内心閉口した。通じなかった恥を、そういうぐあいに置きかえてむしろ自慢しているのである。

福地は英語で注文した。

やがて、酒と料理がもちはこばれてきた。

（おどろくだろう）

というのが、福地の継之助への期待であった。料理は、牛肉である。日本人は、獣肉を食わない。

が、福地のおどろいたことは、継之助がナイフとフォークをつかって平然とその肉を食いはじめたことであった。

「あなたは、はじめてではなかったのか」

「なにが」

「獣肉を食うことが、です」

「はじめてだ」

継之助は、にがい顔でいった。

日本人が獣肉を食わなくなったのは、仏教渡来以後であろう。宗教的禁忌《タブー》である。かといって、すべての日本人が食わなかったわけではなく、遠い田舎では猪《しし》や鹿《しか》のたぐいは食っていた。たとえば源平のころ坂東武者《ばんどうむしゃ》どもは狩りをしてはしきりどこれを食い、その体力を養った。

しかし徳川期に入ると、幕府は法律をもってこれを禁止した。徳川幕府が仏法殺生戒《せっしょうかい》に対してきまじめであったというわけではなく、肉食によって日本人が強い体力をもつにいたることをおそれたのである。

その法律が、徳川治下の民衆の思想にまでなった。けものの血や肉はすでに死骸《しがい》である以上、神道でいう穢《え》であり、けがれであるとされた。そのくせ魚鳥のみはゆるされていたというのは、その程度の肉食は生存にとって最低限の要求であるため、仕方がなかったのであろう。

もっとも、徳川治下でも、病人だけは薬として猪や鹿の肉を食うことは大目にみられていた。しかしそれを煮る場合、神棚《かみだな》や仏壇に紙をもって目張りをし、なるべくは戸外に鍋《なべ》をもちだして煮た。

それほどのものである。

(はたして食うか)

と、福地が継之助の動作に興味をもったのはむりもない。

「これは、牛ですぜ」

「わかっています」

「おはじめてにしては、いやに安気なご様子ですな」

「胸中、安気でもない」

継之助は、苦笑した。

口のなかいっぱいに牛の臓腑《ぞうふ》がひろがったようで、気味わるくはある。しかし継之助の思想は、かれにこれを食うことを強要していた。食わねばならぬ。

日本の攘夷思想は夷人をけものであるとし、それゆえに穢《けが》れているとするのは、もとはといえばこの牛肉である。夷人は、牛の血をのみ肉を啖《くら》う。そういう穢れたる者に神州の地を踏ませぬ、という宗教的感情から出発している。

が、継之助の合理性は、かねてそういう感情的攘夷主義を不可としていた。かれによれば、食物は習慣にすぎない。魚肉を食う日本人が清浄で、牛や豚を食う夷人が不浄であるというのは屁理屈《へりくつ》にすぎぬ。むしろ日本人もすすんで牛肉を食い、夷人とこととならぬ体格をつくりあげてそれに対抗せねばならぬとおもっていた。

そこまでが、継之助の思想である。

しかし思想だけでは、牛肉をのみくだすわけにはゆかぬらしく、継之助はその咀嚼《そしやく》に苦闘した。

(蒼《あお》ざめてやがる)

福地は、おかしかった。福地は、河井という男を、長岡藩きっての豪傑ときいている。それだけに、この光景は見ごたえがある。

「ああ、あの一件ですか」

福地源一郎は、フォークで肉をつきさしながらいった。あの一件とは、日露関係の外交問題になっている露国海軍士官、水兵の殺傷事件である。

「落着しましたよ」

「ほほう」

継之助は、ナイフをとめた。

「落着しましたか」

「左様。露国人《オロシャ》てのは、英国人《エゲレス》にくらべてどこか大ざっぱらしい」

「大ざっぱとは」

「あの連中は、自国人の一人や二人、路傍でたたき殺されたところで苦にもならず、おどろきもせぬらしい。これが英国人ならばいまごろ上海艦隊が品川沖につめかけてどうにもならぬさわぎになっているでしょう」

「それでもずいぶん騒いだようだが。げんに私も、横浜警備を命ぜられた」

「へっへっ、灰神楽《はいかぐら》をあげて騒いだのは、当のオロシャ人より、傍《はた》の英国人ですぜ。英国というのは、そういうたちの悪さがある」

「わるいですか」

「人の悪さじゃ、万邦無比でしょうな。他人《ひと》のことで騒ぎちらしてあわよくば利権を拡大しようという手だ。シナもずいぶんそれでやられた」

「オロシャ人も、強欲でしょう」

「連中はみな強欲でさ。ただオロシャ人の強欲には芸がなく、英国人の強欲には手妻《てづま》使《づか》いのような芸がある。オロシャ人はただ樺太をよこせ、と欲いっぽうの、まるで理も非もないすごみをきかせてあがりかまちにすわりこむほうだが、英国人のほうは手がこんでいる」

「それで、どうなりました」

「ムラヴィヨフがね」

露国全権ムラヴィヨフ伯爵《はくしやく》が幕閣とかけあい、三つの条件を出した。

その一つは、当夜、神奈川奉行の水野がすぐさま現場にかけつけて犯人逮捕を命ずるといった敏速な処置をとらなかった。これは怠慢である。日本政府は処罰せよ。

その二つ目は、日本政府はその費用をもって被害者の墓をたてよ。その三つ目は、日本政府は露国全権にこの不始末を詫《わ》びよ、——というものであった。

「それだけですか」

「ええ、これだけです。これが他の国なら、償金を出せ、島を割譲せよ、大軍を常駐させよ、などとうるさいことになる」

「オロシャは好人物ということに相成りますか」

「とんでもねえ」

福地は、激しく首をふった。

「外交にお人よしてのはありませんよ。オロシャの目的は樺太がほしいということだ。ここで恩を売り、温情をみせておき、そのあとでごっそり樺太をとりあげてしまう」

「韓非子《かんぴし》の世界だ」

仁も義もない。あるのは、策と謀ばかりである。それが列強世界らしい。

福地がいうとおり、ロシアはプチャーチンの来航以来、日本に対してほぼ温情主義という一貫した外交方針をとっている。長崎では地元役人を招待して軍艦内でいかがわしい幻燈《げんとう》をみせたし、江戸では、「英国や米国が無理難題をいうならわが国が日本に加担してうちはらってやりましょう」と力づよいことをいった。諸事、やりかたが人情的で、英、米、仏とはちがう。このため幕府内には親露派役人が多い。

それはいい。いずれにせよ、福地によれば、この件はまず落着したという。

食事がおわってしばらくぼんやりしていると、一人の西洋人が福地源一郎のそばに寄ってきて、小腰をかがめた。

福地になにかささやいている。

(旧知らしい)

と、継之助はおもった。

西洋人の年齢は継之助には見当がつかないが、金毛のつややかさ、歯の皓《しろ》さから察するにまだ三十前ではあるまいか。背はさほど高くはないが、容貌《ようぼう》は絵でみる鍾馗《しょうき》のようで堂々としている。

「河井さん」

と、福地は立ちあがり、この外国人を継之助に紹介しようとした。

「これは、スイス人です」

継之助にはそんな国名をいわれてもよくわからず、わからぬままに腰から煙管《きせる》をとりだし、たばこをつめた。福地はつい勢いの腰を折られ、ちょっとだまった。

が、すぐ部屋のすみから地球儀をかかえてきてそれを卓子の上に置き、

「ここです」

と、一点をさし示した。なるほど、アルプス山地のなかに、さまざまな国の国境にかこまれて小さな国がある。そこがスイス国らしい。

「小さいが、知能のすぐれた国ですよ」

「わが国の長岡藩のようなものだ」

と、継之助は大まじめで応じた。本気でそうおもっているのだろう。

「欧州の大高嶺《だいこうれい》に位置し、雪国であるという点でも貴藩に似ています」

福地のいうところでは人口はすくないが学問芸術が発達し、国はなかなか豊かであるという。その点でも、わが越後長岡藩に似ているように継之助にはおもえる。

「なによりも風変りな点は」

と、福地はいった。スイスはかつてフランスの保護国であったが、この四、五十年前、ヨーロッパ列強の承認により、このスイス連邦は永世局外中立国になったという。だから、国外侵略のための軍隊をもっていない。

(それはめずらしい)

継之助の興味は、その点にするどく反応した。領土拡張に夢中になっている欧州の列国にもそういう国があろうとはおもわなかった。

「そのひとは、スイス国の武士ですか」

と、継之助はきいた。

「いいえ、商人です」

(町人には惜しいつらがまえだ)

と継之助はおもった。名はファブルブランドと言い、日本で時計を商うためにほんの一カ月前、この横浜にきたという。ただし商品は時計だけでなく、兵器もあつかいたいという。

「そこで、あなたと親しくなりたいとこの男はいうのです」

「私を長岡藩士河井継之助と知ってのうえですか」

「いや、この男は先刻からあのすみで食事しつつあなたの風貌をみていたらしいのですが、どうも尋常の人物ではない、というのです」

「なんだ、人相見か」

「いや、西洋人は一般によく観相をします。言葉も通ぜぬ外国に単身乗りこむには、観相だけがたよりであるという場合が多いのでしょう」

「私は、大砲を買わないが」

「いや、商人としてあなたと懇意になろうとしているのではなく、たがいに士人としてつきあいたい、というのでしょう」

「どうぞ」

継之助は仕方なくうなずいた。

(これが、西洋夷《えびす》か)

と、継之助はこのスイス人の貌《かお》、体つきを見つめつつ、じつに不可思議なおもいが満ちあふれてきた。むりもなかった。継之助は欧米種のこの異人種を見るのは、はじめての経験なのである。自然、ファブルブランドを見つめている目つきが、猫《ねこ》の餌《え》をねらうときのようにふかぶかと光っている。

その目つきには、若いスイス人も閉口したらしい。大きく手をひろげて、

「われわれはおなじ人間です」

と、何度かいった。

しかし継之助はうなずかない。おなじ人間だろうか。頭髪は黄金《こがね》で染めあげたような色をしているし、目が碧《あお》く、鼻が猛禽《もうきん》のくちばしのようにとがり、皮膚は朱の酒をのんだように赫《あか》い。こんなばかばかしい形相の人間を、やはり人間とよべるだろうか。

(これは人間ではない)

理性ではともかく、継之助の感じとしては、どうにもそうとしかおもいようがない。

「ね、気味がわるうござんしょう?」

と、福地が小声で継之助にささやいた。まったく気味がわるい。

「しかし、われわれは幸いだ」

と、継之助は福地にいった。

もし原始時代、どこかの森でこのファブルブランドとばったり顔をあわせてしまっ

たとすれば、双方、驚くよりももっと濃厚な、つまり恐怖がすべての理性をうしなわせ、たがいに相手の息がとまるまで闘いあい、相手が動かなくなってからようやく安《あん》堵《ど》するだろう。

(いや、どうにもこれは——)

と、継之助は感情の整理にこまった。なにごとも初体験というのは印象を際限もなく大げさにするものらしいが、ことに別種の人間をみることほどすさまじい衝撃はない。

「なあに、馴《な》れればなんともありませんよ」

と、福地源一郎が、凝然としている継之助の表情を気の毒そうにみながら、なかばそのようになぐさめた。

「まあ、そうでしょうな」

笑わずに、継之助はうなずいた。多少、理性が立ちもどってきている。

「わが国は古来、絶海の孤島に国をつくり、異民族との接触に馴れていない。自然、人間というのは日本人のようなかたちをしたものだけだと思ってきている」

「左様」

「攘夷《じょうい》家が、駭《おどろ》き奔《はし》るのもむりはない。どうしてもこの御仁《ごじん》は」

あとのことばは言わなかった。動物の一種である、人間ではない、といいたかったのである。

「しかしながら」

と、継之助はいった。

「この御仁も、われわれ日本人を人間とは思っていないだろう」

「その点は、多少ちがいましょうな」

と、福地はいった。福地のいうところ、欧米人種は日本人よりも他人種との接触に多くの経験がある。たとえば日本の鎌倉時代に、蒙古《モンゴル》のジンギス汗《カン》がヨーロッパを征服した、そのときいやというほど日本人とおなじ顔つきの人種をみせつけられたであろうし、その後日本の戦国時代、ヨーロッパ人は船と航海術を発達させ、それによって航海冒険家たちが世界をへめぐり、たとえば中国人を知った。今世紀に入り、蒸気船が発明されてからかれらは大いに世界活動を開始し、そのためにあらゆる人種についての知識をもっている。福地は、そういう。

河井継之助という、するどい、傾斜をもった性格の男は、人の世の「原理」をもとめているらしい。人の世の原理だけでなく、自分の生きかたの原理をもとめているのであろう。

このスイス人が、

——あすの夕方、自分のほうへ御招待したい。受けてくださるでしょうか。

と、福地の通訳を介していったとき、継之助は即座に受けた。

「あなたも、めずらしがり屋ですな」

と、福地源一郎は自分と同類である、というふうにからかったが、継之助はそういう福地の軽薄さがどうにもいやで、一顧もあたえなかった。継之助はめずらしがり屋ではない。

自分では、そうおもっている。継之助のつもりでは、

(このスイス人から、何事かを得るだろう)

とおもって即座にうけたのである。といって、スイス人から新知識を得ようとおもったわけでもない。このあたりは、継之助の心情のきわどさであった。

説明が、むずかしい。

継之助はかれ自身、自分を知識主義ではないとおもっている。

——知識など、生き方のなんの足しにもならない。

という側の信者であった。漢学をまなぶにあたっても万巻の書を読もうとせず、博

覧強記を目標ともしなかった。知れば知るほど人間の行動欲や行動の純粋が衰弱する、という信条をもっている。どの藩にもいるあの知識のばけもののような儒者どもをみよ、と継之助は平素おもっている。それら、行動精神のない知識主義者をこの男は、

――腐儒

とよんでいた。

継之助の知りたいことは、ただひとつであった。原理であった。

歴史や世界はどのような原理でうごいている。自分はこの世にどう存在すればよいか。どう生きればよいか。

それを知りたい。知るにはさまざまの古いこと、あたらしいこと、新奇なもの、わが好みに逆《そむ》くもの、などに身を挺《てい》して触れあわねばならぬであろう。だからスイス人の招待を承諾した。

(そういうことだ)

と、継之助は、その夜、横浜の娼家岩亀楼《しようかがんきろう》の一室に寝ころびながら、おもった。

(おれのおもいにまちがいがない)

そのように、自分をきめつけた。きめつけねばならぬほど、洋夷《ようい》とじかに接触することは主観的にも冒険であった。洋夷は動物の一種であり、穢れており、倫理道徳を

もたず、欲望だけで動く。そのようなこの国の洋夷観を、継之助も感情のどこかで持っている。それを押してあのスイス人の家を訪ね、その招待をうけようというのである。歯を食いしばるような決意が要る。

さらには、客観的にも冒険であった。幕府はそれをよろこばない。幕府は洋夷どものおどしに屈してようやくほんのわずかだけ通商の門戸をひらいたが、貿易はあくまでも政府統制下でやろうとし、諸藩の士が直接にかれらと接触することをきらっている。

むろん幕府だけでなく、世の世論がこの直接接触の行為をゆるさなかった。世論は攘夷一色である。もし継之助の行動が他に洩《も》れれば、攘夷志士によってかれは斬《き》られるかもしれない。

翌日、継之助は居留地へ出かけた。福地源一郎が同行している。

「これが、一番館だ」

と、福地は、辻《つじ》のかどの英国人商館をゆびさした。そのとなりに二番館があり、どちらも英国商人のものだった。一番館では生糸《きいと》、水油、寒天、昆布《こんぶ》、銅をあつかい、二番館では相場の変動のはげしい生糸を専門としている。

「商売は、英国人だな」

世界一だ、と福地はいう。かれら英国の商売人は、海外市場の拡大のために英国議会と軍隊と外交官を自由自在にうごかしている、といった。

(まさか)

継之助はくびをひねった。福地のいうことはつねに多少の誇張があり、そのぶんだけは割りびきしてきかねばならないが、しかしほぼ本当なのであろう。この居留地の町なみを歩いていると、世界は商人が牛耳りつつあるという実感をもたざるをえない。

(日本も、武士の世がおわるかもしれない)

ということであった。

三番館は、アメリカ人の商館である。この三館が、横浜における草わけの商館であると福地はいった。

「やあ、やあ」

福地は、会釈《えしやく》してゆく。西洋人が福地の顔をみるとさかんに会釈を送るのである。下っ端《ぱ》役人ながら税関の通訳である以上、一種の勢力のようなものがこの若僧にはあるのであろう。

(いい男を、知った)

この点は、継之助の幸運であった。福地を知ることは世界を知ることになるかもしれない。

右の三館が草わけとはいえ、その後、ひしめくようにして建った。いまからゆくスイス人ファブルブランドの商館は、百七十五番館だという。

やがてそこに着いた。

二階だての粗末な木造洋館である。建築材料は他の商館がそうであるように上海《シャンハイ》からはこんできたものだという。

時計のかんばんがかかっている。

「ここです」

福地がドアを押して入ると、奥からファブルブランドが出てきて両手を大きくひろげ、全身で歓迎の気持を表現した。

かれは、継之助の前に立ち、店内を案内した。時計、銃器などの商品見本をみせたり、自分の寝室や客用の寝室までみせたりした。

「河井さん、この家はあなたにもっとも忠実な親友の家だとおもってください」

と、若いスイス人はいった。

(なぜこうも自分に接近したがるのだろう)

と継之助は不審におもったが、それについての福地の回答は簡単だった。

「友人を得たいからですよ」

よき友人を得たいだけであるという。それだけであるという。この孤独な若い冒険商人にすれば、この謎《なぞ》の国にきてひとりでくらしてゆくうえには、利害を離れてもっともよき友人をもちたいのは当然であろう。しかしそれにしても親愛の表現のしかたが、息づまるように気ぜわしい。

(風俗や、習慣のちがいだろう)

やがて食事の準備ができた、と清国人の給仕が報告にきた。

女っ気がないところをみると、スイス人は、まだ独身であるらしい。

食卓ごしの会話がはじまった。

「私はノーネル湖のほとりでうまれて、ベルンの大学に二年間かよった。スイスは地域によってドイツ語をつかい、またフランス語をつかう」

とファブルブランドはいった。人類学に興味をもったが、学者にはなれず、商人になった、という。

背後の壁に湖をえがいた油絵がかかっている。おそらくかれの故郷の風景なのであろう。

福地は通訳しながら、その人類学ということばに興味をもち、継之助を無視したましきりと質問しはじめた。どうやら人類学というよりも民族形態学とでもいうべき内容らしい。

福地は一応なっとくがゆくと、継之助のほうをむいてその概要をはなしてきかせる。

(ひまな学問もあったものだ)

と継之助はおもった。

日本における古来の学問といえばまず儒教である。儒教の目的は身を修め、家を斉《ととの》え、国家を治め、天下を平らかにするということであり、いわば実用哲学である。かついま洋学といって日本人が興味をもちはじめている分野も、兵器工学、軍事技術、航海術、医術などの実利面にかぎられており、ファブルブランドが「学問をしたかった」というそういういわばひま人のひまばなしのような学問は存在しなかったし、そういう知的娯楽のようなものを学問とよぶことすら知らない。

(洋夷は、退屈をもてあましているらしい)

継之助はそう理解した。ということは退屈をもてあませるほどにその社会の暮しがゆたかであるともいえるのではないか、と継之助はおもうのである。その暮しのゆたかさは、おそらく右の「実利洋学」によって産業を大いに栄えさせたためであろう。日本はまず息せききって産業と軍事をととのえるところからはじめねばならない。

（そういうことだ）

継之助は、おもった。

ファブルブランドの語るところでは、学問を中絶せざるをえなくなったから冒険精神の道をえらんだという。

（学者が、商人になったか）

継之助はそう理解した。日本なら階級からの転落だが、洋夷どもの世界ではそうではないらしい。単に情熱の指向がかわっただけなのであろう。継之助は福地にそのようにいうと、福地はその言葉を通訳した。

「いや、おなじ一つの好奇心です」

と、ファブルブランドが否定した。他の人種とその文明を知りたかったのだ、学問でそれを満足させることができなかったから意を決して貿易商人になり、われわれヨーロッパ人にとってなぞの国のこの日本にやってきたのです、と語った。

「古いむかし」

と、かれはいった。むかしといっても何万、何十万年もむかしらしい。

「われわれアーリア人種は中央アジアのどこかに住み、ヨーロッパに移動した。日本人の遠い祖先もそのあたりにいて逆に東のほうに移動したのでしょう。それ以来、われわれは会っていない」

いまはじめてあなたと私とはこうして出会っている、とこの若い商人は目をかがやかしていった。その間、相互の文明がちがってしまったために、いまやよほどの愛情と智恵《ちえ》ふかさがないかぎり、たがいを理解することができないまでになっています、とかれはいう。

「スイスとは、どういう国です」

と、継之助はきいた。福地はそれを通訳した。

「その国土は、よろしくありませぬ」

ファブルブランドはいった。かれのいうところでは、人類の住む場所としてもっとも不適当な国土だという。おそろしく高所にあり、簡単にいえば富士山の山頂ちかくにひとびとが住んでいるという。

まわりは、富士山をはるかにしのぐ高嶺《こうれい》の群れがとりかこんでおり、他のヨーロッパ世界に降りてゆくためにはいくつかの峠道しかない。寒いうえに、土地は痩《や》せている。国土のうちで二十二パーセントが不毛の地であり、二十九パーセントが森林である。あとの四十九パーセントは草原だが、日本のように水利がよろしくないためみのりのいい農地にはなりにくい。

(とりえのない国だ)

と、継之助はおもった。

が、ファブルブランドはむしろその自然の悪条件を、まるでお国自慢でもするかのように楽しげに語っている。

(つまり、日本の奥州《おうしゅう》だ。いや、奥州よりもひどい)

と、継之助はおもった。日本における奥州諸藩の自然条件のわるさと貧困さは非常なもので、スイスもそのようであろうと連想した。

「鉱物資源もありませぬ」

日本《おくに》のように金銀銅などを産出するということはなく、わずかに岩塩と少量の鉄ぐらいが出る程度にすぎない。

「そいつは、お気の毒だ」

と、福地は日本語でいった。

が、そのくせファブルブランドによればスイスはヨーロッパにおける最も富裕な国のひとつであり、もっとも知的水準が高く、その工業のさかんなことは、他国を圧しているという。継之助には、わからない。

「そこが、ヨーロッパというものです」

と、ファブルブランドはいった。この若いスイス人は、この一点を言いたかったのであろう。

「ヨーロッパ人はひとつの特性をもっています。自然条件の欠陥ほど情熱の対象になるものはありませぬ」

たとえば、農地にむかぬためにスイスは古来牧畜を主産業とし、バター、チーズなどの乳製品を他のヨーロッパ諸国に輸出して暮しをゆたかにしてきた。

近世になってからは牧畜だけでなく、機械類を作っては他の国に売りはじめた。

「それも、大きな機械は作りませぬ」

他国へ出る峠道が長大でありすぎるため、大きな機械では輸送が不自由だからである。このためスイスの得意とするのは精密機械で、とくに時計であるという。これならば他国から買う原料は少なくて済む。運賃もやすい。つまり高度の熟練技術を他国に売ることによって国家がさかえているのであるという。

「おわかりになりましたか」

ヨーロッパ文明というものを、である。

「わたくしはなにも自分の国の自慢を申しているのではありませぬ。ヨーロッパ人のものの考え方、性向を、スイスを一例として申しあげたまでであります。自然を召使いとし、それを馴《な》らしつけてしまいます」

（なるほど、これは奥州諸藩とはちがう）

と思いなおした。アジア人は自然のなかで自然のままに生きることしか知らず、ひとたび飢饉《ききん》がくれば飢えて死ぬ以外になく、それをやむをえぬものとおもっている。どちらがどうという優劣論よりも、とにかくおそろしいほどに違った人種らしい。

――自分の家同様におもってくれ。

というファブルブランドのすすめで、その夜、継之助はこの商館の二階にとまった。ねどこは、寝台である。

（いまごろ、おすがはどうしているやら）

と、継之助はふと国もとの女房のことをおもった。彼女は相変らず信濃川の上流が江戸だとおもい、亭主の継之助がまさかこの開港地の西洋館の一室で寝ていようなどとはおもわぬであろう。

(妙な亭主をもって、不幸なやつだ)

継之助の顔を、無尽燈《むじんとう》が照らしている。ランプという照明具は、ふるい開港地である長崎あたりのひとにとってはめずらしくないようだが、継之助はこんど横浜にきてはじめてそれを知った。

(このあかるさはどうであろう)

燈心をあかりにしている日本人の目からみれば昼のようにあかるい。この一事だけでも日本は世界の潮流のなかから遅れている。

——なぜ遅れているか。

答えは、簡単であった。文明というものは民族や国家間でたがいに影響されあうことによって発展するものだが、日本人は地理的孤立のなかにあったために、その能力を他文明から刺戟《しげき》されることがなかった。

なるほど平安初期までは中国との公式な外交接触があった。しかしながらそれが絶えて千年になる。このため、いまたかが無尽燈をみても目をみはらねばならない。

いまひとつ継之助がファブルブランドのはなしで衝撃をうけたのは、封建制の問題であった。

——日本の封建制はいずれほろびるのではありますまいか。

と、あの若いスイス人は、そこだけ声をひくめ、ひかえ目な態度でいった。将軍や大名による土地人民の支配制度はくずれるというのである。

スイスにもそういう時期はあった。しかしくずれた。商人や工業家たちの財力と実力が、それを崩さしめた。

——当然なことです。ふるい時代、王侯たちは農民や牧夫を支配していましたが、人智が進んで産業が興ってきますと、貴族よりも産業家のほうが実力をもってきます。

と、ファブルブランドがいった。

「すると福地さん」

と、継之助はそのときいった。

「越後屋（三井家）が日本を支配する時代がくるというのだろうか」

「さあ、それはいかがでしょうな」

西洋通の福地源一郎でさえ、まさかとおもっている様子だった。武士の世が終りになるとは福地にも思えない。だからこそ福地は長崎の町医の子から身をおこし、洋学をもって幕府にとりたてられ、微賤《びせん》の小役人という身分にやっとありついたのである。

（日本は産業を興さねばならない。しかし産業をおこすとなると、封建制度はくずれる）

武士として、自己否定の道である。たとえば継之助が長岡藩の町人をそそのかせて銃器や大砲をつくらせるとすれば、やがてはかれらが強大になり、藩はつぶれざるをえない。つまり主家の牧野家が傾く。結局ゆるやかなる謀叛《むほん》の道であり、武士としてこれほど不忠な思想はないだろう。

ともあれ、資本主義は、欲望の制度である。金欲や物欲を追求してゆく。欧米の発達をみるとそれ以外に日本を富国強兵にする手だてはなさそうだが、しかしそれが封建制と相容《あいい》れぬものとすれば、武士としての継之助はこれをどう考えるべきか。

継之助は江戸の古賀塾《じゅく》にもどってからも、しばらくぼんやりしていた。

「どうなさったのです」

と、鈴木佐吉少年がたずねたが、継之助は、

「はしかだ」

というのみで、なにももらさない。かといって熱もなさそうだし、目も充血しておらず、まして赤い斑点《はんてん》もできていない。第一、はしかになるのは通例、小児である。

――河井ははしかにかかっている。

というのが、塾の評判になった。みな笑った。はしかになるような可愛《かわい》い男か、と

いうことであった。

それが師匠の古賀謹一郎の耳に入り、夜中ながらその屋敷によばれた。中庭をへだてて表がこの蕃書調所頭取《ばんしよしらべしよ》の屋敷になっている。継之助が古賀の書斎へゆくと、

「なんだ、元気ではないか」

と、古賀はいった。古賀は蘭《らん》学者だけに多少医術にも通じており、望診しただけで相手がはしかではないことぐらいはわかる。

「別段のことはなさそうだな」

「まずは」

と、継之助は頭をさげた。まずはなんでもない、ということである。

「先日、横浜へ参りました」

「ほう」

古賀には、初耳であった。もっとも塾生に対しても、継之助はこの次第だけは内密にしている。攘夷《じょうい》気分のさかんな時勢であるため、夷人の町へゆくことなど吹聴《ふいちょう》すべきでないであろう。

「どうだった」

「どう、という意見はまだありませぬ。見聞したまででございます」

と、継之助はいちぶ始終を話した。かれにとっての関心は、聴き手の古賀謹一郎のことである。

古賀は、代々の家学が漢学であるにもかかわらずみずから進んで洋学をやった人物である。そういう古賀ならばこの継之助の混乱――かれはしかと称しているが――になんとか解決点をみつけてくれるかもしれない。

が、その期待はむだだった。

「それほど関心をもったのなら、足下も洋学をやったらどうだ」

という、平凡なことをすすめるだけであった。継之助はかぶりをふった。かれは自分が洋学をやろうとは思ったことはない。

洋学修業には、とほうもないひまと根気が要る。それに適した他の者がやるべきで、なにも自分がやらねばならぬことはないとおもっている。この点でも継之助は原理主義者であり、自分に洋学という知的技術が必要ならその方面の権威の意見をきくだけでよい。そのようにおもっている。

必要なのは、原理である。

藩と日本をこの複雑な時勢のなかから救いだすにはどうすればよいか、という原理を継之助はさがしており、洋学はその参考材料にすぎないのである。

「足下は、洋学をくだらぬと思うのか」

「めっそうもない。他の者がそれをやることには賛成でありまするが、私はそれをしませぬ。人の一生は短うございます」

「そうか」

古賀は、それについてもべつに意見をのべなかった。また継之助のいう「富国強兵のための産業主義が発展してくれれば王侯支配の封建制度がほろび、越後屋の世がくる」という課題についても、古賀はなんの意見もない。古賀は単に学問の技術主義者にすぎぬようであった。

旅へ

向島《むこうじま》では、もう藤《ふじ》の花が凋《しぼ》みはじめているという。

継之助はもはや江戸に失望していた。国もとの父代右衛門へのたよりにも、

「当地はさすがに大都会、大学者も多く、実に私輩《げ》の未熟にとって師とすべき者は多うございますが、しかしながら学問を職業のようにいたしおる者が多く、実学の人す

くなきように思われます」

と書いた。

横浜から帰来してのちは、この思いがいよいよ深くなっている。継之助にとって、なにごとか目をひらいてくれる者がいない。

(妙なことに、あの夷人《いじん》だけだった)

スイスの若い商人ファブルブランドのことである。夷人そのものはたいした人物でもないが、かれの背後には巍然《ぎぜん》とした異質の文明があり、それが継之助の「原理への思い」にははなはだしく刺戟《しげき》をあたえた。

が、かといって、この極東の半鎖国国家の一小藩の藩士である河井継之助が、その生涯《しょうがい》をどう生きるべきかについてまでは、ファブルブランドはなんの助言者にもなりえない。

継之助は、師の古賀謹一郎にも失望した。

「それでは洋学をまなべ」

などという助言しかできぬようでは、謹一郎も所詮《しょせん》は「学問を職業のようにいたしおる者」にすぎないであろう。

この日、継之助は鈴木佐吉少年にせがまれて浅草待乳山《まっちやま》の聖天《しょうでん》境内へゆき、藤の棚《たな》を見物した。花はもう盛りをすぎていて、いっこうに雅趣がなかった。

が、眺望《ちょうぼう》がいい。

待乳山の岡にのぼって東のほうをみると、隅田川の長堤がうねり、水が武蔵《むさし》の天の青さをあおあおと映している。近くは葛飾《かつしか》の村々がみえ、遠くは国府台《こうのだい》のあたりまで見はるかせるようであった。

「そろそろ、おれの江戸もきりあげだな」

と、継之助は社殿の階《きざはし》に腰をおろしながらひたいの汗をふいた。

「お国もとへ帰られるのですか」

佐吉はおどろいた。

「いや、国もとには帰らぬ」

「とは？」

「旅さ」

継之助は、つぶやくようにいう。

「どこへ」

佐吉は、せきこんだ。継之助が塾《じゅく》からいなくなるとさしあたってこまるのは、この少年だった。

「西のほうだ」

「京ですか」

「いや、もっと西だ。しかし藩庁がそれをゆるすかどうかわからぬ。旅費の工面もせねばならぬ。事が瞭《あき》らかになってからあかそう」

「いまおっしゃってください」

「馬鹿《ばか》だな」

継之助は笑わず、鼻の奥でいった。佐吉は、自分の好奇心を恥じた。侍というのは、成るか成らぬかわからぬ将来のことはいわない。うそになるおそれがあるからであろう。

やがて聖天の長い石段をおりはじめた。十段ほどおりると、

「おい」

と、継之助は佐吉を顧みた。

「あれは、どの方角だ」

半鐘が鳴っている。

火事であった。佐吉は石段をいま一度もどり、岡の上から四方をみてすぐ駈《か》けもどってきた。

「吉原です」

継之助は飛びあがった。すくなくとも佐吉にはそうみえた。

佐吉少年があきれたのは、継之助のすばやさであった。

石段を駈けおりながら継之助の羽織がひるがえったかとおもうと、それが小さくなり、ふところに呑《の》みこまれた。羽織を着ていては駈けるのに不自由なのであろう。ついですそを尻端折《しっぱしょ》って毛ずねを出した。さらに雪駄《せった》をぬぎ、それを帯へはさんだ。その姿で石段の最後の数段からとびおりるや、町並を駈けてやがてみえなくなった。

(妙なお人だ)

佐吉は、なお石段のなかばにいる。察するところ継之助は吉原の小稲の安危を気づかって飛んでゆくのであろう。

(たかが女郎のために)

軽蔑《けいべつ》したくもなる。

継之助という人物に失望もした。平素、王陽明や李忠定に傾倒していることと、吉原の火事で宙を飛んでゆくあの男とどういうつながりがあるのであろう。

佐吉は、石段下の茶店に腰をおろし、餅《もち》をひと皿もとめた。

そこへ塾頭の小田切盛徳が通りかかり、

「なんだ、河井と一緒ではないのか」

と、店頭で足をとめた。この男も藤を見にきたらしい。

「河井はどうした」

小田切はしつこくたずねつつ、餅を注文した。佐吉はその質問にたえかね、ついに事実のままをいった。

「好色なのだ」

小田切は、一言で裁断した。

この古賀塾きっての秀才は、継之助を好んでいない。

——不良塾生である。

と、みている。小田切は前述のように米沢藩士で、その学才は藩の誇りにすらなっており、帰藩すれば家中の学問の総裁になるといううわさがあった。

が、継之助は小田切がきらいであった。かねがね佐吉に、

——小田切のようになるな。

と教えてきている。佐吉にはその点が、いまひとつわからない。

(それほどわるい男だろうか)

佐吉は、小田切の顔をまじまじとみた。この塾頭は、詩文においては師匠の古賀謹一郎をしのぐほどの達者であり、古典解釈に造詣《ぞうけい》がふかく、その読書範囲のひろさにおいてもとうてい余人の追随をゆるさない。なるほど性格に多少の俗気があり、かつけちではあった。その点で塾生にきらわれてはいる。しかしそれが、この男の致命的欠陥ともおもえない。

(双方、虫がすかぬのだろう)

とおもうのだが、しかし虫のせいにしてしまってはみもふたもない、とも思う。

継之助は小田切のことを、

「学問を出世のたねにしているやつだ。ああいうやつが世の中でもっとも悪い」

といっている。

大工左官ならばかまわない、と継之助はいう。大工左官が職をみがき江都第一等の腕になればりっぱに食える。しかし学問の道はちがう。この道は技芸の道とはちがい、一国一藩の政治の道につながっている。学問で俗世間の名誉を得れば藩はその者に政治を攬《と》らせるだろう。そういう性根の男が政治をとれば影響するところが深刻である、一国の腐敗につながる、だからもっとも始末がわるい、と継之助はいうのである。

「要するに、好色なのさ」

と、小田切塾頭はふたたびいった。継之助のことを、である。

「でしょうか」

佐吉少年は小首をかしげ、ついでに餅を口に入れた。このあたりはまだ子供である。

「不服かね」

小田切の床几《しょうぎ》にも、餅がはこばれてきた。

「ええ、河井さんにはもっとほかに」

「本心がある、というのか。半鐘が鳴りだすと同時に吉原の女郎のもとに駈けだすあの男に、ほかの魂胆があるとおもうのか」

「思います」

「買いかぶっているのだ。だいたいおまえさんは、あの男を尊敬しすぎる。あんな不《ふ》料簡者《りょうけんもの》に師事していると、おまえもあのようになるぞ」

「不料簡者でしょうか」

「古賀先生もそういっておられる。河井は学問を軽蔑している、と」

(いや、学問を軽蔑しているのではなく、河井さんはいまの学者を軽蔑しているのだ)

と、佐吉は内心おもったが、しかし塾頭に口答えすることができず、だまって餅を食いつづけた。小田切は、よほど継之助が面憎《つらにく》いらしく、

「あいつは、篤実《まじめ》に学問をせぬ」

と、いった。

(これはおもしろい)

佐吉はおもった。小田切盛徳は古賀塾を代表する秀才であり、河井継之助は課題の詩作をさえ佐吉少年に代作させるような、いわば劣等生である。ふたりは両極にある。このふたりを論評することによって、佐吉が今後とるべき道があきらかになってくるのではないか。

「そりゃ、小田切さんは塾での学問修業については篤実そのものですね」

わざと、ほめた。小田切はうなずき、

「塾務に篤実なのはわれわれ書生の道だ。塾の学業にふまじめであるというなら、なにも塾に来ずともよい」

といった。

「大事なところです。もっとそれについて教えてください。塾務に篤実であればどういうことになるでしょうか」

「学問が進む」

「進めばどういうことになるでしょう」

「名声があがる」

「あがれば?」

「立身の道がひらける」

と、小田切はついゆだんして本音を吐いた。相手が子供だとおもっているのであろう。

「すると学問の名声とは立身出世の手段でしょうか」

「左様。そのとおりである」

小田切は、ひどく大胆に言い切った。

もっともそれが事実ではある。戦国のころは戦場での勇者がその武功によって加増をうけるが、いまの時勢では学問の功のある者が藩庁で重い職につく。場合によっては譜代の家老をさしおいて藩政の最高権力者の位置にすわることもできる。そのために学問をする、と小田切は言いきっているのである。

「藩政の枢要《すうよう》についてはじめておのれの志ものべることができるのだ」

「でも、学問々々といっても、実際には語句の解釈ばかりではありませんか。こんなことをしていては天下を治める道もみつからず、その志も養うことができません」

「おまえは、河井の悪観念にとりつかれている。道楽者か、むほん人になるぞ」

――えっ。

鈴木佐吉少年は、おどろいた。継之助のまねをしていたら道楽者かむほん人になる、といわれては、たまらない。

「まさか」

と、小田切塾頭をみつめた。

「本気でおっしゃっているのではないでしょうね」

(こいつはやっぱり子供だ)

小田切は、おかしくなった。しかし佐吉にすれば笑いごとではない。実をいうとうっすらそのことが心配でなくもなかったのである。

(河井さんは物事をつきつめすぎる。世のこともつきつめてしまえば、世を捨てた道楽者になるか、むほんでもおこすしかしかたがなくなる。人間はやはり、小田切のように俗っ気《け》や娑婆《しゃば》っ気《け》や利己心が旺盛《おうせい》なほうが安全なのかもしれない)

と、ふとおもったりした。

（しかし、そうはなりたくない。河井さんのほうが、ほんものの人間だ）

ともおもう。そう思いたい。佐吉は、大げさにいえばとほうに暮れるおもいでいる。

「いったい、河井は平素、おまえになにを教えている」

「なにも教えていやしませんよ」

「そんなことはあるまい。あの男は陽明学の徒だが、それについてなにか言っているだろう」

「心ということばを、しばしばお使いになります。万物万象はわが心に帰す」

「それが陽明学だ」

小田切は、おなじ儒学でも朱子学派である。小田切だけでなく師匠の古賀謹一郎もそうであり、江戸はおろか満天下の学者という学者は九割九分まで朱子学であった。なぜならば朱子学が幕府の官学であり、これをやらなければ官途につけない。陽明学は幕府からみればもっとも嫌悪《けんお》すべき「異学」であった。

星、月、山、川、人間など、あらゆる実在というものは、本当に実在するのか。朱子学にいわせると天地万物（実在）はちゃんと客観的に存在する。石ころも、道をゆく犬も、堤防上の松も、いっさいが客観的存在である、という。

が、継之助の陽明学では、そうは見ない。それら天地万物は人間であるオノレがそのように目で見、心に感応しているからそのように存在しているので、実際にはそんなものはない。たとえば継之助はあるとき佐吉にいった。

「春がきて桜が咲く。ありゃうそだ」

というのである。桜は客観的には存在しないし、花も咲かないし、春というものもありえない。人間が心でそれを感応するから天に春があり、地に桜があり、かつは春に花がひらくという現象がある、という。人間の目と心があればこそ天地万物が存在するというのである。つまり、天地万物は主観的存在である、という。いわば、唯心《ゆいしん》的認識論といっていい。

要するに、人間が天地万物なるものを認識しているのは、人間の心には天地万物と霊犀《れいさい》相通ずる感応力があるからであるという。いやいや、その天地万象も人間の心も二つのものではない。天地万象も人間の心も、「同体である」という。

「だから心をつねに曇らさずに保っておくと、物事がよくみえる。学問とはなにか。心を澄ませ感応力を鋭敏にする道である」

と、継之助は佐吉によくいう。

――心は万人共同であり、万人一つである。

というのが、継之助のいう王陽明の学説であった。どの人間の心も一種類しかない、心に差はない、という。この場合心とは、精神・頭脳ということであろう。

「しかし、それはおかしい。現実に人間には賢愚があるじゃありませんか」

と佐吉がいうと、継之助はいい問いだ、といった。なるほど現実に賢愚がある。しかしそれは本質的なものではない、というのが王陽明の説であった。

「というと?」

「人間には、心のほかに気質というものがある。賢愚は気質によるものだ」

わからない。

それを、継之助は懇切に説いてくれた。気質には不正なる気質と正しき気質とがある。気質が正しからざれば物事にとらわれ、たとえば俗欲、物欲にとらわれ、心が曇り、心の感応力が弱まり、ものごとがよく見えなくなる。つまり愚者の心になる。

継之助によれば学問の道はその気質の陶冶《とうや》にあり、知識の収集にあるのではない。気質がつねにみがかれておれば心はつねに明鏡のごとく曇らず、ものごとがありありとみえる。

「つまりその明鏡の状態が、孟子のいう良知ということだ」

そこまでは、朱子学の初歩をおさめた佐吉でも抵抗なくわかる。しかし陽明学はさらにそれより一歩すすめて良く知ることは知るだけでとどめず実行をともなわせる。はげしい行動主義が裏打ちになっている。

　そこまで佐吉が考えたとき、

（あっ）

と、胸中叫んだ。わかるような気がした。継之助が半鐘をきいて吉原へ飛んで行った理由が、である。

「小田切さん」

と、餅を食っている塾頭《じゆくとう》にいった。

「河井さんが走ったのはあれでしょうか、やはりあのひとの学理でしょうか」

「学理で女郎のもとに奔《はし》るのか」

「だとおもいます」

「おまえは狂人だ。あの狂人のものぐるいが伝染《うつ》ったのだ」

と、小田切は気味わるそうに佐吉をみた。

「いいえ、うまく表現できませんが、私は河井さんが学理で走ったのだとおもいます。あのひとの敬慕する王陽明でも、この場におれば走るだろうとおもいます」

「おれでも吉原に馴染《なじみ》の女がいるぜ。しかし火事をみても走らない」

「それはあなただからです。河井継之助なら走ります。げんに走っています」

「王陽明もか」

「ええ、王陽明も走ります」

佐吉がおもうに、走ることとは儒教の根本義である仁《じん》というものである。儒教では惻《そく》隠《いん》の情というものを重くみる。道をあるいていて、見知らぬ子供が河に落ちた。どんな悪人でもそんな場に通りあわせれば捨てておかず、なんらかの手段でたすけようとする。人間がうまれながらにもっている痛わしく感ずる心――惻隠の情――こそ仁の原始形態である、と孟子も説いている。継之助はそれを感ずると同時に、かれの信条らしく行動をおこしたのであろう。その行動は純粋気質から発しており、高山の湖のように透明度の高いものだ、と佐吉はおもう。

「だから走ったのですよ」

「なんの、単にあの男に、市井無頼《しせいぶらい》の徒の性格があるだけのことさ」

半鐘はなおも鳴りつづけている。

継之助は、吉原の大門《おおもん》にかけこんだ。

（ばかげている）

とおもった。火事は吉原ではない。田ンぼをへだててむこうの下谷竜泉寺町で茶色っぽい煙があがっている。遠くからみれば同方向だから、つい見誤ったのである。が、ここまできた以上、ひっかえす気にもなれず、茶屋で休息した。茶屋のおかみが、

「どうなさいました」

と、笑いをこらえている。継之助が血相を変えて大門へとびこんできたのを、たまたま見ていたのである。女郎買いをするのに、こんな血相でとびこんでくるやつもないであろう。

「どうもこうもない」

「それほど小稲さんがお好き」

おかみは、好きでたまらぬあまりこのように駈《か》けこんできたと思いこんでいる。

「いや、火事だよ」

「どこが？」

「先刻の半鐘だ」

「ああ竜泉寺町の」

「吉原と見まちがったのだ」

と、継之助はにがい顔でいった。おかみはそれをきいて、二度目の驚きを持った。いかにこの遊里《さと》の遊女になじみだといっても、火事ときいてこんなに夢中で駈けつけてくる客はまずいない。

(この田舎侍は、実《じつ》がある)

実といっても、ちょっと薄気味わるいほどに迫力のある実である。遊里などは、しょせんはあそびの世界で、こうむきになるものではない。

(だから田舎者はこわい)

ともおもうし、感心だともおもう。その証拠に、このいろざとで遊女と心中をする者といえば江戸者はまれで在方《ざいかた》の者がほとんどである。

「お湯は、いかがですか」

と、おかみがいった。なにしろ継之助は首すじまではねがかかっており、背中にも泥《どろ》が点々とついている。湯に入っているあいだにきれいにしておいてあげましょうというのであった。これは、ありがたかった。

「頼む」

「稲本楼《あっち》のほうにもそう申し伝えておきますから」

おかみは、継之助を湯殿に案内した。継之助はかかり湯をざっと浴びて湯ぶねにとびこんだ。

(これでいい)

とおもっている。継之助はひとの心の動きに敏感な男だから、自分の行動をみておかみがどうおもったかを、十分に察していた。

(さぞ、田舎者だと思やがったことだろう)

それでいい。

馬鹿惚《ばかぼ》れをしているわけではないが、小稲を愛らしく思っている。である以上、その危難をみては身を挺《てい》して救うべきである、というのが、継之助の思想であった。継之助はその思想をもってかれ自身の心胆をねりあげようとしている。その最終の目的は藩国の危難に役立つ自分でありたいということだが、相手が遊女であってもかまわない。あの半鐘をきいたとき、かれの心胆が小稲の身を案じて戦慄《せんりつ》した。惻隠の情というべきものであろう。その惻隠の戦慄が、かれにとっさの行動を命じた。たかが遊女のためだが、そのために火の中をくぐることも辞せぬ、そういう男で、継之助はありたいとおもっている。

(色恋もまた、おれを練磨《れんま》する道だ)

この理屈っぽい行動家はおもっていた。

継之助が来る、という。小稲は、茶屋からその連絡をきいた。茶屋の女中が、余計なことまでいった。例の火事の一件を、である。

(変ったお人だ)

と、小稲はおもった。あの越後人《えちご》が自分にそれほど惚れきってくれているとはおもえない。

——惚れる、ということとは違うらしい。

継之助の小稲に対する態度は、どことなく対決のにおいがある。鉄が鉄を打って火花を飛びちらせるような、または剣客が他の剣客と見《まみ》えることによって自分の道業《どうぎょう》を深めようとするような、そういう奇妙さがある。

小稲は、日夜、客をとる。それがつとめである。このさとにきて以来、幾百幾千の嫖客《ひょうかく》と枕《まくら》をかわしたかわからないが、しかしあのような種類の男に接したことがない。第一、寝床でやさしげな睦言《むつごと》をいってくれたことがない。ついで、淫靡《いんび》な痴言《たわごと》もいわない。淡泊で、どこか性を超えた道友のような接しかたを小稲に対してする。たとえていえば、寝床に入ってのことどもも、茶屋で茶を楽しんでいるような、そういうとぼけたゆとりがあるようにおもわれる。

そうおもっているうちに、継之助が番頭新造に案内されて入ってきた。

「番茶がほしい」

と、継之助はすわるなり言った。小稲が玉露を淹《い》れようとした。

「番茶だ」

と、継之助は、小稲の手の甲に釘《くぎ》を打ちこむようなするどさでいった。

小稲は詫《わ》び、新造に番茶を命じた。新造が階下へおりた。

（澄ましていやがる）

と、継之助には、小稲のそのしんとした表情がたまらなく好もしい。

床に、藤《ふじ》が活《い》けてある。藤のいけばななどちょっとめずらしい。

「あれは、おみしゃんが活けたのか」

「はずかしゅうございます」

「悪くはない」

継之助は、藤を見つめていた。国許《くにもと》にいる父の代右衛門は長岡藩きっての茶人で、花を活けさせても尋常ではない。

（花の心を、知っている）

（変った殿御だ）

と、継之助は小稲の手活けを、そのように観察した。

「おれも、今日、藤をみてきた」

「聖天さまの？」

「知っていたのか」

と、継之助は小さな声でいった。

「はい、うかがいました。竜泉寺町の半鐘が鳴ったがために駈けつけてきてくださいましたとか」

「馬鹿なことをした」

「小稲を、そのように思召《おぼしめ》してくださいましたこと、うれしく存じます」

「なにを言やがる」

照れくさそうに顔をなでたが、不意にこの小稲の落ちつきようが面憎《つらにく》くなってきた。

「小稲」

継之助は立ちあがった。掃き出しの小障子を、足であけた。

そこに、茶釜《ちゃがま》が置いてある。継之助がみたところでも、十両や十五両で買えるようなしろものではない。

足をあげ、それを蹴《け》った。茶釜は掃き出しから飛びだし、やがて地上に落ち、砕け割れたらしい音が、部屋にもどってきた。

継之助は、番茶をのんだ。

継之助は湯呑《ゆのみ》をかかえ、番茶をのみつづけている。小稲は、菓子入れのふたをあけた。

箸《はし》をとり、菓子をはさみ、

「いかが」

と、継之助を見あげた。顔色も変っていない。なぜ茶釜を蹴落した、などと、そのことをきこうともしないのである。

(変ったやつだ)

継之助は自分の風狂をたなにあげて、そうおもった。どうやら、継之助の負けであるらしい。

菓子を、継之助は掌《て》でうけた。葛《くず》まんじゅうである。

「召しあがれ」

「ああ、食う。しかし」

と、継之助は小稲をまっすぐに見た。小稲はそれを受けず、ななめへ視線を流してしまった。継之助は、ちょっとあせった。

「なんとか、言ったらどうだ」

と、茶釜の反応を強要した。が、これは野暮というものであったろう。小稲は、くすっと笑っただけであった。

(おれの負けらしい)

実をいうと、なぜ自分があのようなことをしたのか、継之助は自分でもよくわからない。小稲という女の静まり方が、いらだたしくなったことはたしかである。あの高価な茶釜を蹴落せばどんな音《ね》をあげ、どんな顔をするか、それをむしょうに継之助はやってみたくなった。ところが古沼に小石を投じたほどの反響も、小稲は示さない。

(変っている)

小稲は胸中、そうおもっている。茶釜を蹴落したことも、小稲は不愉快にはおもっていない。むしろ、楽しくさえある。

小稲の直感では、あの茶釜蹴りの奇行は、この越後人の自分に対する愛情の表現なのであろう。平素、自分に対し惚れたとも好いたともいわず、睦言も語らない。が、この越後人は自分を愛してくれている。そのくせどうにも愛の言葉をいえず、小稲の愛をたしかめることもできず、結局ああいう行動をとることによって小稲に甘えてみたかったのであろう。あるいは小稲の愛をためそうとしたのかもしれない。

「どういうわけだろう」

と、継之助は菓子を食いつつ首をひねった。小稲は、その不審の理由をきいた。

「いやさ、この菓子、すこしにがい」

「ほほほほ」

と、小稲は笑った。そりゃあたりまえでございます、毒が入っているのでございますもの、と、意外なことをいった。

「毒が」

「あのようなお悪戯《いた》をなさるので。――小稲の仕返しでございます」

「なるほど、そういえば毒のにおいがする」

と、継之助は大まじめな顔で、残りの半分を口に入れようとした。

「およしなさいまし」

「とめることはあるまい」

と、継之助は口に入れた。どうせ冗談だろうが、毒でもかまわない。武士というものはどんな意味の死でも、つねにその場で死にうる覚悟を養っているべきだというのが、継之助の日常の思想であった。遊女に毒を飼われてこの場で死んでも、いささかの悔いもない。

「食ったぜ」

「これで茶釜のことは帳消しでございます」

小稲は、あたらしい茶を淹れた。

継之助は、それをのんだ。双方、他愛もない。いわばこれら一連の挙動が、かれらの睦言のかわりなのであろう。

夜半になり、小稲がふと、

「こんどはいつ、来てくンなます」

と、郭言葉《さとことば》でつぶやいた。小稲はどうやら、継之助のことを情深く想いはじめているらしい。

「いや、もう来ねえだろう」

継之助は、ひとごとのようにさばさばといった。が、いかにもわざとらしい。

「どうして」

「すこし、惚れすぎた」

継之助は、枕もとの煙草盆《たばこぼん》をひきよせた。

「それがどうして」

わるいのか、と小稲はきいた。継之助はああおれにとってはよくない、といった。

「じつをいうと、おれは妙な工夫をしながら生きている」

「工夫を？」

小稲は眉《まゆ》をひそめた。

「工夫とは、なんのことでありンす」

だまってきいていると、じつに変ったことをこの男は言う。

「左様さ、おれの生命は、おれにとって一個の道具だ」

「道具とは、大工の鉋《かんな》のような」

「ああ、百姓の鍬《くわ》のような」

と、継之助はいった。継之助の思想では河井継之助というのは一個の霊である。霊が生命を所有している。霊が主人であり、生命は道具にすぎない、という。

「いのちが自分ではないのでありンすか」

「そういうことだ」

継之助はうなずいた。その証拠に、おぬしがさしあたっていい例ではないか。おぬしはこの稲本楼の遊女として日夜客をむかえている。朝《あした》に源氏を送り、夕《ゆうべ》に平氏をむかえるという憂川竹《うきかわたけ》のつとめだ。しかしそれは単に生命という道具がそうしているだけで、霊までがこのつとめをしているわけではあるまい。

「決して」

と、小稲はいった。決して霊までが客と枕をかわしているわけではない。生命は道具にすぎぬと自分からそれを切り放しておればこそこのつとめができるというものなのである。

「そうだろう」

と、継之助はいった。自分と自分の生命はおなじではない、生命は自分の道具にすぎぬ、というかれの思想をもっとも素直に理解してくれるのは遊女であると継之助はかねがねおもっている。学者や武士には、容易にわかってもらえない。

「道具なればこそ鍬はよく土を耕し、鉋はよく板をけずる。おれもおれの生命を道具にこの乱世を耕し、削ってみたい」

ところが、と継之助はいった。

「女に惚れるとこまる。最初は生命が女を好く。道具めが好いている段階では、べつだんのことはない。大いに好かせておけばよいが、惚れると、道具のもちぬしである霊まで戦慄する。霊まで戦慄してしまえばもう自分などはどこへ行ったか、けし飛んでしまう」

——それで、よいではありませぬか、と小稲がやや不機嫌《ふきげん》そうにいうと、継之助はとんでもない、といった。この世でおのれという道具を用いてなにごとかをなさんとする男子が、霊まで稲本楼の小稲に持ち去られてたまるか。

「おやおや」

小稲は、ため息をついた。こんな奇妙な男にわずかでも自分の霊を傾けかけたのはまちがいであったかもしれない。

「おぬしとおれとは、いのちのつきあいだ」

と、継之助はいった。小稲はよろこべない。いのちという道具同士のつきあいにすぎぬ、とこの男は可愛《かわい》げもなくいっているのである。

そのあと、継之助は寝返りをうち、あおむきになった。目をつぶっている。

（旅に出たい）

という思いが、ふつふつと湧《わ》いた。旅に出ねばならぬ。旅のなかでこそ、わが一己《いっこ》がこの浮世でいかにあるべきかを、思い至れるような気がする。

「河井さま」

小稲は、ささやいた。この女は多弁になっていた。無口で評判のこのおんなにしてはめずらしいことであろう。

——なにを考えているのか。

という意味のことを、継之助にいった。相手の男の沈黙が気になるというのは、惚れた証拠であるかもしれない。

「江戸にはあきた、ということをさ」

「あきるほど、いらしったのですか」

「いや、半年ぐらいだ」

住み馴《な》れてしまえば、ちょうど冬の寝床のように自分の体温のぬくもりが江戸という寝床に伝わってしまう。そうなれば住みやすくはあるが、物を考えなくなる。寝床は冷やかなほうがいい。

と、継之助はかねておもっている。旅はつねに自分に冷やかな寝床を提供してくれるであろう。外界との対決が——対決とは大げさだが——それが淋《さび》しさのかたちをとるにせよ、憤りのかたちをとるにせよ、新鮮な驚きのかたちをとるにせよ、継之助の心を瞬時も休めないであろう。旅にあってこそ心が躁《さわ》ぎたて、弾みにみちあふれるようにおもえる。その状態に心をおかねば、この胸中の問題は成長すまい。

……というような意味のことを、継之助はゆっくりと語った。小稲に語るというより、自分の考えをまとめるために舌を借りているというふうだった。

「河井さまは」

と、小稲は別の感想をもったらしい。そういったまましばらく息をのんだ。きくべきかどうか、迷っているのであろう。やがて、

「いくつにおなりあそばす」

ときいた。継之助はだまった。

(いくつだっていいだろう)

という、不愉快が、だまらせた。が、小稲が問いたくなった気持もむりはない。

「三十三だ」

と、継之助はいった。

聞いて、小稲は笑いたくなったらしい。が耐えている。笑えば失礼になる。三十三といえば、もはや若僧ではない。武家にせよ町人にせよ、押しも押されもせぬ年配ではないか。それにこの河井継之助という人物は一介の塾《じゆく》書生にすぎず、言うことといえば十七、八の人の世の不可思議にやっとめざめた青二才の煩悶《はんもん》と懐疑のなかにいる。

「なぜ、きいた」

継之助は小稲の胸のうちがわかっただけにすこし意地わるく反問した。

「あまりにお顔がお若うありンすゆえ」

「うそをつけ」

顔など、闇《やみ》のなかで見えはしない。

「言うことが青くさいと思ったのだろう」

「いいえ」

「わかっている。いっておくが、青くささのない人間はだめだ。枯れて物わかりがよくなった人間が幾千万おっても、いまの世はどうにもならぬ」

「河井さまは、ご当主でございましょう」

「当主だ」

「それで、旅へ」

藩がおそらくゆるすまい、と小稲はおもった。しかしそれ以上は、この世の行きずりの身にすぎぬ自分が口を出すべきことではあるまい。

翌朝、継之助は塾に帰ると、すぐ袴《はかま》をはき、藩邸へむかった。

諸国漫遊の許可を得ねばならない。途中、ふと昨夜のことに気がついて銭湯へ立ち寄った。

あがって、また歩く。途中、妙なことに目病み女にしばしば出遭った。若い町娘に多く、みな赤いもみうらかなにかで眼帯をしている。

（やはり、眼病がはやっているらしい）

　塾でもそんな雑談をする者があり、継之助も耳にしていた。眼病が流行している。巷《ちまた》の説ではその眼病は横浜の開港場から流行してきた。上海《シャンハイ》でもはやっているという。だから上海眼病だという者もあり、また「その一事をみても開国はいかぬ。攘夷《じょうい》を断行すべきである。夷人《いじん》は海へ追い落すべきであり、夷船は撃ち攘《はら》うべきである」という激論をなす者もいた。世はとうとうとして尊王攘夷の潮《うしお》が高鳴っている。

（眼病でも、攘夷のたねか）

　と、継之助はそういうこの国の人間のおかしさがおかしい。相当の知識人でも大まじめでその眼病攘夷論を論じている。その尻馬《しりうま》に乗っておなじことをしゃべればもうひとかどの志士気どりという時勢なのだ。みなが一つ思想で傾斜している。酔っぱらっている。一緒に酔っぱらえばこれほど楽なことはないが、自分だけが酔わず、醒《さ》めつづけているとなれば、これは命がけのことだ。事実、醒めているがために命を失うかもしれない。

（命がけでも、おれは醒めていてやる）

と、継之助はおもった。

もっとも塾でも、ごく冷静なのがいる。その連中はただ冷静な傍観者というだけで、時勢という大火炎のなかに飛びこもうとはしない。かれらは娘の眼病流行についても、

「なあに、あれはただの流行《はやり》だよ」

と、炯眼《けいがん》にも見ぬいていた。目病みなんぞではない。なるほど一時は眼病が多少はやったかもしれないが、その娘たちが紅裏《もみうら》で眼帯をしているのがいきで色っぽい、と他の健康な娘がそうおもい、自分もそれをした。色白で細面《ほそおもて》の華奢《きやしや》な娘などにはじつによく似合う。だから紅や白粉《おしろい》と同様、あれは一種の化粧だ、と観察者はいうのである。

（そうかもしれぬ）

と、継之助もなかばそれに同感している。それにしても流行というものはなんと奇妙なものであろう。

眼病や熱病と同様、これはあきらかに人間の病いのひとつであるにちがいない。平素なら思いもよらぬことを、人間はする。目病みでもないのに眼帯をつける。流行のなかでは人間といういきものはなにを仕出かすかわからない。

（娘どもばかりを、嗤《わら》えぬ）

攘夷論が、そうである。

（もっとも、英雄というものはそういう流行や時勢のなかで、その熱気を利用して大仕事をする者をいうのだ）

ということは、継之助は平素考えている。しかしその種の英雄になるのはかれ自身はまっぴらだった。継之助は儒教人であるだけに英雄という言葉がすきである。しかし儒教のなかでも王陽明の学派は、そういう時流をつかんでそれに乗り稼《かせ》ぐ種類の英雄を尊ばない。つまり、流行や風潮を尊ばない。

継之助は、藩邸に入った。

幸いなことに、国家老がふたり、江戸に出てきているという。

（これは、話が早い）

とおもった。

一室で待っていると、やがて首席家老の牧野頼母《たのも》が、同役二人をつれて出てきた。

「継之助」

頼母は、よびすてである。

「またチャチャカ（無茶）なことを申しておるそうな」

「上申書を、お読みくだせえましたか」

「読んだ」

と、にがい顔でいる。継之助はすでに諸国遊歴ねがいというものを出してある。

「おみしゃんは、もはや部屋住みではありませんぞ、歴《れっき》とした河井家の当主じゃ。マアチット（すこし）腰がすわらぬか」

「すわるときがくれば、すわります。いまは家父代右衛門が幸い達者でござるゆえ」

というやりとりを、ながながとせねばならなかった。頼母は許可するよりも説教をしようという肚《はら》らしい。

「先日《せんど》も、どだえよくない」

横浜警備のことをいっている。隊を勝手に解散して品川の女郎屋へあがるなどはどう考えても言語道断である。

「どういう料簡《りょうけん》だ」

「あれは、あのとき申しあげたとおりでございます。あれでもって、無用の藩費をつかうことを私はふせいだ」

「ゲエもねえ（つまらぬ）」

頼母は、いった。

「藩費の心配は、われわれ家老《おとな》がする。おみしゃんは藩命に従うだけでよい。ところで、このたびの漫遊は、なにが目的だ」

「書面にて申しあげてございます」

「本音はなんだえ」

「本音でございますか」

いっそ、それを言おうと思った。

「いまの地球上の動きをみまするに」

と、継之助はいった。地球とは流行語で、世界というほどの語感である。

「将来、日本のみならずわが越後長岡藩は危急存亡のときが参ります」

「大きなことをいう」

「いや、三年か、四年後に藩がこなごなにくだけるような危機が参ります」

「まあ、聞こう」

「そのとき、一藩をひきいてその危機を救わねばなりませぬ」

「誰《たれ》がだえ」

「拙者が、でござる」

「ゲエもねえ」

と、頼母はいった。家老の家柄《いえがら》にうまれてもいない者が、一藩の執政役になれるものではない。蛙《かえる》がはねをつけて飛ぼうというのとおなじではないか。

「わしらは、どうなるのだ」

頼母はおかしそうに笑った。腹も立たない。

「ご自分でおそらく藩政の正面からお退《ひ》きさがりになりましょう。なぜならば、この地球がどうなる、日本がどうなる、されば藩がどうなる、そのときどうすべきか、ということを、おそれながら家老は日夜考えておられませぬ」

「言うわ、言うわ」

怒りもしない。

そういうところがこの頼母の人柄であり、同時に藩風でもある。この藩は小藩ながら伝統と立藩の歴史がふるいだけに、藩士同士はほとんど姻戚《いんせき》か血縁でむすばれており、目上目下も、伯父甥《おじおい》の情義のようなものが流れている。

「おみしゃんが、家老になるというのか」

頼母は、念のためにきいた。

継之助はその問いに応じ、

「左様——拙者が家老に」

と、ぬけぬけといった。

「ならざるをえますまい」

みな、あきれ、こいつ狂うたか——とおもった。たかが百石取りの家格の、しかも書生にすぎぬ男が、一藩の重役を前にしてそんなことをいう。

「継之助」

頼母は、大まじめに声をひそめた。

「おみしゃんは物を思い詰めすぎ、このところ気を病んでいるのではないか」

「狂うたとおおせありますか」

「そこまでゃア、申さぬ。しかし無益《だく》なことよ。おみしゃんの河井家の家格では家老にゃなれぬ、ということは、心を落ちつけて考えればわかることだえ」

「いまは、そうです」

継之助は、面倒くさげにいった。こういう問答はわれながらおろかしいと思う。

「拙者は」

悲しげな顔をした。

「拙者ののぞむと望まざるとにかかわらず、近い将来にそうなる、と申したまでです。つまりあすは雨になるか雪になるかそれとも晴れるかという天候のはなしと同様です」

「えき（雪）の話か」

「天然自然のはなしです」

「おみしゃんが家老になるというのは、天然自然のことか」

「弱りましたな」

「そこをはっきりと言え」

「たとえばお城が火事のときに、私だけが竜吐水《りゅうどすい》をもっているとします。御家老は私めに出動せい、出動してお城を火から守れい、と申されましょう」

「おお、申すとも」

「それとおなじです」

「されば継之助は竜吐水か」

「竜吐水たろうとするのが、こんどの諸国遊歴でございます。この継之助がその竜吐水を思案せねば、たれも致しませぬ。面倒ながらそれを私《ひそ》かにひきうけ、ひそかに心に期しております」

「申すわ」

「おかしゅうございますか」

「おかしいわ」

頼母は、たまりかねて笑いだした。みな笑った。かといってどの笑いも、悪意をふくんだものではない。

悪意の持ちようもない。こうあっけらかんと、まるで他人事《ひとごと》のような面《つら》つきで自負心を持ちだされては、いっそ愉快であった。

継之助の面つきは、乾いている。

「いい面だ」

と、頼母がひざをたたいてほめてやったのは、その面の乾きであった。

「面を乾かしておのれを語れるというのは、よほどの大丈夫でなければ出来ぬ」

と、頼母はいった。つらが乾く、乾いている、というのは、自負心があっても、利己心や野心の湿気がない、という意味であろう。要するに継之助はつらを乾かしているのである。

「勝手にせい」

と、頼母はいった。

ろう。

「遊歴をおゆるしくださいますか」

「許してやろう。しかし藩費は出さぬ」

「心得ております」

私費である。継之助としてはまたまた国もとの父親に金の無心をせねばならぬであろう。

継之助の漫遊には、めあてがある。備中《びっちゅう》（岡山県）松山藩——板倉家・五万石——の儒者で首相格である山田安五郎に会いたい。号を、
方谷《ほうこく》
という。江戸あたりでも、

「方谷はえらい。あれは生きた学者だ」

という評判が高かった。山田安五郎はこの窮屈な封建体制という制約内で、それをこわすことなくみごとに藩政改革をやってのけた人物で、天下に類がない。継之助はその評判をきいたとき、

——どの程度の人物だろう。

と、疑問がまず生じた。継之助は自負心がつよいせいか、人間として人間にあこが

れるという他愛なさがない。人に惚《ほ》れることができず、いまだ惑溺《わくでき》できる相手をもったことがない。

――人間など、人間そのものはたかが知れている。

そうおもっている。ただ、人間のなかには、自分として大いに摂取すべきものをもっているのが居る。そういう人物に接触し、それを大きに摂取すべきである、とおもっていた。

――人間は、互いに肥料《こやし》であるにすぎぬ。肥料に惚れてしまってはどうにもならぬ。

と、継之助は平素おもっていた。人物に惚れることを怖《おそ》れた。

ともあれ、備中松山の山田安五郎に会い、それが何かすぐれたものをもっておればそれに師事し、摂取したい。

そういう、性根である。万事、この男は不逞《ふてい》であり、可愛気《かわいげ》がない。

国もとの父に、手紙を書いた。漫遊をゆるしてもらいたいということと、旅費五十両を送っていただきたい、ということを、懇請せねばならない。

父の代右衛門は、もういいかげんに国もとに帰ってほしいとおもっている。それだけにこの懇請の手紙は長いものになった。継之助がその生涯《しょうがい》に書いた文章のなかで、もっとも長文のものであろう。

すでに御家老の許可を得た、という旨《むね》をまず書いた。

遊学のさきは、

「備中松山侯板倉周防守《すおうのかみ》様御家来山田安五郎方」

と、書いた。いまから師匠にする山田安五郎を呼びすてで書いた。「方谷」という

その雅号ですらよばなかった。その山田安五郎という学者を父に紹介するくだりも、

「右安五郎と申す者は、元来は百姓にて」

と書いた。なるほど安五郎は百姓から身をおこした者だが、そのすぐれた経済の学でもって天下に名がひびいており、しかも松山藩の首相格の人物である。ことさらに「元来は百姓にて」と書かずともよいが、継之助の性格はそういう点、容赦がない。

……さらに手紙はつづく。

「元来は百姓にて、ただいまは藩に登用され、政事をあずかり、国中、神のごとくに伏し申し候《そうろう》よし」

と書き、

「その事業、じつに感心つかまつり候」

とつづけた。安五郎の人物をいわず、その事業にのみ感心している。この山田安五郎のことを継之助に大いに推賞したのは江戸の佐藤一斎塾《じゅく》に遊学している継之助と同

藩の高野虎太であったが、そのことも手紙にかいた。ついでながら、この高野虎太の高野家の家系から、はるかな後年、継之助を敬慕した山本五十六《いそろく》が出ている。

ほどなく父の代右衛門から、五十両の金を送ってきた。

その日、継之助は鈴木佐吉少年をよび、

「山谷《さんや》の八百善《やおぜん》へ連れていってやろう」

と、外へ連れだした。はっきりそうとは言わないが、別離の宴をこの少年と張るつもりだった。

「どういう風の吹きまわしでございましょう」

と、少年はみちみち、鄭重《ていちょう》にきいた。

継之助は、だまっていた。むこうから鉄砲ざるをかついだくず屋がやってきた。

「佐吉、おまえがこの往来ですっぱだかになったら、いくらになる」

と、突如継之助はきいた。

妙な師匠である。

その質問の意味は、いま身につけているものをくず屋に売ればいくらだ、自分で値ぶみをしてみろ、というのである。ただし腰の大小だけは別だ、のぞく、と継之助はいう。

「さあ」

佐吉は、わがふりを見た。上も下も木綿でそれもずいぶんくたびれており、小倉袴《こくらばかま》などは継ぎが二カ所ある。

「これなら二両二分ほどでしょうか」

「大層なことをいえ」

と、継之助は笑った。

「でも、着物は国の母の手織りなのです」

「母君のご苦労と、物の値段は別だ。そんな風体《なり》に二両二分も出したらくず屋はその日でつぶれてしまう」

「では、いくらでしょう」

「せいぜい、二朱だ」

二朱判も金貨の一種だが、一両の八分の一にすぎない。ひどい、と佐吉はおもった。

「不服なら、あのくず屋に値ぶみさせろ」

と、継之助はくず屋をよびとめた。

「ははあ、お姿のまま頂戴《ちょうだい》できますンで」

と、くず屋は腰をかがめて佐吉の風体をじっと見つめていたが、

「お下着ともで、二朱でいかがでございましょう」

と、すり寄ってきた。佐吉は逃げだし、継之助に追いついた。

「やはり、二朱でございました」

「そうだろう、そういうあんばいだ」

「安すぎます」

「べつに悲観せずともよい。しかし物の値段というのは心得ておいたほうがよい」

「武士たる者が、くず屋の値ぶみにまで通じねばなりませぬか」

「米の値段が諸式《しよしき》（物価）の王座とすれば衣料は諸式の関白職だ。始終心を敏感にしておくがよい」

「でも、私は武士です」

「武士だから、心掛けるのだ。大小をさしてから威張りをしているだけでは、武士は時勢の敗北者になる。いずれそうなる」

「わかりませぬ」

佐吉は、不服だった。武士だから財貨の道を心掛けよ、というのは、あまり耳ざわりのいい思想ではない。

「天下に、武士は多い。しかし一人として越後屋の番頭がつとまる者がいるだろうか」

継之助にいわせれば、越後屋の番頭がつとまるほどの武士でなければこれからの一国一天下を宰領してゆけぬ、という。

「一人だけ、いるらしい」

と、継之助はいった。

備中松山藩の方谷山田安五郎こそそうだと聞く。そこへ留学するためにおれは江戸を去る。おそらく、これが生涯の別れになるかもしれぬ、といった。

八百善は、浅草新鳥越町《しんとりごえ》（山谷）にある。詩人の菊池五山や狂歌の蜀山人《しょくさんじん》が活躍した江戸の隆盛期に、

詩は五山　役者は杜若《とじゃく》
傾《けい》はかの　芸者はおかつ
料理八百善

といわれたほどの店である。江戸城大奥の御用達《ごようたし》を命ぜられているという料理屋だから、継之助のような書生ふぜいの出入りする店ではない。が、十分に顔がきく。

藩の江戸留守居役という、いわば江戸詰めの公使といったような外交役の男が、しばしば継之助をつれてくる。だから、吉原の茶屋の山口巴《やまぐちともえ》と同様、大きな顔で入ってゆける。

ついでだが、なぜ藩の役人たちに継之助は一種の人気があるのだろう。

よくわからない。

あるとき、藩の留守居役が他藩の留守居役と一緒にこの八百善へきた。女中が、

「河井様は、どうなさっております」

と、きいた。いつも木綿ずくめのよれよれ姿でやってくるあの薹《とう》の立った書生が、場所に相応《ふさ》わぬだけに八百善の女中たちもおぼえていたのだろう。

「惚れたのか」

留守居役は、からかった。女中は弾《はじ》けるように笑った。なりが汚ないから覚えているにすぎない。

「でも、なんだか気になるお人でございますね」

「ははあ」

留守居役は、えたいの知れぬあいづちをうった。なるほど気になる。八百善の女中たちだけでなく、長岡藩の江戸駐在官僚たちも、どこかあの継之助を気にしている。

──いつか、藩の実権者になるのではないか。

そういう予感──多分の怖れと期待と興味と、そしていくぶんか不快さもまじえた感じを、継之助に対してもっている。官僚の勘で、なんとなくかれをよくしておいたほうがいい、という配慮が、継之助をときどき馳走《ちそう》する。理由は、そのようである。

「あいつは無愛想でとっつきがわるくてあんな風体だが、ひょっとすると越後長岡七万四千石の大夫《たいふ》(家老)になるかもしれないぜ」

と、このとき留守居役が、酔った拍子に女中にいった。「いまのうちにだいじにしておけ」ともいった。

もっとも継之助はそんなはなしは知らないが、とにかく八百善には顔がきく。

八百善には、門がある。門から玄関までながながと玉石が敷きつめられている。雨がふっても濡《ぬ》れぬようにその上に檜皮《ひわだ》の屋根がついていた。

「いいのでしょうか」

と、その門内のみちを歩きながら、鈴木佐吉少年はややおびえたようにいった。

「なにがだ」

「こんなりっぱなところに」

「たかが料理屋だぜ」

と、継之助は、そういう佐吉のおびえを叱《しか》った。

「なぜおびえるのだ」

「こういう家に、来たことがありません」

「人間死ねば地獄にも極楽にもゆかねばならぬ。であるのにこの世でたかが八百善に
おどろいていては、この稼業《かぎよう》はつとまらぬ」

「稼業とは？」

「人間という稼業だ」

室《へや》に通され、懐石膳《かいせきぜん》をあつらえた。

「たかいでしょうね」

と、女中が去ると、佐吉は心配そうに小声でいった。

継之助はにがい顔をした。

「おびえるな」

「でも、心配でございます」

「武士は、値の高下をいわぬことだ」

「それはちょっと」

と、佐吉はくびをひねった。矛盾しているではないか。先刻、武士はくず屋の値ぶみにまで通じておく必要がある、といったばかりではないか。

「矛盾ではありませぬか」

「精神をいっているのだ。おれはくず屋の値ぶみと同様、この八百善の勘定がどれくらいのものか、肚《はら》のなかで目分量ができている。計算の立たぬやつが、無用におびえるのだ。何事にもあれ、ものごとにおびえるやつは武士ではない」

「武士とは、難かしいものでございますね」

「地球上でもっともむずかしいものだ」

と、継之助はいった。

武士とは、精神の美であるという。しかもその美は置物の美ではなく、骨っぷしのたしかな機能美でなければならない、と、そういう意味のことを継之助はいった。しかもその美の像ができあがるまでに、徳川三百年というながい歳月がついやされている。

「この継之助も、三百年かかってできた。鈴木佐吉も同然だ」

「先刻」

と、佐吉はいった。

「人間も稼業だ、とおっしゃいましたね。すると、武士はどういうことでしょう」

継之助によれば一個の霊が、人間稼業をしている。すると武士のばあい、人間たることが根本か、それとも武士たることが根本か、というややこしい問いを佐吉は発した。

「武士たることが根本だ。それではじめて人間稼業ということになる」

と、継之助はいった。

継之助によれば人間というのは生命の概念にすぎない。猿《さる》、犬、蝶《ちょう》、というようなもので概念にすぎぬ。犬という。ただ犬というだけではそういうものはどこにもおらぬ。江戸浅草新鳥越町二丁目屋号八百善に飼われている赤犬、ということではじめて生きた犬になる。八百善の犬は八百善の犬の立場があろう。たとえば筑波山《つくばさん》の山中にいる山犬とはちがった立場にある。八百善の犬は八百善の犬としての立場をみずから究明してゆくところに、はじめて犬の問題が出てくる。

「よくわかりませぬ」

「そうだろう、おれもここ二年ばかりそのことを考えつづけた。やっと覚悟が肚にすわったばかりだ」

たとえば、継之助の問題である。人間であって、日本人である。日本人であって、武士である。武士であって、越後長岡藩で百石取りの境涯である。いま、尊王攘夷《そんのうじようい》と尊王倒幕のイデオロギーが時勢をふっとうさせているが、これにどう対処すべきか。

「おれは、越後長岡藩士という立場を、一分たりともはずさぬ。その範囲内で深く井戸を掘るように考えてゆく。やみくもに凧糸《たこいと》のきれた凧のような志士になって時勢を論じたところでなにになろう。おれの人間稼業をいきいきとやってゆくには、越後長岡藩牧野家の家来という立場を放さず、離れぬことだ。人はみなそうであらねば、宙に浮いたような一生を送ってしまう」


膳が、運ばれてきた。

佐吉少年は吸物の椀《わん》をとりあげ、ずるりとすすった。

継之助は、手酌《てじやく》で酒をのんだ。酒だけは越後のほうがうまいように思える。

佐吉は、小鯛《こだい》の照り焼きに箸《はし》をつけた。

「うまいかね」

「あまりうまくありませぬ」

少年は、くびをひねっている。

「しかし、天下の八百善だぜ」

先年、米国からペリー提督以下の使節がきたとき、幕府は御浜御殿《おはまごてん》（現・御浜離宮あと）で接待した。宴会のためのテーブルは板で急造し、白布でおおった。椅子《いす》は僧がつかう朱塗りの曲彔《きょくろく》をもちいた。幕府側の出席者の椅子は、軍隊で武将がつかう折りたたみ式の床几《しょうぎ》であった。料理はこの八百善が担当し、本石町表河岸《ほんこくちょうおもてがし》の料亭百川《ももかわ》がそれをたすけた。

「たいそうな馳走だったそうだ」

継之助は、師の古賀謹一郎からきいたことがある。古賀も幕府側の一員として出席し、その献立を手帳にひかえておいた。

「吸物だけで、三種類だという」

芋の入ったかたくりの吸物と、えのき茸《だけ》の入ったのと、蒲鉾《かまぼこ》の吸物だそうである。

そのほか、鯉《こい》の活作《いけづく》り、小鯛の姿焼き、うなぎの蒲焼《かばや》き、赤貝のあらい、漬物《つけもの》としては奈良漬、なすの味噌漬《みそづけ》、といったたぐいのものがおびただしい鉢数《はちかず》で出た。

「ペリーはよろこんだでありましょうな」

「なぜよろこぶ」

「八百善の料理ですから」

「知るめえ」

継之助は、笑いだした。ペリーに八百善の権威は通用しないであろう。

「権威、名声など、その通力《つうりき》のきかないやつにとっては霞《かすみ》のようなものだ」

「私にも、通用しないようです」

と、佐吉はなさけなそうにいった。期待が大きかっただけに、この程度のものかとしか思えない。鯛も、伊勢の浜辺の生家で食った鯛のほうがはるかにうまかった。

それに、このような御馳走よりも、佐吉には焼きいものほうがずっとうまい。

「佐吉はなにがすきだ」

「焼いたおむすびでございます」

「伊勢では、食うのか」

「母が、よく作ってくれました」

めしをたくと釜底《かまぞこ》にこげがこびりつく。そのこげをこそげとって固くまるめ、金網で付け焼きにして焼くのである。

「八百善が、泣くだろう」

継之助は、また笑った。

「子供のころは、食い気が旺《さか》んだから、つねに餓《う》えている。そういう胃の腑《ふ》にかかってはなんでもうまい。子供のころの食い物の思い出というのは、なにもかもうまかったようにおもえる。それは右の理由だ」

「私はいまも餓えていますが」

「それはまだ子供が続いているのだ」

「だから、いつも河井さんが買ってくださる十六文の焼きいものほうがいいのです」

「お前には、世話になった」

宿題の詩の代作のことをいっている。

「ともあれ、権威とはこうもくだらねえということをわかっただけでもいい」

「そのために、八百善につれてきてくださったのですか」

「同時に、権威とはおそろしいということも将来わかるだろう。大人になり、食い気が衰えたときに、舌で味わえるようになる。味の微妙さがわかってくる。世の中は万事、味のわかった大人と、食い気だけの若衆の戦いだ」

鈴木佐吉少年にとって、継之助がいなくなればこまることがあった。

師匠の問題である。

むろん、公的な意味での師は古賀謹一郎であることはいうまでもない。

が、古賀先生に接しうるのは五日に一度がやっとで、あとは自習したり、塾《じゅく》の年長者に質問したりせねばならなかった。それがこの久敬舎古賀塾のみならず、すべてのこのころの塾がそうであったといっていい。だから塾生のなかから先生をえらぶ。その理由で佐吉は継之助をえらんだ。それが塾を去り江戸を去るとなればどうすればよいであろう。

「名を教えていただけますまいか。あとはどなたを先生としてお仕えすればよろしゅうございましょう」

「そうさな」

継之助は考えた。が、すぐ唇《くち》をひらいた。

「土田衡平《こうへい》がよかろう」

（ははあ）

と、佐吉はおどろいた。継之助同様、塾の秀才という人物ではない。それどころか土田衡平は晩学のひとで、二十五歳から学問に志した。それだけに三十近くにもなって本のさっぱり読めぬひとだという評判を、佐吉はきいている。

出羽国由利《ゆり》郡（秋田県）に矢島という山間の町がある。ここに八千石の大旗本で交《こう》代寄合《たいよりあい》の生駒《いこま》氏が陣屋をもっていた。一万石以上が大名だから、この生駒氏は大名ではなく、いわゆる藩ではない。しかし生駒氏は豊臣時代には讃岐《さぬき》で十七万石の大名であり、徳川期に入ってそれがわずか一万石に減らされ、さらに八千石になり、大名たる位置をうしなった。そういう歴史的いきさつがある。自然、

――出羽矢島の生駒さま。

といえば世間では大名のようにおもっている。土田衡平は、その藩の藩士である。藩の佐藤又右衛門という者の次男で、同藩の土田家に養子に行った。少年のころから武術を好み、武芸はどの種目であれいたらざるはなかったが、とくに拳法《けんぽう》というめずらしい体技に熟達し、その方面ではなかなかの腕だというはなしを佐吉もきいている。

が、この武術家が、藩での役は、江戸屋敷の書記役である。ともあれ、土田は発心《ほっしん》し、中道から学問をはじめようとし、この古賀塾に入った。

「土田さんとは、お親しいのですか」

と、佐吉は継之助にきいた。弱ったことに継之助はかぶりをふった。

「口をきいたこともない」

それが塾の風であった。塾生同士がお針子のように喋《しゃべ》りあうようになったのは、明治後日本に学校制度ができてからであろう。

後日、佐吉は土田衡平に頼み入った。土田のほうがおどろいた。

「河井というやつは、おかしなやつだ」

といった。土田のいうところでは、自分と河井は塾で長いが、しかし一度も話をしたことがない。しかしながら自分もこの壮齢になるまでずいぶん人間をみてきたが、河井ほどの人物をみたことがない、という。佐吉は不審におもい、

——一度も話をしないのになぜ河井さんが人物だとわかります。

ときくと、

「お前はいくつだ。そうか、その境涯《きょうがい》ではまだそうだろう、まだ人間の見分けがつかぬ」

土田は、あざ笑った。

土田衡平について、噺《はなし》は続く。

この人は出羽人らしい肩骨の太い体格をもち、彫りのふかい雄々しげな顔をしている。大きなあごの剃《そ》りあとがあおあおしているのは、やはり遠いむかしの蝦夷《えぞ》人の血をひいているのだろうか。

「お前の境涯ではだな」

と、佐吉少年にいった。

「人間はまだわからぬ。だいたい話をしてやっと相手の人物の程度がわかるようでは、世に処することができぬ」

「一目でわかるものでしょうか」

「英雄豪傑はそうだ」

　と、土田はいった。この時代、世が沸騰《ふっとう》しはじめているだけに、武士の書生どもはしきりと英雄豪傑という言葉をつかった。世の乱れに乗じ、一世を変革してあたらしい時代をもたらす者をいうのだろう。英雄とは、豪傑とはその英雄の事業を輔《たす》ける者、という語感らしい。

　河井継之助こそそうだ、とこの土田衡平はいう。しかも両人は同塾のくせに話したことがない、ということに佐吉はこだわった。なぜそれがわかるのでしょう、とこのあたらしい「先生」にしつこくきいた。

「おれは、河井が塾で碁を打っているのを見たことがある」

「私もみたことがあります」

「あの男の碁ほど、愉快な碁はない。まるで眼中に勝敗がなく、そのくせどんどん勝ちを制してゆく」

「ならほど」

佐吉はうなずいた。ながい月日、佐吉は継之助の巾着《きんちゃく》のようにくっついて歩いたため、つい越後長岡弁が伝染《うつ》ってしまった。こんどは土田の奥羽《おうう》なまりがうつるかもしれない。

佐吉が土田に感心したのは、その「勝敗が眼中になく、そのくせ勝ちを制してゆく」というふうに継之助の人物を見た点だった。その批評の表現であった。この表現ができるというのは、よほど宋学でいう性理学をやった証拠だとおもった。土田自身、あまりひろい学問をせぬから知識はすくないであろうが、しかし性理学の本質をつかんでいる。

結局、この土田を先生にすることにした。

もっとも佐吉はふたりの師匠とも、縁が濃かったとはいえない。なぜならばこの土田もほどなく塾をとびだし、風雲のなかに入った。

かれは継之助とちがって水戸風の尊王攘夷主義に共鳴し、筑波山《つくばさん》で対幕反乱軍の指揮者のひとりになり、変幻自在のはたらきをした。事がやぶれると奥州にのがれ、相馬家の中村六万石をうごかして再挙をはかろうとしたが幕吏にとらえられ、元治《げんじ》元年十一月五日、死罪になった。佐吉は無隠と名乗った後年、

——河井には及ばぬが、明治の大官をみると土田衡平ほどの人物が幾人あるだろう

か。

といった。この古賀塾に、後年、不世出《ふせいしゅつ》の外相といわれるにいたる陸奥宗光《むつむねみつ》がよく出入りしていた。まだかれが坂本竜馬《りょうま》に発見される以前の江戸修学時代のことで、この陸奥の弁舌のやかましさ、舌鋒《ぜっぽう》のするどさには、塾のほとんどがかなわなかった。

河井は、

――あれは鳥のさえずりだ。

といって一度も相手にならなかった。土田衡平は陸奥が来るたびに相手になったが、

「あの陸奥が土田にかかるとまるで子供だった」と鈴木無隠は後年いった。

ちりの壺《つぼ》

継之助が箱根の嶮《けん》をこえた日は、空がまっさおに蒼《あお》かった。

肩に、革製の小さな文庫をかついでいる。その革に背の汗がしみとおるほど暑い。

富士の嶺雪《みねゆき》が、蒼天《そうてん》にきらめいていた。継之助は嶮路に足をとどめ、あかずにその姿に見入った。

ない。

——実《げ》に聖人のごとし。

と、その旅日記「塵壺《ちりつぼ》」にかいた。富士を、単なる大地の隆起とはとうていおもえない。

（あれは、天地の清にして浄なる気が凝ったものだ）

そうおもった。思いこそ実在というのが継之助の認識論である。富士のばあい、継之助だけでなく、日本の多くの詩人はそのようにして富士に接してきた。神か、でなければ聖人であり、自然ではない。

一ノ山の茶屋からついてきた者に小柄《こがら》な若侍がいた。

——道づれにしていただけますか。

というから、さしゆるした。継之助は元来が無口なために、道づれ、といっても、それにふさわしい男ではない。が、若侍はこりずについてきた。

富士見松という老松がある。

継之助がその松のかたわらにたたずんで富士をあおいだとき、若侍も影のように継之助のそばに立ち、おなじ姿勢で富士を見つづけた。

（妙な男だ）

と継之助がおもったのは、この若侍が富士を見ながらふと涙をうかべているのを見たからであった。

「富士が、おすきかえ」

と、継之助はきいた。若侍はあわてて微笑し、いいえ師を思いだしたからです、といった。師がある悲運に遭って江戸へ送られるとき、この箱根を囚人用の唐丸籠《とうまるかご》で越えた。そのときこの場所で富士をあおぎ、歌をよんだという。それをおもいだしたのだといった。

「師とは、どなたです」

と継之助はきいたが、若侍は答えなかった。答えられぬ事情があるのであろう。坂をくだりながら、継之助は自分の主家と名を言い、若侍の名をきいた。

「江戸の松村小助でございます」

とのみ言い、主家の名はあかさなかった。しかも江戸者にしては、西国なまりがひどい。ひょっとすると、いまの名乗りは変名ではあるまいか、と継之助はおもった。江戸へ檻送《かんそう》されたということから継之助はふと、この若者の師とは長州の吉田松陰ではあるまいかとおもった。継之助は、松陰とは多少の縁があった。ともに佐久間象《ぞう》山《ざん》の客分であったし、また松陰は継之助の古賀塾《じゆく》にもよくきた。

その松陰は、いま進行中の安政ノ大獄により国事犯として幕府にとらえられ、江戸の伝馬町《てんまちょう》の獄にある。ひとのうわさでは、近く斬《き》られるであろうという。

「私は、松陰を知っていた」

と、不意に継之助がいうと、若者はあきらかに顔色を変えた。が、だまっていた。

「なぜ私についてくるのです」

と継之助がきくと、お姿をみて惹《ひ》き入れられただけです、箱根の坂ののぼりくだりのあいだに、なにごとかを聞こうとおもったのです、と若者はきまじめに答えた。書物の種類がすくなかったころだけに、人がいわば書物のような時代であった。若者にとって継之助が歩く書物のようにみえたのであろう。継之助もまたそういう書物を求めて備中《びっちゅう》へゆく。だから、若者の返答を、継之助はべつに不審におもわなかった。

この若侍は、継之助が察したとおり、長州藩士であった。名を、吉田稔麿《としまろ》という。吉田松陰の門人である。松陰はかねがね、門下の吉田稔麿、高杉晋作《しんさく》、久坂玄瑞《くさかげんずい》の三人を、

——わが良薬なり。

と言い、弱輩でしかも門人ながら、一個の大人《たいじん》としての敬意をはらっていた。

吉田稔麿は、長州萩《はぎ》の城外にうまれた。家は、長州藩（毛利家）の微臣である。城外松本新道に住んでいたころは、伊藤博文《ひろぶみ》の家とはとなり同士であった。博文は、この稔麿に影響され、その導きで松陰門下になった。

稔麿には逸話が多い。

その最期《さいご》が、かれをもっともよくあらわしているであろう。元治元年六月五日、いわゆる池田屋ノ変に遭遇した。京の三条小橋の旅籠《はたご》池田屋の二階で同志と会合中新選組におそわれ、力戦し、しかしながら戦いなかばでかこみをやぶって河原町の長州藩邸へ走って変を報《しら》せた。藩邸では行くな、ととめたが、聞かず、稔麿はそのあたりにあった手槍《てやり》をかいこんで走り、ふたたび池田屋にかけこんで闘死した。没年は二十四である。

行動家であるらしい。

松陰を尊崇することあつく、松陰が囚人として江戸に送られてから脱藩した。江戸へゆき、生国をかくして旗本妻木田氏の家士になり、ひそかに獄中の松陰の消息と幕府の動静をうかがった。が、目的を果せず、やがて江戸を離れた。のちに藩に帰参したが、継之助に出会ったこの時期は江戸をすてて京にのぼろうとしているときであった。

道中、稔麿は継之助をみたとき、

（これは、何者かに相違ない）

とおもった。接近し、なにごとかを得ようとした。知人でもない人間に接近するのは一見奇矯《ききょう》に似ているが、しかしこの時期の若者にとってはこの種の行動は、一種のロマンティシズムであったといっていい。

河井継之助、ときいて、

「古賀塾の？」

と、稔麿はいった。かすかに継之助の名をきき知っていたのは、継之助が一種の奇人として江戸の書生仲間に取沙汰《とりざた》されていたからであろう。

二人は、三島宿《みしまじゆく》の旅籠はたや伊兵衛に投宿した。二階東ノ間十畳に案内され、そこで夕食をとった。ほかに相部屋として町人体二人、行者風の者ひとりがいる。

書物のはなしになった。というのは、吉田稔麿は多読家で、この若さながら流布《るふ》されている書物ならたいてい読んでいる。自然、

「なにかめずらしい書物を、ちかごろお読みになりましたでしょうか」

と、継之助にきいた。稔麿は、継之助を相当な学者であるとおもいこんでいた。

「読んではいませんよ」

継之助は答えた。

私は気に入った書物しか読まない、そういう書物があれば何度も読む、会心のところに至れば百度も読む、と、そういうふうなことを、継之助はひくい声でいった。

(松陰先生に似ている)

と、稔麿はおもった。ただ似ていないところは、松陰の相手を包むようなあたたかさがなく、継之助は真槍《しんそう》の穂のようにするどく、つめたく、相手を包むよりも突きとおすような点であった。

吉田稔麿は、息せききったような若者である。自分のこの世での課題を追いもとめるほかに、ゆとりがないらしい。

話に継穂《つぎほ》もなにも、あったものではない。

急転、話題をかえて勤王論をもちだした。

「勤王を、どうおもわれますか」

「縁がない」

「とは?」

「あまり興味がありません」

と、継之助はいう。稔麿は、おどろいた。この天下でもっとも尖端《せんたん》的な主義思想に縁も興味もないと断言するのは、大胆なのか鈍感なのか。

ちょっとここで、日本人の歴史のなかにおける王家の問題を説明しておかねばならない。

王室としては、世界でもっとも古い家系である。この国の王家であるとともに、日本の固有信仰である神道《しんとう》の宗家でもあった。ふたつの性格をかねているところが、他国家にくらべて類がないところであろう。日本人はそのすめらみことの位置を漢訳して天皇とよんだ。日本の天子の位置には宗教性が濃く、たとえば中国の皇帝とはちがっている、と感じたところから、きわめて宗教性のつよいその呼称をえらんだのであろう。

奈良時代までの天皇は、現実の政治家でもあった。平安時代に入ると、藤原家のような世襲の首相の家が威権を確立し、天皇の政権を代行した。この代行者の歴史が、日本の権力史であった。

鎌倉期には、武家に移った。天皇は京にあり、日本人の血統の宗家としての神聖権をもつにすぎなかった。以来、足利、織田、豊臣、徳川と権力はつづく。かれらは法理的には天皇家がもつ政権の代務者であったとはいえ、しかしながら現実的には日本の支配者であり、中国や西欧における皇帝とかわらない。

徳川幕府は、始祖家康のときに、天皇家の位置を法令によって明確にした。天皇に旅行はゆるさず、大名が私的に京に接近することをゆるさず、天皇は学問歌道にご専念あるべし、とその日常まで規定し、その監視者として幕府では老中（閣僚）に次ぐ高官である京都所司代をおいた。幕府が天皇家にあたえた禄高《ろくだか》は豊臣時代よりもはるかにすくなく、公家《くげ》の禄もあわせて一万石にすぎなかった。

第六代将軍家宣《いえのぶ》の政治顧問であった新井白石は、

「日本の元首は将軍である。天子は山城地方（京都市とその周囲）における地方的存在にすぎない」

と定義した。天皇家の権威は、そこまで衰弱した。

が、一方では徳川時代というのは、日本史上空前の教養時代であった。その初期から、国家論の研究がさかんであった。

幕府も儒教を奨励し、大名も奨励した。儒教は一面において政治学である。君主に仕えて民を撫育《ぶいく》する方法を研究する。君主とは、将軍であり、大名であった。

が、別派が成立した。君主とは京におわす天子であるという説である。この説を樹立した最大の研究機関は、皮肉にも徳川家の御三家のひとつである水戸家であった。

水戸家では代々の継続事業として大日本史を編纂《へんさん》し、それを歴史的にあきらかにしようとした。尊王思想が、ここから興った。

その思想が、幕末、対外問題がやかましくなるとともに、にわかに活気を帯び、勤王論まででてきた。勤王論は尊王論から飛躍したいわば革命論で、天子を中心にした統一国家をつくり政体を単一にする以外に日本を外国の侵略からまもる方法がない、という思想である。

「人間は、立場で生きている」

と、継之助は目を伏せ、くびをかしげ、自分に語っているような口ぶりでいった。

継之助にとってもこの問題は、重要であった。勤王のことである。

「わしの立場は、長州人のようではない」

「長州人だけが、特別でしょうか」

吉田稔麿は、むっとしたらしい。

「特別だ」

と、継之助は断定した。

ひとくちに、三百諸侯という。三百も藩があるが、それぞれ成立《なりたち》がちがう。長州藩毛利家は、徳川家のおかげで作られた藩ではなく、戦国期からすでに存在していた。大名としては徳川家よりも歴史がふるい。

巨大でもあった。中国地方十カ国の覇王《はおう》として栄え、豊臣期にもその傘下《さんか》での最大の大名のひとつであった。ところが関ヶ原のとき西軍の旗頭《はたがしら》にかつぎあげられたため、戦場で一発の銃弾も放たなかったのに、敗北とともにその所領を四分の一に削られ、防長二州(周防《すおう》と長門《ながと》・山口県)に押しこめられた。その居城も、ことさらに不便な日本海岸の萩に移された。毛利家の家士は、足軽のはしばしにいたるまで窮迫し、ひそかに徳川家をうらんだ。

このうらみは、江戸幕府でも、当然感づいていた。家康は死ぬとき、

――わが屍《しかばね》を西にむかって埋めよ。

と命じた。西国大名――長州毛利家と薩摩《さつま》島津家――に対して関東をまもらん、という意味であった。家康の脳裏にあった仮想敵国はこの二藩であり、そのためにこそ、かれらが将来東征軍をおこすであろう経路にいくつかの巨大な要塞《ようさい》をつくった。姫路城、大坂城、名古屋城である。姫路、大坂が陥《お》ち、名古屋城も陥ちれば最後は箱根の嶮で敵をふせぐ、というのが、徳川家の西に対する防衛体制であった。

ともあれ。

長州藩毛利家とは、そういう家である。

三百年、長州藩は江戸幕府に対し、犬のように忠実に、驢馬《ろば》のような臆病《おくびょう》さでつかえてきた。この点、薩摩藩島津家もおなじであった。が、いまは事情がちがう。

幕府は、欧米の列強に翻弄《ほんろう》され、かれらの言いなりになり、平身低頭し、その弱体を暴露した。これをみて、薩長の士は、本来の野性にもどった。

「長州は、そういう立場だ。ひそかに牙《きば》をといでいる、とまではいわぬが、すくなくとも考え方が自由である」

幕府への忠誠心などもともと無いから、たとえばすぐ勤王、などということがいえる。

なるほど、日本は二重政体である。京に天子、江戸に将軍がある。たとえば外国と条約をむすぶにしても、幕府が外交を代行し、その最終的な調印も将軍自身がするにしても、それは勅許を経なければならない。この二重構造を一元化することこそ、強国への道であることはわかっているが、

「私はそういう思想は持てぬ」

と、継之助はいう。人間とは立場である、といったのはそのことであった。継之助の長岡藩牧野家は、いわゆる譜代大名である。徳川家の直臣《じきしん》であり、しかも三河以来、

家康の創業をたすけてきた家であった。河井継之助は、その臣なのである。

「立場など、皇国存亡のときに私情じゃありませんか」

「うろたえるな」

と、継之助はいおうとしたが、だまった。

駿河《するが》(静岡県)蒲原《かんばら》の宿では、遊女と寝た。ただしくは飯盛りである。

勝手に床に入ってきた。

「旦那《だんな》、よろしゅうござんしょ?」

と、入りこんでから笑っている。

幕府の法規では、東海道の宿駅には旅籠一軒につき二人の遊女をおくことをゆるしている。が、現実にはこの旅籠などでも五、六人はいるらしく、旅客のすくないときには茶をひくようであった。

(遊女の押し売りか)

継之助は、おかしかった。だいたいこの種の女は、路上で客引きもすれば客の食事の給仕もし、ひまなときには裏の畑で桑つみなどもする。

「はい、たばこ」

と、寝ながら女はつけたばこをしてくれた。継之助はうつぶせになってそれをうけとり、いっぷくふかぶかと喫《す》うと、なにやら陶然としてきた。

(——どうもおれは)

根が、好色らしい。

煙管《きせる》の火越しに女をみると、頬肉《ほおにく》のまるい存外初心《うぶ》い顔をしていた。

「駿河の女か」

と、在所をきく以外に話題はない。

「はい、駿河の女です。旦那は?」

「越後《えちご》だ」

「ああ、越後にも蒲原というところがあるそうですね」

「お前は物知りだな」

「そりゃ、宿場づとめですもの」

「なるほど」

東海道の宿場で遊女をしていると、非常な地理通になるだろう。

「だいたい、日本六十余州ことごとくの客に接したか」

「だめよ」

陽気にいった。

「なにがだめだ」

「つとめてまだ二年足らずですもの。そこまではとても」

「とってない国は、どことどこだ」

「奥州《おうしゅう》は、仙台のお侍がひとりだけ。あとの奥州は存じませぬ。出羽《でわ》もだめ」

「奥羽は、縁がないわけだな」

「あの国のひとは、東海道をあるきません」

「多いのは、どこだ」

「中国と西国」

「なるほど」

継之助は、考えこんだ。古来、東海道は権力往復の地である。歴史をみても、源平のころ、京の権力(平家)が鎌倉(源氏)へ移り、つづいて足利氏が逆に関東で興って京都で政権を樹《た》てた。さらに織田氏は尾張《おわり》でおこって京にゆき、豊臣氏もそれをついだ。徳川氏は三河でおこって、京の権力を関東に移した。すべて東海道を往復しているところを見ると、この街道は単に交通路ではなく、日本の生命とかかわりがあるらしい。

その証拠に、継之助の生地の越後で戦国期に覇をとなえた上杉謙信などは、あれほどの天才でありながらついに地方政権にとどまったのは、生涯《しょうがい》、その地理的制約から東海道へ出られなかったからであろう。中山道《なかせんどう》ぞいにいた甲州の武田信玄も同様の悲運であった。

この遊女のはなしでは、近ごろとる客は、長州の客、薩摩の客、その他西国（九州）の客が多いという。かれらがひんぱんに東海道を往復しはじめているのは、なにか、歴史のあすを予感させるものではあるまいか。

「越後の客はどうだ」

「旦那が、はじめてです」

継之助は、失望した。北国人は、謙信以来、東海道とは縁がうすいらしい。

継之助は、遊女と寝ている。寝ながらおもうことは、

――日本人の風俗は、淫靡《いんび》なのではありませんか。

と、遠慮ぎみに言った横浜のスイス人ファブルブランドのことばであった。あの若いスイス人のいうところでは、西洋はそのようではないという。

「私は西洋を見たことがない。だからそういう比較を信ぜぬ」

と継之助は答え、かつ、

「自分の聞き知っているところは逆に洋人の好色のはなはだしさである」

というと、スイス人はかぶりをふり、それは日本に来る西洋人の先入主によるものだ、といった。日本にくるかれらは日本の風俗がいかに淫靡であるかを知っており、そのことを期待してくるからだという。

スイス人はいう。日本のもっとも重要な交通路である東海道には五十三の駅があり、幕府が管理している。その五十三駅のことごとくに官許の娼妓《しょうぎ》が置かれているなどはヨーロッパでは見ざるところである。また、首都である江戸の名物は浮世絵版画で、これは春画《しゅんが》である。さらには日本人は好色譚《こうしょくたん》をこのむ。階級をとわず酒席で出るはなしはそれである。この種の淫靡への寛容さはキリスト教国にはない、という。

(そうかえ)

というふうに、あのとき、継之助はべつに腹も立てずにきいた。なぜならばあの若いスイス人はその批判をする前に、

「日本と日本人は、非キリスト教世界においては、われわれキリスト教世界に比肩《ひけん》しうる文明と教養をもつ唯一《ゆいいつ》の国家であり人民である。それは日本を知るすべてのヨーロッパ人が感じているところだ」

という旨《むね》のことを、最大限の感動を顔にあらわしながらいってくれたからである。

「ただその唯一に近い欠点は、その好色の風俗と好色の風俗に対する道徳的鈍感さである」

とスイス人はいった。

（そのようなものかなあ）

とおもいつつ、継之助は、この頬のまるい蒲原の酌婦《しゃくふ》を抱いていた。

こう、抱いているといっても、継之助はべつに自分を好色漢だとはおもっていない。他の日本の旅人も同様だろう。慣習なのである。

書生が芋を買うように娼妓を買い、芋を食うようななにげなさで娼妓を抱く。抱きおわればけろりとしている。

それだけのことだ、と継之助はおもった。好色などと大げさに騒ぐことはない。

翌朝、陽《ひ》がのぼってから継之助は朝めしをとるべく、座にすわった。

昨夜のおんなが廊下をいそがしく往復している。やがて膳《ぜん》をはこんできて、

「お酒は要りますか」

と、口早にいった。昨夜のことなど、わすれたような、忙しげな顔である。

（この淡泊さが日本だ、ファブルブランドに言ってやらねばならぬ）

「要らん」

というと、おんなはうなずき、カタリと膳部を置き捨て、もうどこかへ行ってしまった。おそらくたがいに生涯会うことはないであろう。この風俗が好色といえるだろうか。

継之助は、街道に出た。

足早に歩く。昨夜のことなど、からだのなかにどういう残滓《かす》ものこしていない。

途中、尾張から道を変じた。

北上し、木曾《きそ》川をこえて美濃《みの》（岐阜県）に入り、美濃屈指の藩である大垣《おおがき》藩をめざした。

人をたずねる。

墨俣《すのまた》で一泊し、翌朝揖斐《いび》川をわたると、陽炎《かげろう》のむこうに大垣城の天守閣が見えた。四層四階である。

（小ぶりだが、いい城だ）

と、城外の茶店で休息しながら、継之助はおもった。白堊《はくあ》が、蒼天《そうてん》にきらめいている。しかし、城史は血のにおいが濃い。美濃は戦国争乱の地であったために、この城は指折りきれぬほどに数多くの攻防戦を経験している。

徳川期に入って寛永年間、戸田氏が城主になり、もう十代つづいてきた。美濃は要地であるため幕府はこの大垣に外様《とざま》大名をおかず譜代大名の戸田氏をおいたのであろう。封地《ほうち》は十万石で、継之助の長岡藩よりやや大きい。

「嬢々《じょうじょ》」

と、継之助は長岡弁で茶店の娘をよんだ。

「使いをたのまれてくりゃえ」

「どこまででございますか」

「お堀端《ほりばた》までだ」

と、手紙を書き、それに駄賃《だちん》をそえて娘にわたした。手紙のうわがきに、

「小《お》原《はら》鉄心先生」

と書かれている。娘は文字がよめるらしくそのうわがきをじっと見つめていたが、やがて、

「これはいやじゃ」

と、駄賃もろとも継之助に返そうとした。

小原鉄心は、大垣藩の筆頭家老である。娘は、使いさきの門地の高さにおびえたのであろう。

「いやか」

「怖《こお》うございます」

という娘を継之助はなだめ、やっと娘に駄賃をにぎらせ、承知させた。娘は化粧《けわい》をなおして出て行った。

(小娘がおびえるほど鉄心は威があるのか)

とおもいつつ、茶店の老爺《ろうや》にきくと、いいえ領内は父のごとくお慕い申しております、という。

「そうだろう」

小原鉄心といえば、江戸にまで名のひびいた経世家である。先年、揖斐川の氾濫《はんらん》で領内の田園がほとんど水びたしになったとき、家財を売ってその救恤《きゆうじゆつ》にあてた。その後藩政のたてなおしをし、産業をおこし経理を改革し、それまで窮迫のどん底にあった大垣藩の財政を数年で復旧した。そういう人物がおそれられるはずがない。

「いえいえ、お顔でございますよ」

と、老爺が笑った。

単純なことだ。娘がおそれているのは、鉄心の顔つきだという。鉄心は郊外へ遠乗りするときなどこの茶店に寄ることもあるが、かれの顔をみて乳呑み児《ちのみご》がはげしく疳《かん》をおこした、ということもあったらしい。

半刻《はんとき》ほどして、娘がもどってきた。鉄心の返書をもっていた。

——お待ちしている。

ということであった。

継之助は城下へ入って宿をとった。荷物をおき、その足で堀端の家老屋敷にむかった。

鉄心は、継之助にとって同門の先輩にあたる。継之助は最初の江戸留学のとき斎藤拙堂塾《じゆく》に入ったが、鉄心もこの拙堂を師にしていた。ただし同期人でないため、顔をみたことがない。

この訪人癖は、継之助だけではない。この時代、人に会うこと以外、自分を啓発してゆく方法がなかった。天下の士は、そのために諸国を周遊している。

小原鉄心は、書斎へ継之助を案内し、そこで対座した。

(なるほど、奇相だ)

と、継之助はおもった。魚に似ている。それも南海で獲《と》れるというおこぜに似ていた。齢は四十歳前後である。

「私は、酒を好む」

鉄心は、はずかしそうにいった。そのことは継之助もすでにきいていた。酒客の多い美濃でも鉄心ほどの酒量の者はなく、連日二升をのみつづけても、日常の実務になんのさしつかえもない。

——だから、ご迷惑ながら相手をしてもらいたい。

と顔に似合わずいんぎんに言い、家の者に酒の用意をさせた。燗《かん》の世話は女中にさせず、娘にさせていた。長女はすでに養子をとっているため客前に出ない。次女と三女が燗番をつとめた。ふたりとも鉄心に似て風変りな顔をしていたが、立居ふるまいがきびきびして小気味がいい。

継之助は、鉄心の藩政改革の秘訣《ひけつ》をききたい。それを乞《こ》うと、

「おやすいことだ」

と、かくさずに話してくれた。継之助は二、三するどく質問すると、鉄心は、

「まるで法廷《しらす》で吟味をうけているようだ」

と苦笑しつつ、答えてくれた。

鉄心のいうところでは、大垣藩が西洋に負けている第一は、産業である。産業をおこさねば兵制を新式化できぬ、ということであった。この点、あたらしい意見ではない。

「米が、いかぬ」

と、鉄心はいう。藩の経済基礎は石《こく》ではかる米であるが、これは戦国時代のままである。その後貨幣をにぎる町人が勃興《ぼっこう》し、「米屋」の藩が「銭屋」の町人に追われている。今後の藩は「銭屋」にならねばならぬ。

「米では、西洋銃が買えませぬからの」

と、鉄心はいった。継之助は在来考えているところを、ふといった。

いっそ侍の知行、石高を廃止し、銭をもって俸給《ほうきゅう》をあたえればどうでありましょう、とさぐりの質問をしてみると、鉄心は妙案だ、とひざを打った。

「しかし」

と、すぐいった。

「そのときは、封建の世の崩れるときだ」

そのとおりである。藩経済を産業中心にし、侍の知行を廃止して金銭で扶持《ふち》するとなれば、封建制のたてまえがくずれる。将軍も大名も武士もなくなるであろう。

困難は、そこであった。

藩を近代国家にせねば自滅しかなく、すればこの武士の世そのものがほろびる。無為にいても滅亡、改革しても滅亡である。

「この矛盾をどうおもわれます」

と継之助が問うと、さすがの小原鉄心もだまった。しばらくして、

「それ以上は、天皇さ」

という。将来そこに解決点をもとめねば仕方がない。つまり封建社会が崩壊すれば、つぎの秩序の中心点を天皇にもってゆかねばこの混乱は収拾できぬ。

鉄心は、尊王家であった。しかし世上流行している情緒的な尊王論ではなく、右のような理論的尊王主義というべきものであった。

継之助は、なにかを得た。

翌日、大垣を発《た》った。


伊勢の津。

昼さがり、船からあがると、そこが城下である。藤堂《とうどう》家三十二万三千石の居城の地だが、城下町特有のしずかさはない。

伊勢は津でもつ
津は伊勢でもつ
という。伊勢参宮の旅人を相手の猥雑《わいざつ》な宿場町で、おんなどもで道もあるけぬ。

「私がお伽《とぎ》をする。とまりゃれ」

と、両側の旅籠《はたご》から女が出てきて袖《そで》をひき荷をつかみ、そのやかましさは耳をおおいたくなるほどだ。

(かなわぬ)

とおもった。いくら継之助が女郎ずきでもこのようにつかみかかられては、どうにもならぬ。女の腕《かいな》のなかでもがきつつ、江戸の小稲への慕情が、ふときざした。

(おんなは、やはり吉原の大籬《おおまがき》だ)

とおもった。

ともあれ、津は年中、伊勢参宮の祭り気分でわいているような町であり、ここでは女を掻《か》きはらいつつあるかねばひとあしも進めない。女陰が笑いさざめいている。そういう町のようにおもえた。

宿をとった。

——台の御用は?

と、番頭がきいた。おんなは要るか、というのである。

「要らぬ」

えずきが出るような気持で、あわてて首をふった。

「お固いことで」

「固くなんぞ、あるもんか」

継之助はこわい顔でいったが、内心は酩酊《めいてい》したように上機嫌《じょうきげん》だった。こういう日本の性の気楽さ、あっけらかんぶりを、スイス人のファブルブランドに味わわせてやりたい。あの男はこれこそ人間の文化だとおもって一夜であの自慢のキリスト教をすてるだろう。

（ともあれ）

すぐ手紙を書いた。

人に会わねばならぬ。ここにはぜひあいさつせねばならぬ大事なお人がいる。継之助の恩師の斎藤拙堂であった。

海内《かいだい》屈指の学者である。

拙堂は、代々の藤堂藩士である。ただし大垣藩の小原鉄心のような藩の名門の出ではなく、足軽程度の藩士の家にうまれ、学問をもって累進《るいしん》し、いまではこの大藩で家老に準ずる待遇をうけている。

幕府による最高の学府である江戸湯島の昌平黌《しょうへいこう》にまなび、さらに古賀精里の門下に入った。精里は継之助の師匠の謹一郎の祖父である。二十四歳で津に帰り、藩校の教授になった。

若いころ京都にあそび、当時詩名を天下にうたわれていた頼山陽《らいさんよう》をたずねた。山陽は最初小僧あつかいをしていたが、拙堂がさしだした文章をみておどろき、

「先生」

とよび、下座から上へうつし、友人に対する礼をとった。これを同席していた同藩の士がみて目をみはり、このときから拙堂の名が一時に重くなった。

その後四十年、藩の学務と政務につき、その業績は天下に高い。とくに経済に長じ、藩財政を一新した。

拙堂は、江戸のころの門人としては、

「第一に河井継之助」

として高く評価していた。もっとも学問の弟子としての評価というより、継之助という人間の不可思議さを愛していたらしい。

ともあれ、拙堂先生のもとに使いを出し、返事を待った。やがて、
用助どん
という愛称の、拙堂の内弟子がやってきた。巷《ちまた》を駈《か》けてきたらしく息を切らしている。

「おなつかしゅうございまするなあ」

と絶句し、畳をしきりと撫《な》でて継之助を見あげている。この用助どんも老いた。

むかし、江戸の斎藤塾の名物男であった。正しい名を、継之助は知らない。秋田の産だという。用助というのは用人という意味で、拙堂先生がこの用人を用助々々とよぶため、門下の者も自然それにならって「用助どん」とよんだ。若いころ学問を志し、内弟子になった。

が、学問にむかぬたちらしく、この道では成功しなかった。しかしかといって拙堂から離れる気がせず、頼み入って家来になり、やがて用人になった。秘書である。学問よりも拙堂そのひとに憑《つ》かれて生涯《しょうがい》をささげてしまったといっていい。

(これも一生だ)

と、継之助はこの用助を風景のいい人間としてこのもしくおもっていた。

「昔は、よろしゅうございましたなあ」

と、用助は、江戸のころをなつかしがり、継之助と同期の連中の消息をしきりときたがった。

継之助が話してやると、

「なるほど、なるほど」

と激しくうなずくのである。よくなった連中の消息をきくと大いに破顔《わら》い、不幸な消息をきけばすぐ目のふちを赤くした。

「用助どんも、老いたな」

と、継之助はいった。

「左様でございましょうか」

用助は、不服らしくくびをひねった。

「昔ばなしに、身を入れすぎる」

「故旧忘るべからず、でございますもの」

「そのとおりだ」

継之助はうなずいてやった。人間の美しさのひとつは、老いるにつれて自分の過去《むかし》が美しくみえてくることであろう。

「河井様は、なつかしくないのでございますか」

「押えている」

「とは？」

「過去をふりかえらぬのが信条だ」

「お若うございますからな」

「べつに若くはない。三十になっている。しかし私にはつねに将来しかない」

「河井様らしい」

用助はこっくりしたが、しかし興ざめた顔になっていた。ひとが昔ばなしでいい気持になっているのに、水をかけるようなことをなぜいうのであろう。

「先生は、明朝、丸ノ内のお屋敷でお待ちでございます。河井様がいらしったというのでもう非常なおよろこびようでございますよ」

「私も、朝を待ちかねる」

「さぞさぞ、お懐《なつ》かしいお気持でございましょうな」

と、用助は言葉に皮肉をこめた。継之助もその皮肉がわかって笑いだし、

「しかし過去《むかし》が懐かしくて先生をたずねてきたわけではない」

拙堂先生にはなお挘《むし》り残しの肉があろう、それを挘りたい、そのためにきた、とい
うと、用助はあきれた。

「情《じょう》のない」

まったく、情のない言いかたである。

翌朝、継之助は出かけた。師の斎藤拙堂の屋敷は丸ノ内にある。

城をめざしてゆく。

城の緑がふかく、天守は五層であった。その白い巨人が数多くの櫓《やぐら》をしたがえ、威容は三十二万余石の根拠地たるにふさわしい。

——さすが、藤堂さまよ。

と、この街道町を通過する旅びとはこの城におどろく。津を通過する伊勢参宮の旅客は昨夜継之助がやどできいたところでは、月に二十万人はくだらぬという。それらがひとしくこの城によって藤堂の雄偉さに敬服するというから、この建造物のはたしてきた役割は大きい。

（藩祖藤堂高虎《たかとら》はなかなかの食わせ者だが）

と、継之助はおもった。

高虎は、織田時代から豊臣、徳川の三代に生きぬいたしたたかな世間師である。三代の風雪に生き、しかもどの時代の支配者にも重宝がられたというから、その意味では生きる名人のような才能であった。

近江《おうみ》の出である。

槍《やり》一すじで身をおこした。生家は北近江の大名浅井氏の家来であった。ところが、浅井氏が織田氏に攻められて傾くと、高虎はいちはやく主家の前途を見かぎった。ときにわずか十七歳にすぎない。

その後、主家を何度か変えた。近江の豪族阿閉《あべ》氏、同磯野《いその》氏などにつかえ、しかしながらこれらの主家が自分の将来に益をなさぬとみていずれも退転した。

織田信澄《のぶずみ》につかえたこともある。信澄は信長の甥《おい》(弟信行の子)で、信長から近江大溝《おおみぞ》城をもらっていた。信澄は不幸にも——としかおもえない——明智《あけち》光秀の娘をもらっていたために本能寺ノ変のあと、織田信孝《のぶたか》(信長の三男)に殺された。高虎はいちはやく退散した。

明智氏がほろび、このあと羽柴《はしば》氏(秀吉)が勃興《ぼっこう》した。高虎は時勢のゆくすえを見ぬき、縁をもとめて秀吉の実弟の秀長につかえた。この機敏さもさることながら、高虎にはそれだけの実力もあった。それまでに四度主家を変えてきたが、どの主家のもとにいたときでも一度ははなばなしい武功をたてた。

羽柴秀長のもとでも、つねに先陣を駈け、どの戦場でも人目に立つ働きをした。秀

吉はこの高虎に注目し、武勇よりもむしろ弁才、世才にたけていることを見ぬき、

——汝《われ》の器量なら、大名になれる。

として直参《じきさん》にし、二万石をあたえた。ついで伊予で八万石をあたえた。

秀吉の晩年、高虎は豊臣家の嫡子《ちゃくし》がまだ幼いことから将来の滅亡を予感し、早くから徳川家康に接近した。接近するだけでなく、家康のために密偵《みってい》の役目をつとめた。関ヶ原前夜、大坂方の内情がことごとく家康につつぬけになっていたのは、高虎の暗躍によるものであった。

家康が天下をとるや、高虎は重く賞され、次第に加増をうけ、ついに伊勢と伊賀二カ国をあたえられ、この津の城主になった。

(いやらしい男だ)

と継之助はこの藩祖の処世達者に好意はもてなかったが、しかしそれまで伊勢海に面した一寒港にすぎなかったこの津を、天下の都会にまで仕上げた高虎の腕に感嘆せざるをえない。高虎は津に移るや、この巨城を築き、四方の町人に金まであたえてこの城下に住まわせたためたちまち大いなる都会をなした。いま月に二十万人の旅人が通過するというのも、高虎の功であろう。

継之助が訪ねると、斎藤拙堂は大いによろこんだ。玄関にじきじきあらわれ、

「継之助、昨夜はおぬしの夢までみた」

といった。

「夢を」

「そうよ」

拙堂は抱かんばかりの素振りをみせ、やがてあわただしく玄関からおりた。老いて、体が小さくなっていた。

「おや、どこへいらっしゃるのです」

と、継之助はおどろいた。みると拙堂はすでに外出の装束をしているのである。

「どこへも出かけるものか。この屋敷より、おれの山荘へ案内しようとおもったのだ」

門前に、草履取りが待っていた。継之助は、用人の用助とともに従った。

「おれが、隠居したことを知っているか」

「用助どんからうかがいました」

「まだ、蒸《ふか》しあがったばかりのほやほやの隠居だ。五日前、やっと御許しが出たよ」

かつての拙堂の多忙さは非常なものであった。この長い藩主輔佐《ほさ》のしごとから解放

されて読書生活にもどろうとし、しばしば藩主にねがい出たがゆるされなかった。藩主の拙堂に対する手厚さは、たとえば拙堂が江戸から帰国したときなど、道に出てこれを出迎え、ともに城に入るというほどのものであった。そのため拙堂はたってとは言いだしにくかったが、すでに六十を数年越えたこんにち、健康がゆるさなくなった。

結局、五日前に許可がおりたという。家督は子の正格《まさただ》にゆずった。隠居である以上本来なら拙堂個人は無禄《むろく》になるのだが、藩ではとくべつに、

隠居料

というものを支給してその功にむくいることになった。終身給であった。額は月に十五人扶持《ぶち》という巨額なもので、異例であろう。ふつうの場合、隠居料は家老でなければ支給されないのである。この一事でも拙堂がその半生でなしとげた藩政改革のしごとがいかに大きかったかを知ることができるであろう。

「おれは男子として、たぐいまれな幸福を得た」

と、拙堂は継之助にいった。この世にうまれて明君に出逢《であ》ったこと、これが第一、その理解のもとに力のかぎりの腕をふるい、思うがままの仕事ができたこと、これが第二、ついで功成り名遂げて衆に惜しまれつつ退隠をすること、これが第三、という。

「そのもっとも佳《よ》き日に、お前さんがたずねてきてくれた」

「おめでとうございます」

と、継之助は低い声でいった。なるほど拙堂は幸福人であろうが、継之助は拙堂の時代などとはくらべものにならぬほどのすさまじい動乱期――と継之助は予感している――を生きてゆかねばならない。拙堂のような幸福は、門人の自分にはありえぬであろうとひそかにおもった。

山荘というのは、城北の丘陵にある。赤土の小みちをのぼってゆく。山を、茶臼山《ちやうすやま》という。拙堂は昨年、隠棲《いんせい》の地としてこの山の山腹を買い、そこに隠宅をたてた。名を、栖碧山房《せいへきさんぼう》となづけた。

海がみえる。

それがために庭前の籬《まがき》が海の碧《あお》さに染まるごとくであり、しかも背に山腹の樹木を負い、それが動くたびに風がきらきらと光るがごとくである。老学者の隠棲地としてはこれほどの場所はないであろう。

(自分には、こういう幸福は訪れまい)

継之助は、そう予感した。

斎藤拙堂は、奇相のぬしである。

顔いちめんにあばたが散り、両耳は大きく、それが狼《おおかみ》の耳のようにたかだかと聳《そび》えている。人をみるときあごをひき、眉毛《まゆげ》を前へ突き出し、まるで鑑定をするかのように白眼をもってにらみすえるくせがある。が、性格はひろやかで、ひとの言葉をよくきいた。

「ちかごろ、なにを読んでいる」

「相変らずでございます」

「書名をあげてくれ」

と、拙堂はいった。

継之助は、あげた。

魏叔子文抄《ぎしゆくしぶんしょう》　三冊
賈誼《かぎ》新書　二冊
文章軌範《きはん》　六冊
南亭余韻附尾《なんていよいんふび》　一冊
名臣奏議　二十四冊
東坡《とうば》集　十九冊
陽明文集　十冊

山陽外史　十二冊

「相変らず、気に入ったくだりを、穴のあくほどに読むのか」

「文字が立ってくるまで読みます」

継之助の場合、書物に知識をもとめるのではなく、判断力を砥《と》ぎ、行動のエネルギーをそこに求めようとしている。

「うわさで聞いた。御進講をおことわりしたそうだな」

「古い話でございます」

五年前、継之助が江戸の斎藤塾《じゆく》で業を終え、帰国した。その翌年、若殿（忠恭《ただゆき》）のお国入りがあった。

こういう場合の慣例として、藩庁では学問、武術に長じた者を選抜して御前でその芸を披露《ひろう》させる。長岡藩ではこれを「御聴覧」といった。藩庁では継之助をそのひとりに選び、

――御前で経史の講義をせよ。

と命じた。当然、一門の名誉とすべきであろう。が、継之助の思想に反した。

かれの思想では、学問はその知識や解釈を披露したりするものではなく、行動すべきものである。その人間の行動をもってその人間の学問を見る以外に見てもらう方法

がない、というものであった。継之助は藩庁の命令をつきかえした。藩庁ではおどろき、継之助をよび出した。

「どういう料簡《りようけん》だ」

「おれは講釈などをするために学問をしたのではない。講釈をさせたければ講釈師にでもたのめ」

といった。藩庁は、騒然となった。継之助は曲げず、

「ここでおれが講釈すれば、おれの学問（思想）は底の底から崩れ去るのだ。継之助が消滅するのだ。それでも講釈させたいか」

といってきかぬため、ついに「わかった、しかし理由を病気とせよ」といった。継之助はこれをも蹴《け》った。病気ではない者が病気といえるか、というのである。藩庁では手に負えず、ついにかれを譴責《けんせき》処分に付した。

その騒動の一件を、斎藤拙堂は耳にしていたのであろう。

「純粋だな」

拙堂は微笑したが、この継之助の行動を、いいともわるいともいわなかった。

「敬服する。しかし多少不安になる」

「なぜでございます」

「これは無用の不安だが」
このさき、この継之助ほど突きつめてゆけば、なにごとかがおこらずにはすむまい
と拙堂はおもうのである。

翌朝、継之助はふたたび拙堂の山荘にのぼり、その話をきいた。

——先生あいかわらず気壮《きさか》んなれども、すこしく衰老の様見ゆ。

と、継之助はその旅日記「塵壺《ちりつぼ》」に書きとどめたとおり、拙堂はやや疲れている様子であった。

一刻ばかりで、いとまを乞《こ》うた。拙堂はしきりととめた。

「数日、わがそばでゆるりとせよ」

と、何度もいった。老いて拙堂も人懐《ひとなつ》っこくなっているのであろう。が、継之助はしいていとまを乞うた。

午後、拙堂の弟子の神吉《かんき》某の案内で藤堂藩の学校施設を見学した。

この藩校は、拙堂の生涯《しょうがい》のなかでの最大の作品といっていい。

——学校は、経理を基礎とする。

というのが、拙堂の考え方であった。いかに学校を整備したところで、それを維持

してゆく財政基盤がなければならない、ということであった。

（さすがは、拙堂先生だ）

と、継之助はその点に感心した。この藤堂藩の学校は、たとえば出版などもする。とくに資治通鑑《しじつがん》を出版し、これが天下の読書人にどれほど益したかわからないが、すべてこの学校の経済力がそれをさせた。

また学校は、武術道場も併設している。なかでも西洋砲術の部門に力を入れ、その研究生を多く江戸に留学させていたが、その経費も藩予算から出ず、学校から支出されていた。

学校は、種痘館《しゆとうかん》ももっている。拙堂は幼少のころ天然痘をわずらったためにこの病気につよい関心をもっていた。すでに天保《てんぽう》十二年（一八四一）に江戸の蘭《らん》医が牛痘接種による予防技術を導入したが、世間は理解せず、ほとんどひろまらなかった。拙堂はそれを藩の方針として採用し、藩内の領民ことごとくにおこなった。その費用も、すべて学校から支出された。この学校の経済力をその一事でも察することができるであろう。

（さすがである）

と、継之助はいよいよ感心した。しかし多少の不満がなくもない。

——偉大ではあるが、治世の能吏である。

ということであった。

天下国家が安定しているときこそ、拙堂の能力は大いにかがやくであろう。しかし天下国家が崩れようとするときには、拙堂ならばどうするであろうか。

(隠退しかあるまい)

と、継之助はおもう。継之助の前途にある時代相は、拙堂の生きた時代のように平和ではありえない。乱世である。拙堂は乱世の雄にはなりえないであろう。

拙堂の欠点は、そこであった。拙堂の文章なども小品はきわめていいが、

——大手筆ではない。

と、継之助はおもっている。一世の運命を予言し、天下のゆくべき方向を指さししめすような予言者としての壮大な頭脳ではなく、その能力と思考範囲はあくまでも藤堂藩三十二万三千石にかぎられていた。能吏である。それも過去の能吏である、とおもわざるをえない。

(拙堂先生は学者であり能吏であるが、おしむらくは思想がない。思想がないため、将来を予言することはできぬ)

それが、拙堂への不満であった。その不満を、あるいは備中松山の山田方谷《ほうこく》はうず

めてくれるであろうか。

「いまひとり、津には奇物がいますよ」

と、神吉某がいった。

ひとを訪ねることは、人を食いにゆくことだ、と継之助はいったことがある。

「食われてもいい」

とも、継之助はいう。食われるに価《あた》いするならよろこんでひとの餌《え》になってしまってもいい。そのどちらかでなければならぬ、と継之助はおもっている。

「それは土井聱牙《ごうが》先生ではないか」

と、継之助は神吉某にいった。この伊勢の津で斎藤拙堂とならぶ学才といえばたれが考えても土井聱牙しかない。

聱牙とは、号である。意味は、文章がごつごつとして読みづらく難解なことをいう。そういうことばをおのれの号にするくらいだから、土井聱牙とはよほど奇人なのであろう。

「では、案内してくれ」

と、継之助はたのんだ。神吉某はさきに立ってあるきだした。

相手は、津の名物男である。

贅牙、名は土井幾之助と言い、歴《れつき》としたこの藤堂藩の藩士であった。学問をもってつかえている。

最初、拙堂に師事した。このため継之助にとってはまだ見ざる兄弟子というべき存在であろう。贅牙は、みごとな文章をかき、その名文家としての名は江戸にまで知られていた。かつ雄弁家であり、ひとたび経史を講義させると、縦横に弁才をふるい、聴くものは講釈場にいるような昂奮《こうふん》をおぼえ、おわりまで飽かない。

——ただ天下有用の才ではない。

と、継之助はおもっている。贅牙は学問を世間の救済にもちいず、多分に文人であり、ディレッタントであった。

贅牙は、書画の余技に凝りすぎている。もっとも書をかき、絵をかくのは中国の士《し》大夫《たいふ》の教養であり、儒者の伝統であり、それによって志を練り、志を表現する。が、継之助はそれを無用としていた。この乱世にあっては、紙の上に書をかき絵をかき、自分の志の高さをどう展《の》べようともなんの役にも立たぬ。

「非常な奇人です」

と、神吉某がみちみち語った。

若いころ、書を練習しようとしてまず三十両で材料を買ってきた。三十両といえば家のひと財産といっていい。まず、高価で知られている端渓《たんけい》の硯《すずり》を買った。ついで純羊の筆に唐渡りの墨、それにとびきり上等の紙を買った。それらの材料を、わずか一月あまりでぜんぶつかってしまった。たかが練習にそれほど高価な材料をつかわなくてもよいではありませぬか、とひとがいうと、

「いや、おれは豪気を養ったのだ」

と、蟄牙はいった。かれにいわせると、書の技術よりも、気を養った、という。書は気である。その豪大な気を養うには、たかが練習のためにも家産をすりつぶさねばならぬ、とかれはいう。

蟄牙は、六尺あまりの巨漢である。巨漢ながら腸が弱いのか、しばしば厠《かわや》へゆく。あるひとが、ある日、蟄牙を訪ねた。この日、蟄牙は腹をくだしていた。厠のなかから大声で用件をきくと、「書をかいていただきとうございます」と客はいう。

蟄牙は厠からとびだしてきて、畳の上に紙をのべ、それにまたがり、大筆をひるがえして文字をかきはじめた。墨滴《ぼくてき》が、紙に散った。蟄牙は平気であった。ついでに便ののこりも——尾籠《びろう》だが——紙に散って黄色く染めた。これも平気であった。客はお

どろき、這《は》うようにして逃げ去った。

「鞏牙先生は非常な暑がりでありまして」

と、その途次、神吉某はいった。この人を人臭いともおもわぬ巨漢は暑気だけがにが手で、夏はあえぐように暮している。この季節は客を避け、終日赤はだかで家にいるという。

先年、その母堂がなくなった。鞏牙は祭壇の前で、褌《まわし》もつけぬ裸のまま息をあえがせて折りあしく真夏であった。鞏牙は祭壇の前で、褌もつけぬ裸のまま息をあえがせていた。その父もおなじ体質で、おなじようなすがたですわっている。

そのとき、弔問客たちがあがってきた。鞏牙はあわてた。客に対しては衣服をつけねばならない。鞏牙はあわてて巨体をもちあげ、衣服をとりにゆくべく祭壇の前を通りすぎた。はだかで祭壇を横切ることが霊に対して非礼であることを知っている。それに儒者だけに、孝心もつよい。

「大慈君《だいじくん》（母上）、はじめ拙者をおうみくだされたとき」

と、大まじめで祭壇へつぶやいた。

「素裸でおうみなされましたはずでございます。この姿はおゆるしくださらねばなりませぬ」

そのあと老父も立ちあがり、おなじ姿で祭壇にひざまずき、

「いま幾之助（聱牙のこと）が申しあげました通りでございます」

と言い、腰をあげて聱牙のあとを追った。父子《おやこ》とも大まじめであり、弔問客も笑うわけにいかず、みなうつむいて懸命にこらえた。

「奇人だな」

と、継之助はいった。奇人というものはつねに大まじめなものだが、聱牙もそうであるらしい。自分を奇人だとはおもっていないらしい。

「奇人というものを、どう思われます」

神吉某がきいたが、継之助はだまっていた。継之助は奇人を買わない。奇人とは、風景にたとえれば奇岩怪石であろう。風景として観賞するぶんにはたのしいかもしれないが、しょせんは世の置き物であり、世の役に立つものではあるまい。

そう考えている。

しかし別のことも考えている。単に性質や挙動が風変りで世の中の常識に調和せぬというだけの奇人ならとるにたりないが、志とその志への追求が強烈なために世間に調和せず、つい奇行を演じているという人物は、人間のもっとも純粋なものであろう。

「奇人には、世間への顧慮という、そういうものがない。それは純粋なるがためだ」

と、継之助はいった。鉱物でいえば純粋結晶のようなものであろう。

(それは、観賞するに足る)

とおもうが、しかしどうであろう。継之助にはそれをあこがれる傾きがあるが、みずからがそこへ落ちこまぬように自戒している。

自分の志に対して純粋、といえばきこえがいいが、それは得手勝手《エゴイズム》にすぎない。

(おれにもそういう傾きがある)

奇人は、世間の思惑を顧慮せぬ。世間の思惑を顧慮しすぎるのは俗物であろうが、しかしそういう夾雑物《きょうざつぶつ》がなさすぎるのもときに危険であった。鞘《さや》のない刀のように自他ともに傷つけるおそれがある。

ともあれ、聱牙に会いたい。

継之助にとって、人間ほど見物にあたいするみものはない。珍妙なことに、聱牙先生はうわさのとおりの素裸でいた。

どうも、訪問者にとっても間のわるい家がまえなのである。門を入るといきなり座敷であり、案内を乞うような仕掛けがない。座敷はつねに開けっぱなしで、そこに聱牙がいつもいる。きょうもいた。裸体であった。

「越後長岡の河井継之助でございます」

と、継之助が縁ごしにあいさつすると、聱牙は、

「おっ」

と、大いそぎでそのあたりを見まわした。着物をさがしているのである。継之助は気の毒になり、

「先生、その儀にはおよびませぬ」

と、押しとどめた。暑がりの聱牙にはおもう壺《つぼ》だったのだろうが、照れかくしに(この奇人はひどく照れ屋らしい)、

「それならばおれの書いたものをもらってくれるか」

と、ひらきなおった。継之助はおどろいた。それが聱牙のの、、っけのあいさつであり、問答にもなににもならないではないか。

こう出られては、継之助の返答もつい奇抜ならざるをえない。

「私はまだひとから字などをもらったことはありませぬが、しかしくださるとあればいただきましょうか」

と、笑いもせずにいった。聱牙はしきりにうなずき、まああがれ、といった。継之

助は縁からあがり、一礼し、初対面のあいさつをした。聱牙は股間《こかん》をうちわでかくし、巨体を折りまげて鄭重《ていちょう》に返礼した。

「足下《そっか》の令名はかねて拙堂先生からうけたまわっている。して、この茅屋《ぼうおく》へなんの御用でみえられた」

と、両眼を裂けるほどに見ひらいていう。継之助は居ずまいを正し、その目を見かえしつつ、

「用とてございませぬ。先生から叱《しか》ってもらいたいと思って参りました」

というと、聱牙は、なんだ、人のいうことなど聞きそうもない面《つら》をしているくせに——と吐きすてるようにいった。大まじめである。

継之助は、切りかえした。

「左様、人の言うことなど聞きませぬが、しかし聞くに価いすることなら聞きましょう」

と身を乗りだした。聱牙は机を丁《ちょう》と打ち、

「耳はたしかか」

と叫び、沈黙した。聞く耳がたしかならば大いに語ろうというのであろう。

それから三時間ばかり、時勢を論じた。なるほど聱牙の論は尋常ではない。

帰路、神吉某が、感想をきいた。

「やはり奇人だな」

と、継之助は答えた。鞏牙の言説は奇人によくあるように自信と鋭気に満ち、いたずらにするどく、こちらがまともに太刀打ちしていれば受けにばかりまわらざるをえない。しかしひるがえってみれば、そのするどさも所詮《しょせん》は口舌のするどさにすぎぬ。

「本物でしょうか」

と、神吉某はいった。継之助はそれ以上答えなかったが、内心鞏牙など一文の価値もないと見限っていた。鞏牙には言説があって行動がない。

「かれは用いられざることを憤《いきどお》っている」

と、のちに継之助はいった。

「不遇を憤るような、その程度の未熟さでは、とうてい人物とはいえぬ」と継之助はいうのである。

京に入った。

逢坂《おうさか》の坂をくだり、松にいろどられた粟田口《あわたぐち》の道をゆるゆると通過して三条の大橋にさしかかったとき、継之助の胸はさすがにときめいた。

対岸は、京の町である。古来、日本男児にしてこの都にあこがれなかった者は、あったであろうか。

（さすが、王城千年の地だ）

橋のたもとに立つと継之助は詩情で胸が痛くなった。足もとに、日本でもっとも典雅な川であるという鴨《かも》川が流れている。

川の流れとしては、継之助のうまれた越後の信濃《しなの》川とかわらないが、しかしその流れをひとびとが、というより宮廷の貴族たちが、千年の歳月とかれらの伝統の美意識をかけてみがきあげた、という点で日本の他の川とまるでちがっていた。

対岸に、小さな森や木立が点々として配置され、風景をつくっている。森も木立も自然のものではなく、公卿《くぎよう》屋敷か、門跡《もんぜき》の別邸か、寺社の庭木であり、木の枝ひとつについてもすべて意識をもってつくられたものである。このとき天につぐみが飛んだ。その野鳥でさえ、美のために飛んでいる、としかおもえない。

川むこうの橋ぎわの一帯は、木屋町《きやまち》、先斗町《ぽんとちよう》の紅燈《こうとう》のちまたである。まだ暮れるに早いが、はやくも夕靄《ゆうもや》立とうとしているあたり、その靄ひとつでさえ自然に煙るのではなく美の意識によってうごかされているとしかおもえない。

古来、日本のすみずみから権力の鬼どもが身をおこしてこの京に旗をたてることを念願とした。

「あすは瀬田（京の入り口・滋賀県）に旗をたてよ」

と熱の下からうわごとを言いつづけて死んだのは甲斐《かい》の武田信玄であった。信玄は晩年京に入ろうとし、東海道の諸城を踏みつぶしつつ西進し、陣中で病み、ついに起《た》たずその壮途はむなしくなった。

継之助の郷里である越後の上杉謙信もそうであった。謙信の生涯《しょうがい》の夢も、京に旗をたてることであった。が、その生涯のほとんどを甲斐の武田信玄との格闘についやし、信玄没後、やっと京に出ようとした。北陸道から京へむかった。途中、越中《えっちゅう》、加賀の野で織田軍が抵抗したが苦もなく撃破した。が、謙信の背後地である関東の情勢が悪化したためひきかえさざるをえなくなり、ほどなくその居城の春日山城《かすがやまじょう》で病没した。

京には、英雄たちの見はてぬ夢と恨みがのこっている。

江戸期に入った。

徳川家康はこの京にふたたび英雄が入ることをおそれ、考えられるかぎりの法と禁令をもって京を縛った。天子と公卿の日常生活まで束縛し、学芸を専一にすべきことを命じ、また諸大名がこの京を通過することさえ禁じた。大名たちが京の宮廷と連絡してそれを擁することをおそれたのである。

とくに、西国大名を家康はおそれた。家康はその生存中に、徳川に仇《あだ》なす者はおそらく長州の毛利家と薩摩の島津家であろうと予言していた。その予言は三百年後のこんにち、はたして的中した。いま京でひそかに活躍している者は、これら西国人が多い。古来、京を制する者は、東国か西国からおこる。いま東国の衰えをみて西国人の血が沸騰《ふっとう》しはじめているのではあるまいか。

継之助は、旅費のゆるすかぎり京に滞留しようとした。京こそが将来日本をゆすぶる震源地になるであろう。

（ここは、とくと見ておかねばならぬ）

そうおもった。

多くの旅人がそこに宿をとるように継之助も三条通の旅籠《はたご》に宿をきめた。

「女が、ほしい」

と、夕食のとき、継之助は女中にいった。醬油《しょうゆ》がほしい、というほどのなめらかさである。継之助は京にきた以上、京を多少とでもわが皮膚で触れたい。それには名だたる京女と寝ることであろう。

「え？　おなごはんを？」

給仕の女中は、おどろいたらしい。立ちあがろうとしていた腰を、ふたたび沈めた。膝《ひざ》に盆を立て構えている。

「どうしてどす？」

妙な反問である。継之助は旅をしていてこんな切りかえしに出くわしたことがない。

「どうしてって、おみしゃん……」

と、さすがに返事にこまった。おんながほしいに理由などがあってたまらない。

「ほしいからほしいのだ」

「どうしてどす？」

給仕女は、ふしぎそうに継之助をながめている。京者《きょうもの》は、津の聱牙先生より奇妙だった。

「それはおみしゃん」

継之助はまじめにその理由をさぐるべく頭をひねった。この点、継之助は別国人だった。

なぜならば、京から東の日本人とこの上方《かみがた》の人間とはまるで発想習慣がちがう。上方者は口が軽いのである。

口とあたまとが無連絡にものを喋《しゃべ》る。心にもなくても会話だけが独立している。会話だけで社交が成立し、そのことばは多くの場合本音ではない。本音をいうのは京ではむしろ野暮とされている。

が、京より東のほうの日本人は、つねにその会話は本音なのである。つねに正気で言い、その会話はつねに論理的であった。

京者はちがう。会話は相手との情緒をやわらげるためにのみ存在し、自然それは芸のようなもので、根も葉もない。

――女がほしい。

と、継之助はその要求をギラリといった。この言葉は内容そのものであり、余分なかざりなどはなく、それそのものである。

そのことに、給仕女はおどろいた。

(このひと、何やろ)

とおもったのであろう。京者のばあい、正気で本音で物事を「ほしい」というときは、

――医者に来てほしい。

というときぐらいのものであろう。癪《しゃく》で七転八倒しながらたえだえの息の下から、

――医者や、医者や。

と叫ぶときだけが、京者のこの洗練されすぎた会話感覚のなかでの本音であろう。それほどの場合でしか本音をいわぬのに、この旅の侍はいきなり「女が欲しい」というのである。女中としてはとまどった。

(なにか、別の意味があるのではないか)

とおもい、まどい、それでつい、

――どうしてどす?

という、継之助にとっては奇妙すぎる反問をしてしまったのである。京者と他国者とはこういう点でまるで異邦人の関係にあるとさえいえるであろう。

が、やがて女にも継之助の真意がわかったらしく、はじけるように笑いはじめ、

「京には宿場の女郎《おなご》はんは居まへんえ」

といって継之助の肩をたたかんばかりの好意をみせた。

翌日、あさ一番から継之助は見物のために市中を歩きはじめた。

諸事、計画ずきなこの男は(といってつねに計画どおりに事は運ばないのだが)、まずこの日は東山山麓《さんろく》からはじめることにした。

青蓮院《しょうれんいん》の前をとおって知恩院へゆく。ついで祇園社《ぎおんしゃ》、円山《まるやま》、大谷廟《おおたにびょう》の谷、八坂《やさか》の塔、

安井天神、妙法院、大仏殿——このあたりまでくると、さすがにくたびれた。

大仏の境内に入り、茶店で餅《もち》を注文した。

(妙なやつがいる)

ひと目で、遊び人風の小男である。それが茶店の奥にすわって継之助の様子を、頭から足もとまでなめるようにながめている。やがて擦《す》り寄ってきて、

「旦那《だんな》はんは、三条小橋西詰め旅籠池田屋のお客どしたな」

と、いやに正確なことをいった。継之助はゆっくりと首をまわし、無言でその男を見すえた。越後では武家に対していきなり話しかけるような無作法者はいない。

「わしのことか」

「へい、旦那はんのほか、どなたも居まへんどすさかいな」

嫌味《いやみ》ったらしくいう。上方では武士をまるで尊敬せぬということをきいていたが、これはどうもそればかりではないらしい。

「用か」

「いいえ、御用どす」

と訂正した。私用ではなく、公儀御用であるというのである。そう言いつつ、ふところから房のついた十手をとりだした。手先であった。

——主名、お名前をお名乗りねがいたい。

という旨《むね》のことを、いった。

この間、茶店の老爺《ろうや》が奥から気の毒そうに継之助をみていたが、このとき、目くばせをした。その男にさからいなさるな、という忠告だろう。

継之助にも想像がつく。現実の京は詩の都ではなく、じつはこの種の人間がはびこっているということがである。江戸にいる井伊大老の政論弾圧が進行していた。いわゆる安政ノ大獄であった。上は公卿、大名から下は僧侶《そうりよ》、浪人志士、学者、画家にいたるまで井伊の投げた網にからめとられた。かれらをさぐるために井伊はその寵臣《ちようしん》——というが素姓も知れぬ浪人あがりの——長野主膳《しゆぜん》という者を京に駐在させ、対幕批判をおこなったあらゆる階級の者の名簿をつくらせ、さらに逮捕にあたっては所司代、奉行所などの幕府機関をも指揮させた。その志士探索に目明しどもが活躍し、市中の者を戦慄《せんりつ》させているという。

(こいつも、そのひとりか)

と、継之助は男の顔をのぞきこんだ。男は継之助を、いわくつきの浪人とみて旅籠からずっとつけてきたにちがいない。

「おれは、侍だよ」

と、継之助はひくい声でいった。侍に「主名を言え」と要求できるのは、しかるべき身分の者が、よほどの礼儀をつくした上のことでなければならない。それほどのものであるのに、この男は時の権勢を笠《かさ》にきて無礼にも十手をみせつつきいた。それだけでも古法に従えば斬《き》ることすらできるのである。

継之助はそれっきり相手にせずに餅を食い、食いおわるとそとへ出た。男は、遠ざかってゆく継之助を、茶店から見つめている。

なぜ継之助が偵吏《ていり》につけられたか、この不審はのちのちになって解けた。

流言の時代である。この時期、水戸者が大老井伊直弼《なおすけ》の暴政に反対し、関東で反乱をおこすという流説が京都や江戸でながれていた。その暴動の謀議には、水戸の尊王《そんのう》攘夷《じょうい》思想に影響された薩摩人も加わっているという。しかもかれらは暴動計画を成功させるために、京の朝廷から密勅をいただこうとしているという。

このため幕府の警察機関はその能力のすべてをあげて流説の内偵に血まなこになっていた。徳川幕府のその生れたときからの固有の性格が密偵政治であり、その能力にかけては世界史上のどの政権よりもあるいはすぐれていたかもしれない。

もっとも。

これは後年、単に流説であることがわかった。しかし奇妙なことにこの流説とはなんのつながりもなくこの翌年——万延元年——水戸人と薩摩人の共同謀議による井伊直弼狙撃《そげき》の計画がくわだてられた。しかも成功した。いわゆる桜田門外ノ変である。ひょうたんから駒《こま》が出たようなものであろう。

ともあれ、右の流説によって幕府の偵吏が京の市中で暗躍している。

とくに京に入る旅の武士が目をつけられた。流説によれば、

——水戸者が、密勅をうけとりにくる。

というのである。このために旅人のなまりに偵吏の注意がはらわれた。継之助は越後人だが、京の偵吏の耳には水戸なまりのようにきこえたのであろう。

もっとも継之助もよくない。この男にはどこか奇運がついてまわるようである。三日目、清水《きよみず》の山にのぼり、寺や滝などを見物し、麓《ふもと》で湯豆腐を食った。帰路、大仏のあたりにさしかかったとき、日が暮れた。大通りから北側の塀《へい》に沿った界隈《かいわい》に折れると、そこは薄暗い町家の家並である。なぜこんな場所を通ろうとしたのか、筆者にもわからない。

想像するに、ななめに折れまがりつつ五条の橋に出ようとしたのだろうか。それにしてもよほど京馴《きような》れた者でなければ、そういう近道がわかるはずがない。

ちまちまとした借家の家並が、路地から路地へとつづいている。小ぶりな家が多いわりにどこか町が垢《あか》ぬけているのは、このあたりは商家の隠居、妾宅《しょうたく》、僧侶のかくし妻などが多く住み、前栽《せんざい》などの手入れがゆきとどいているからであろう。途中、町を横切って東山の大谷から流れ落ちてくる溝《どぶ》川がある。石橋がかかっていた。そこまできたとき、不意に耳もとでみじかい悲鳴が湧《わ》きおこった。継之助は足をとめた。

(ふざけてやがる)

とおもったのは、橋のたもとの柳に女が押しつけられているらしい気配を感じたからであった。女の息づかいがはげしい。懸命に抗《あらが》っているらしい。

男は、低声《こごえ》でおどしている。継之助が背後に立っているのに男は気づかないのである。男は女の弱身をにぎっているらしく、それをたねに女を自由にしようとしていた。

(あいつか)

と、継之助は男の声におどろいた。きのう大仏の茶店で継之助に絡《から》んできたあの目明しであった。

女は、どうやらお屋敷者であるらしい。継之助は右腕をのばし、無言で男のくびに巻きつけた。

継之助は、腕の力がつよい。力をこめ、身をそらせると、目明しはくびを吊《つ》りあげられつつ、四肢《しし》をもがかせた。

——こいつに当て身をくわえておかねば。

とおもうのだが、笑止なことに年少のころ柔術をなまけたためどこが急所かおもいだせない。

（はて）

継之助は考えた。当て身技《わざ》の急所は、四十四カ所あるということは知っている。妙な名称が多い。天倒、雪炎、烏兎《うと》、間《かん》、霞《かすみ》、北極といったぐあいである。呼吸中枢《ちゆうすう》を麻痺《まひ》させたり、血管や運動神経をほんのわずかのあいだ麻痺させるなどのかるい衝撃をあたえる技から、内臓を破裂させて死にいたらしめる技までずいぶん多い。陰湿な、いやな芸で、継之助のこのみにあわない。

（この姿勢ではむりだろうな）

と、おもった。もともと当て身は相手と相むかったときでないとどうやらむりらしい。相手が行動をおこそうとするその出ばな、相手が力をぬいた引き端《ひきばな》、体のくずれ、などのいわゆる虚のすがたをとらえ、瞬時にほどこす。この技は、冴《さ》えねばならない。

あてわざに冴えがなければ効かない。継之助のこの姿勢では冴えが出ない。

「ちっ」

と、継之助が舌打ちしたのは、かれが締めあげつつ思案しているまに腕の中の男はぐったりとのびてしまったのである。

「つまらぬことをした」

男を地によこたえつつ、継之助はかがみこんだ。活法を知らない。気絶または仮死した者に刺戟《しげき》をあたえて蘇生《そせい》させるわざを活というのだが、柔術ではどの流儀でもこれを秘事とし、みだりに洩《も》らさず口伝《くでん》によってのみ門人につたえる。それをなまけてしまった継之助が、この口伝をうけているはずがない。

「お女中」

継之助はふりかえった。すまぬが提灯《ちょうちん》をつけてくれ、といった。女はいそいで足もとにころがっている提灯に火を入れ、継之助の手もとへさしだした。女の手の甲が、匂《にお》った。いや、手の甲でなく懐中の匂い袋がにおうのかもしれない。女は、しゃがんだ。

「こまっている」

継之助は、男のまぶたをひらきながらぼやいた。おれは当て身も活法もしらぬのだ。

知らぬのにこのあわて者は気を失いやがった、とぶつぶつこぼした。

女はそういう継之助におどろいたらしい。ついさっきまで怖《おそ》れのために身のふるえがとまらぬ様子だったのに、急におかしくなったらしい。身をまげ、背をはげしくけいれんさせた。さすがに笑い声だけは忍んでいる。

(若いのだ)

継之助は、にがにがしかった。わかい女というのはえたいが知れない。

継之助の心配は、男が死んだのではないかということだった。

「提灯を、もっと」

継之助は女に命じつつ、男のまぶたをひらき、瞳《ひとみ》をのぞきこんだ。黒玉が、出た。

つぎは、尻《しり》をまくった。女はさすがに顔をそむけたが、継之助は男の褌《まわし》をひきむしり、肛門《こうもん》をのぞきこんだ。

肛門は、閉じられている。

「生きてやがる」

継之助は、ほっとした。

「ほんとうに生きているのでしょうか」

と、女は小声でいった。生きている、となると、またこわくなったらしい。

「おれの診断《みたて》に、不服かね」

継之助は男の肛門に触れた指を、そのまま男の口につっこみ、唇《くちびる》をひるがえした。

「みろ」

歯の列が、上下嚙《か》みあっている。死ねばこうにはならぬものだ、といった。指に、なにか食べかすのようなものがついた。継之助は男の袖《そで》で指をぬぐい、

「人間も、こうなれば哀れなものだな」

といった。人間の威厳などたよりにならぬもので、生きて手足を動かしているという、ただそれだけのかぼそい条件で成立している。

「こいつは、たれかね」

と、継之助はきいた。女は、千本ノ市蔵というちかごろの大獄さわぎでにわかに売りだしている目明しだという旨のことを、ひそひそといった。

(御所ことばかな)

と、継之助はおもった。継之助には京ことばはわからないが、旅籠《はたご》の女中あたりのことばとずいぶんちがっている。

「なにをそこで」

と、継之助は女のほうへふりむいた。

「ぼやぼやしている」

早く去らぬか、といった。

女はためらいながら立ちあがり、心外そうにいった。

「御礼を申しあげようとおもいましたのに」

女は、いそいで自分の主人の名、住い、そして自分の名を名乗った。

いや、名乗っているふうであった。しかし継之助は聞かず、すでに西へ歩きだしていた。女はあわててあとを追った。

「お名前を、おきかせくださいませ」

「余事だ」

事がすんでしまうと、継之助はしんぞこからわずらわしくなっている。この目的主義者は、自分の主題に適《あ》う事柄《ことがら》以外はすべて余事なのである。みじかい一生のうちの何分でも余計のことにわずらわせられたくない。

町並を、北へ折れた。継之助の見当ではこのままゆけば五条橋の橋詰町の筋に出るだろう。

うしろから、女がついてくる。

「そこは、むりでございます」

と、女がうしろからいった。女のいうところでは前方の橋詰町の町木戸がすでにしまっている。町木戸を通らずにゆくとすればすぐそこの問屋町の辻《つじ》を東におれてもう一度東へゆき、大きくまわって伏見街道に出ねばなりませぬ、というのである。

これは従わざるをえぬ。

継之助は、辻を東に折れた。女はそのあいだも、

――お寄りくださいまし。あるじからもお礼を申してもらわねばなりませぬ。

ということを言いつづけている。

（余事だ）

と、おもった。継之助が好む数人の日本史上の人物のなかに、秀吉の羽柴姓時代の謀将であった竹中半兵衛重治《しげはる》がいる。重治は自分の才分の世界である戦術を芸術家が芸術を愛するがごとくに心得ていた男で、

――武道のほかはすべて余事だ。

というのが平素の口ぐせであった。継之助はこの結核のために若死した天才の生涯《しょうがい》のなかでもとくにこの口ぐせを愛し、

――余事だ。

と吐きすてる緊張感をもっとも好んだ。

歩いてみたが、その町内の木戸も締っていた。クグリをあけて出てもいいのだが、それには町会所に声をかけねばならない。

(それも気鬱《きうつ》な)

と、継之助はおもった。いまそこで目明しを絶倒させた当人としては自治警察の番人にわざわざ顔を知らせることはない。

そういうためらいが、結局、女の言うなりにさせた。

「ここどす」

といった黒板塀の木戸を、女は押したのである。継之助は身を入れた。

足もとの五月《さつき》の枝葉にうずもれて織部《おりべ》燈籠《どうろう》が灯《ひ》をともしている。

——あ、おみ足が。

濡《ぬ》れます、と女が継之助のそでをひいたのは、このせまい前栽にも京らしく遣水《やりみず》がながれているからであった。

縁からあがっていきなり一室に案内された。そこでざっと四半刻《しはんとき》ばかりひとりで置かれた。調度や家の気配から察するに、女ばかりの住いらしい。

やがて先刻の女が入ってきて、継之助の前に酒肴《しゆこう》を置いた。妙なぐあいである。

「今夜は当家に泊っていただきとうございます」

と女はいったが、継之助は顔をしかめて無言でいた。宿屋でもない見ず知らずの家に泊る気はしない。

女は、「当家」と自分について語った。

――わたくしは当家の奉公者《かしずきもの》で名を五月と申します。当家は女あるじにて、あるじの名は織部さまと申します。

といったから、継之助はへそのあたりで小さく笑った。さっき、前栽で五月に抱きこまれたようにして置かれていた織部燈籠をみたが、この女同士の主従もそのように、つまり寄り添うようにして暮しているのであろう。

(どうやら武家ではない)

調度品の好みからみて、武家ではなさそうだった。

「ご当家は公家《くげ》筋であるのか」

ときくと、まずそれにちかい。

女あるじは西本願寺門跡の異母妹で、宮中のさる門院の女官をつとめていたが、先年門院が死んだために里にもどり、その後本願寺からの捨て扶持《ぶち》でこのようにして暮している。

（なるほど、いかにも京らしい）

庶人でも武家でもなく、一種の貴人であるにはちがいないが、江戸や諸国にはいない。いかにも京らしい種類の貴人であろう。

「お西さま（西本願寺）でございましょう？　でございますから、ご時勢がら、いろいろのことがございます」

（なんのことだろう）

ときいていると、勤王問題であるらしい。継之助は知らなかったが、京では西本願寺が勤王色が濃く、これに反して東本願寺が明確に佐幕派であった。

両派とも一万カ寺内外の末寺をひきい、その経済力は鴻池《こうのいけ》に匹敵し、法主《ほっす》はそれぞれ門跡であり、親王・公卿《くぎょう》の処遇にひとしい。ちなみに西本願寺は豊臣秀吉に庇護《ひご》されていた。

徳川期に入り、家康は本願寺勢力を削《そ》ぐために分派させ、東本願寺をたてさせた。それが両派の伝統になり、京の勤王勢力は西本願寺にむすびついた。

自然、この時勢になると幕府機関から「西」はいやがらせをうけることが多い。いまの目明しの一件も、その一例であろう。

——妙なぐあいになった。

と酔いのなかでしみじみおもったのは、この夜、寝床に倒れ、薄い夏ぶとんをひっかけたときであった。見あげている天井が、どうもそらぞらしい。

(見も知らぬ天井だな)

あたりまえのことに、ことさらにおどろいてみせた。どうみても他人の家である。

(いかん)

という思いが、継之助を叱《しか》りつづけているのだが、継之助のからだのほうはこういう奇縁にのったりとゆだねてしまっている。われながら、それが不愉快であった。

(おれはつねに自分を意思で動かしてきた。その糸が、どこかで切れている)

それが、不愉快なのである。ここで寝ている継之助は、継之助の意思から放《ほう》りだされた形骸《けいがい》にすぎぬ。くぐつ師の糸からはなされ、死骸のようにそこに置かれている人形にすぎぬ。自分をそういう状態におくことは、元来、継之助の宗旨に反していた。

が、疲れが継之助を眠らせた。

目ざめたとき、雨戸からすでに陽《ひ》がさしこんでいた。継之助ははねおきると、その気配を感づいたように昨夜の五月という女がやってきて雨戸を繰ったり、縁側に耳だらいを置いたり、楊枝《ようじ》をさしだしたりした。

(きびきびしてやがる)

継之助はただ五月が世話を焼くままに身をゆだねていればいい。操《あやつ》り師《し》の糸は、どうやら五月がにぎっているらしい。

その給仕で、めしを食った。

(おれは、何者なのだ)

継之助は、おかしくなった。継之助はただめしを口にはこび、咀嚼《そしやく》しているだけの人間なのである。単に生体にすぎない。

「ちょっと、こまるぜ」

と、三杯目の茶わんをからにしてから、継之助は顔をしかめ、当惑をうちあけた。

「おれは一体どうなっている。こんな家で、わけもなくめしを食わされているようだが」

女は小首をかしげ、ちょっと微笑し、しかしそれには答えず、

「おかわりは?」

と、盆をさしだした。継之助はあわてて手をふった。

「食いすぎたほどだ」

「それならばよろしゅうございました」

「後悔している」

「お腹《なか》が、おゆるいのでございますか」

「いや、自分がいま何者であるかがわからぬのだ」

「おむずかしいことを」

と、女は相手にせずに立ちあがった。

「では、おれも発《た》つぜ」

「いいえ、あかるいうちにこの家をお出ましになるのは、よろしくございませぬ」

「ふむ?」

くびをひねったが、しかし継之助は敏感に察した。目明しの一件が、いまごろ騒ぎになっているだろう。この家から見なれぬ旅の武士が出たとなれば、この家の迷惑でもあり、継之助の身の危険でもある。

「そういうことか」

ときくと、女はただ微笑《わら》ってみせた。その表情が、図星ですと答えている。それにしても京の情勢は継之助の想像以上に暗鬱なものであるらしい。

「ただいま、あるじがごあいさつに参上いたします」

と、女がいった。

継之助が待つ。

五月が、障子をわずかにあけた。その閾《しきい》むこうがにわかに華やぎ、そこに女がいた。膝前《ひざまえ》に扇子をおき、目をやや俯《ふ》せている。織部という名の、当家の女あるじであろう。気がついてみると、頭をさげていない。

（これは見当がちがう）

継之助は当惑した。継之助が武家である以上、本来ならむこうが平伏し、こちらはあいさつに応《こた》えるだけでいいのだが、むこうはあたまをさげていないのである。しかしよく考えてみると、継之助がよくない。

継之助は、越後長岡や江戸という、武家と庶人だけの地帯に住んできてこの点が鈍感になっていたが、京には公家という貴族階級がある。

実力をもたず、位階だけが高い。公卿筆頭の近衛《このえ》家でさえわずか二千八百六十石であり、九条家が二千四十三石、一条家が二千四十四石にすぎず、中程度の藩の家老の食禄《しょくろく》にもおよばない。他の公卿にいたっては百石、二百石というのが多く、そのくせ位階だけは大名をしのいでいる。徳川御三家の紀州、尾張は大納言《だいなごん》だが、京では二百石程度の公卿がかるがると大納言なのである。

この婦人は、門院の女官であったという。とすれば婦人ながらも何位かの身分であり、継之助のような無位無官の侍風情《ふぜい》は足もとにもおよばぬ。

(なるほど、京では武家がいばれぬのだ)

ここは日本の特殊地帯であることが、この瞬間、痛いほどに知らされた。継之助は座をおりねばならぬ。座ぶとんからすべり落ちなければならぬ。

(大儀なことだ)

自分の殿様でもない者のためにあたまをさげるのは業《ごう》っ腹《ぱら》であったが、しかし郷に入れば郷に従わねばならぬ。相手の位階にあたまをさげねばならぬ。

——公卿の位倒れ。

と、下世話《げせわ》にいう。この位倒れの位にあたまをさげるのが、ちかごろ西国武士の流行であり、それが勤王というらしい。北越の武士である継之助には、かれらのその意識が片腹いたい。しかしここは議論の場ではなく、とにかくも座をおりねばならぬ。なぜならば相手は継之助が上座を占領しているため部屋にも入りかねている。

「五月どの」

と、継之助は手まねきし、自分がどこにゆくべきかおしえてくれ、といった。五月は無言で右掌《みぎて》をあげ、下座をさし示した。

（ちっ）

とおもったが、座を立って下座につき、そこで上体をかたむけた。

織部というあるじは衣《きぬ》ずれの音をたてながら継之助の前をすすみ、上座についた。

五月が、継之助に対して婦人を紹介した。

「御機嫌《ごきげん》よろしゅう」

と、妙なあいさつが、この婦人の最初のことばであった。ついで、五月の災難を救ってくれたことを、

――大儀におもいます。

と、感謝してくれた。継之助はただ、

「越後長岡、牧野備前守《びぜんのかみ》家来、河井継之助と申す者」

といっただけである。そのあと、ゆっくりと顔をあげて婦人をみた。

（なんだ）

と、拍子ぬけするほど若い。小娘のように頰《ほお》の血色がよく、黒い瞳《ひとみ》が、いまに燥《はしゃ》ぎだすのではないかとおもわれるほどいきいきとかがやいている。

あいさつは、それでおわった。女あるじは裾《すそ》をひいて立ってゆく。

あと、継之助は五月をよび、

「わしも、発つぜ」

と腰をあげた。五月は激しくかぶりをふった。振ると唇がゆるみ、可愛《かわい》い顔になった。

「そのようにご無理をおっしゃってはなりませぬ」

「なぜだえ」

「あさから手先の者が、このおさと（家）のまわりをうろうろしております」

探索者は継之助がこの家に入りこんでいるとまでは気づいていまいが、探索の常識としてここを見張っているらしい。その証拠に朝から二人も、見なれぬ物売りが勝手口に入ってきているという。

「でございますから」

と、五月は掌を合わせた。おとなしくしていてくれ、というのである。

「どうすればいいのだ」

「二、三日、ご滞留ねがえませぬか。当家をたすけるとおもって」

（妙なことを言やがる）

継之助は自分の危険ぐらいはなんとか凌《しの》ぎきれるが、当家に難儀がかかるとなればどう仕様もない。

「ご病気なさったことがございますか」

と、五月は妙なことをきいた。継之助は大病をしたことはないが、ことしの二月にふともも に腫物《はれもの》ができて難渋した。

「では、腫物でもおわずらいになったとおもって御足をおとどめくださいませ」

やむをえない。

せっかく京見物にきたというのにそとにも出られず、結局書見してすごすことにした。

書物はさいわい革の文庫を三条の旅籠《はたご》からもちだしてきているから、事は欠かない。

それに、五月が京のはなしをしてくれた。御所のはなし、大獄のはなし、たとえば詩人の梁川星巌《やながわせいがん》が逮捕される前にコレラで死んだ。このため京のひとびとは、

——さすがは死（詩）に上手。

と、こみ入ったほめ方をした。そういうはなしなどを、五月は要領よく話してきかせる。継之助はこの女の聡明《そうめい》さに感心し、

（これなら、無意味に名所見物をしているより、かえってよかった）

とおもった。

「あるじどのは、どういうおひとだ」

と継之助がきくと、五月の話し方は急にあいまいになり、わたくしよりも三つお若うございます、というような、やくたいもない年齢のはなしなどをした。女あるじがどういう思想やどういう方面とつきあいが深いかなどいっさい言わない。井伊の政治弾圧下にあるだけに、用心をしているのだろう。

ただ和学に堪能《たんのう》らしい。和泉式部《いずみしきぶ》については宮廷でもこの婦人におよぶ者がないというはなしをした。

「ほかに、京でどのようなことにご関心がおありでございますか」

と、五月はきいた。御見物ができぬうめあわせに話だけでもして差しあげたいというのである。

継之助は、即座にいった。

「島原だよ」

江戸の吉原、長崎の丸山、それに京の島原は日本の三大遊郭であるという。そこに行って京おんなと寝てみたい、といった。

「……それは」

五月は、絶句した。その希望なら、話だけではどうにもならない。

夕食の膳部《ぜんぶ》は、茶室で用意されているという。あるじが、接待するという。

露地をまわって茶室に入ると、もう織部が茶の支度をして待っていた。

——今朝はあのようなことで。

と、織部がいう。彼女がいうのに、今朝はあのようなことで失礼をした、慣習上《しきたりじょう》やむをえず上座からたかだかとあいさつをしたが、わたくしの本意ではない、どうぞこの宵《よい》はおくつろぎを、という。茶室をえらんだのはここでは単に客と亭主という関係だけが通用し、階級の上下をもうけずにすむからであろう。

茶は、一服ですんだ。あとは懐石膳がはこばれ——なんと織部みずからが膳のひとつを捧《ささ》げてきた——それに酒も出た。織部が、酌《しゃく》をした。継之助は受けた。京の酒は美味であろう。

飲むと、

（なるほど）

とおもい、継之助はそれをほめた。天子もかような美酒を嗜《たしな》まれるのでありましょうなというと、

「はい、ちかごろは」

と、織部はいう。ほんの数年前までは、おすのような悪酒を召しておられた。市内の駕籠《かご》かきでもあのようなお酒はのみませぬ、と織部はいう。

宮廷は窮迫していた。家康の代にきまった皇室の御料が、三百年の物価騰貴《とうき》を無視していまなおそうであるという。このため御所出入りの商人はその値にあうだけの品物しかもちこまず、魚は腐敗寸前のものばかりであり、酒は水を入れたすのようなものであるという。当今《とうぎん》さま（孝明帝）は、酒好きにおわす。しかしうまれつきそういう酒しかご存じないためにそれをのみ召していたが、あるとき近衛どのが一献頂戴《いっこんちょうだい》したとき、そのえたいの知れぬ液体におどろき、はじめて天子の供御《くご》の酒がどういうものかを知った。

たまたま近衛家の領地は摂津伊丹《いたみ》であり、その地の銘酒「剣菱《けんびし》」が手に入る。それを供御のために献上することにしてから天子もようやく世間なみの酒を聞《きこ》し召されるようになった。

「幕府が」

と、織部がいった。京の朝廷にどういう処遇をしてきたかその一事でもおわかりでございましょう。……

「……とわたくしが申せば」

と、織部は肩をすくめた。

「ご時勢がら、幕府の密偵《みってい》の耳に入ればわたくしなども牢《ろう》に送られねばなりませぬ」

継之助は、笑わなかった。さらに問い、ちかごろは皇室や公卿《くぎょう》のお暮しはどうでありますか、というと、ちかごろは勤王論が沸騰してきてから薩摩や長州、土佐などの西国大名から献上の金穀が入るようになり、また幕府も条約の勅許をもらうためにさまざまの金品を献上するので以前ほどではないという。

「いいえ、もう、よしましょう」

と、織部がいった。そういう政治むきのはなしはしたくない、というのである。

織部も、酔ってきた。

「島原にいらっしゃりたいとか」

と、あざやかに話題を変えた。

「左様。京を肌《はだ》で知りたいとおもったが」

「でも、島原の太夫《こったい》たちには京のうまれがあまりおらず、丹波のむすめなどを京の水でみがくなどと申します」

だから、島原などで京女を知ろうとはおもうな、と織部はいうのである。

織部は、ころころとよく笑う。

(これはどうも)

と継之助が内心おどろいたのはそのことだった。まったくの小娘ではないか。この小娘が従四位であり、かつて宮廷でしかるべき地位にあった婦人とはおもえない。それも、他愛ないことに笑う。たとえば継之助の越後なまりであった。

——ならほど。

と継之助がいうたびに織部はうつむいて胸をおさえている。こみあげてくるものを堪《こら》えているらしい。

「どうも、拙者は田舎者なので」

と継之助は苦笑したが、しかしこうもおかしがられてしまうと、愉快ではなかった。

越後人はイとエの区別ができないが、江戸にいるころはそれをたれもおかしがらなかった。江戸には越後人が多いからであろう。

「わたくしは、越《こし》のおひとははじめてでございます」

と、織部は大まじめでいった。

(越の人と言やがる)

継之助は、閉口した。越の国というのは奈良朝以前の古称であろう。

上代ではいまの北陸道だけでなく、北方の日本海岸すべてを、

越

とよんだ。つまり越前（福井県）、加賀（石川県）、越中（富山県）、越後（新潟県）だけでなく、東北地方の日本海岸（出羽）をも、ばくぜんと「越」にふくめていた。国名というよりもむしろ、

——越人《こしびと》の住む地帯

ということであろう。越人とは蝦夷《えぞ》種族のことであり、皮膚の白い、目鼻だちのくっきりした、現在のアイヌ語の古代語のようなものを喋《しゃべ》っていたらしい辺境の人種のことである。余談ながらいまでも樺太《からふと》のアイヌ人は自分たちの種族のことを、クイという。ふるくはクシ、コシといっていたのであろう。

「私は蝦夷じゃありませんよ」

と、継之助は迷惑そうにいった。

「わかっています」

織部はあわててうなずいた。しかしながら和歌のほうでは越、ということばがいまなお生きている、だからつい出てしまった——という。

「それほど越後人がめずらしゅうござるか」

「それはもう」

織部は笑うまいとしているらしい。継之助は越後をイチゴというのである。それに京者にとってはたとえば京中の商人でも越後からは出かせぎに来ないため、おそらくこのひろい京でその出身者は僧侶《そうりよ》をのぞいてはほとんどいないといってもいいであろう。それに越後では高田藩、新発田《しばた》藩、長岡藩など十一の藩があるが、どの藩もこの京に藩邸をもっていないため、越後侍も京ではめったに見かけない。織部がめずらしがるのはむりもないらしい。

「雪が、多うございますか」

と、織部はたれでもがきく常識的なことをきいた。多うござる、と継之助がいうと、

「越の雪が見たい！」

と、このむすめは胸を掻《か》い抱《いだ》いた。おそらく歌の名所としてたとえば吉野の桜と同様、そういううつくしいものとして連想しているのであろう。継之助は、

――いやいや、越後では雪はもっともおそろしいものです。

という旨《むね》のことを、いくつか実例をもって話してやると織部は正直におびえた。

どうも、あどけなさすぎ、今朝のあの威厳のあるあいさつ姿とは、別人のようであった。

(可愛い女だ)

という想《おも》いが、継之助をいっそうに酔わせた。酒は佳《よ》い。おんなは美しい。このあどけなさで和泉式部の考究にかけては宮廷第一といわれているというのが信じられない。酒にせよ女にせよ、京は日本の別国であるようだった。

——木曾武者《きそむしゃ》が痴《し》れたはずだ。

とおもった。源平のむかし、木曾義仲が京を占領したとき、それに従っている未開野蛮の田舎武士たちは乱暴狼藉《ろうぜき》のかぎりをつくし、その暴状、ばかさわぎは平家物語や源平盛衰記に書かれて後世の物笑いになった。義仲に従った武士の生国でもっとも多いのは信濃と越後であり、越後人が大量に京にやってきた最初である。そして最後であった。京で乱暴をはたらいたのは信濃人よりも越後人が多かったという。七百年ちかい前の越後人の猛々《たけだけ》しさやその蒙昧《もうまい》さなど継之助は想像することもできないが、当時の京の文化がいかにすすんでいたかということは文献、歌集、物語本で容易に想像できる。義仲配下の越後人どもはこの京の文化に衝撃を受け、うけたあまり痴れてしまい、手あたりしだいに女、物品などをつかみどりにしたのであろう。かれらの物狂いが、いまの継之助にもわかる。京が、うつくしすぎるのである。

(どうも、この女がほしい)

と、継之助は木曾武者のような衝動が何度もおこったが、しかしそれに堪えた。継之助は七百年前の越後人ではない。

「和泉式部にご堪能でありますそうな」

と、現代《いま》の越後人はそんな高雅な質問を発した。女はいいえ、とかぶりをふった。ただ好きなだけでございます、という。

継之助は、この王朝華やかなりしころの女流歌人についてなにも知らない。どのような歌がありますか、もっともいいとお思いになる歌はどのような歌でありましょう、ときくと、

「わたくしだけの好みでございますよ」

と前置きし、唇をすぼめ、小さな声で一首誦《しょう》した。

暗きより
暗き道にぞ入りぬべき
はるかに照らせ
山の端《は》の月

継之助は、目をつぶってきいている。どうやら人生と仏を詠《よ》んでいるらしい。人の

生はいずこからともなく来ていずこともなく去ってゆく。「暗きより暗き道にぞ入りぬべき」とはそれであろう。その儚《はかな》い人間を救うがために仏の誓願は山の端の月のごとくはるかに照らしてほしい、ということであろう。彼女の生きた王朝風な厭世主義《ペシミズム》がほのかに匂《にお》っている。それにしても継之助の目の前にいるあどけなそうな、娘々した女官あがりの婦人がこういう厭世歌《えんせいか》を好むとはどういうことであろう。

「和泉式部とは、きまじめなお方であったのでありましょうな」

「まあ」

と、女は目をみはってみせた。とんでもない、というのである。和泉式部は、愛のままに生きた。橘道貞と結婚して子までなしながら、ある親王と通じ、その親王の死後、その弟の宮とも恋した。さらには、藤原保昌という官人の妻にもなっている。そんな業《ごう》を持った女性だけに、この歌の悲しみがわかるような気がする、と織部はいうのである。

「いったい、なぜ」

と、継之助はことばをあらため、話題をするどくした。和泉式部はなぜそのように男遍歴をしたのか、ということであった。なぜか、なぜだろう、というのは、この男の思考癖である。ちょっと幼児のようだ。

これには織部は当惑した。

「なぜ……？」

と、つぶやいた。こまるな、とおもった。そうきまじめにひらきなおられてはこまるのである。和泉式部は男が好きでたまらない、それだけのことではないか。なぜもなにもないであろう。

「なにか、やむにやまれぬわけがあったのでありましょうな」

継之助は自分のいまの遍歴におもいあわせているのである。

むろんこの男は式部について勘違いをしている。和泉式部のあの歌――暗いところから暗いところへゆく人間のはかなさをせめては照らしてくれ山の端の月――という意味の歌を、ひどく深味のある厭世哲学のあらわれかとおもい、その根源《もと》を知りたいとおもった。

が、織部はこまった。この種の厭世趣味は平安朝の貴族たちのいわば美的生活の塩味のようなものであり、それほどめくじらを立てて考えこむほどのものではない。

――式部は王朝貴族のたれもがそうであったように享楽《きょうらく》主義者でした。

という意味のことを織部はいった。現世を謳歌《おうか》し、性のたのしみを香《かぐわ》しいものとして嘆美するためには厭世主義——いのちはこの世だけのもの、楽しまばや——という、いわば慢性のやけっぱち精神がうらうちされていなければ享楽が美しさと輝きをおびて来ない、式部の場合もそういうことではなかったでしょうか、と織部は小くびをひねりながらいった。

「それに、つねにこの現世《うつしよ》の男どもに式部は不満だったのでしょう」

と、織部はいう。和泉式部という平安朝の女流歌人は男というものに大きすぎる期待と大きすぎる好奇心をもっていた。彼女は自分の想念のなかにある男をこの現世でさがそうとし、このためにつねに現実の男に失望し、つぎつぎに男を替えた。ときには同時に何人かの愛人をもった。それでもなお式部は飢餓《きが》感があったであろう、と織部は小首をかしげかしげ言うのである。

くすっ

と、継之助は笑った。このあどけなそうなむすめが、このような男女の機微をこまごまと説きはじめたことにおかしみをおぼえたのである。女はそれを見とがめた。

「なぜお笑いになります」

「あなたのその唇《くち》から、そのようになまぐさいお言葉が出るのはどうも、多少奇妙な」

「おおせられますな」

と、織部はいった。わたくしも式部とおなじでございますもの、いいえ和泉式部とおなじというよりも自分の身から和泉式部の遍歴を推しはかっているふしがございます――と大胆なことをいう。

継之助は、沈黙した。

(これは、吉原か島原の太夫《たゆう》ではないか)

そう錯覚したくなるほど目の前の織部は果汁の滴《したた》りそうな色気がにじみはじめている。

(いや、これは逆か)

ともおもう。吉原や島原の一流の太夫はじつは京の貴族女性を模倣してつくられたものであり、いま眼前にいる女性こそ、彼女ら美的好色社会の婦人たちの原型、いや本家なのではないか、とおもった。織部がいまいっていることばは、下世話《げせわ》にいってしまえば「今夜ご一緒に寝ましょう」ということであろう。

夜に入って、風が凪《な》いだ。町じゅうが麹《こうじ》の室《むろ》になったように蒸れはじめた。

「京の夏は、こうでございますよ」

と、織部は馴《な》れているのか、汗ひとつ掻いている様子もない。

(これがおんなだ)

と、継之助はおもった。女はこうでなければならぬ。長岡藩の武家のむすめのしつけは真夏に盛装しても人前で汗をかかぬ、ということを建前としている。帯を、息苦しいほどに締め、その帯の下は汗の溜《たま》りができていようとも顔はあくまでも涼しげで、一つぶの汗もかかない。よほどの汗っかきはべつとして、ふつうは気持ひとつで可能なのである。江戸では芸者でさえそれをする。女はそうあらねばならぬ。

継之助はそうおもっている。汗を掻くまいというただそれだけの緊張が全身の神経を張りつめさせ、そのふんいきをみずみずしくみせるのであろう。

(そのたしなみは、なるほど京の御所おんなからきたものか)

と、継之助は織部をみながらふと思った。なんといっても女の美しさとその工夫については千年の伝統があるのである。御所女の伝統が、あるいは武家女に普及したのかもしれない。

が、継之助はあつい。

武士はそういうたしなみから解放されているから汗をかく。

「もはや失礼をしたい」

と言い、杯を伏せ、織部にあいさつしてこの場所を出た。継之助は五月にいった。

「裏を、ちょっと拝借する」

継之助は、水をかぶりたい。酒くさい汗をながしてから就寝したい。台所の土間に降りた。その細長い土間に内井戸があり、そのつるべを手繰《たぐ》って継之助は桶《おけ》に水を汲《く》んだ。

「あ、わたくしがいたしましょう」

と、五月が降りてきた。継之助は水を満たした桶を裏庭にもち出した。

真暗である。東に星がむらがっている。塀《へい》ぎわに槙《まき》の五十年ほどの樹《き》がひっそりと植えられており、そこで継之助は水をかぶり、さらに手拭《てぬぐい》をひたして体をぬぐった。

（長岡でも、よくこうした）

継之助は、家郷をおもった。越後長岡は北の雪どころのくせに真夏の十日ほどは異常にあつく、いわゆるフェーン現象をおこしやすい。

暗い。手さぐりで桶をあつかう。そのとき台所口のほうから手燭《てしよく》の灯《ひ》がちかづいてきた。その灯とともにあたらしい水桶がはこばれた。

「やあ、済まぬ」

と、継之助は五月に礼をいった。五月は無言で手燭をかざしている。

「いや、暗くてもかまわぬ」

と継之助がふりかえると、その手燭のぬしは五月ではなく織部であった。

「これは」

継之助は恐縮し、どうぞおひきとりを、と言おうとすると、織部は唇《くち》に指をあて、

——しっ。

と、子供のようなしぐさをし、楽しげに小腰をかがめた。

「殿御のお声は禁物でございます」

とささやいた。裏塀のむこうで目明しが耳を澄ませているかもしれませぬ。御用心あれ、というのだが、どうみてもこの緊張を楽しんでいるようであった。

それよりも継之助は、わが身のはだかを照れた。褌《まわし》もぬぎすてているのである。

継之助は、寝所に入った。ついでながら武士というのは美的慣習の信奉者である。いざ変事——火事や賊の侵入のような——にそなえて真暗闇《まっくらやみ》でも行動できるよう、部屋のぐあいをしらべておく。

雨戸の固さ、押入れの広さ——それらは脱出の用心のためにしらべておく。天井のはめ板がはずれているかいないか屛風《びょうぶ》のかげにたれもいないか、などをしらべるのは

侵入者にたいする用心のためである。

両刀はまくらもとへ。

衣服、旅具も同様にそこへ置く。くらやみでもとっさに身につけられるであろう。

そこで、行燈《あんどん》を消す。寝る姿は、幼少のころから左を上にして臥《ふ》せよ、といわれている。もし賊に忍びこまれ、斬《き》りおろされたばあい、上の左腕が傷つく。しかし下にしているかんじんの右の利《き》き腕は傷つかないため格闘能力は残されている。そのための就寝姿勢である。

(妙なものだ)

と、継之助はときにこういうこまかいしつけに疑問をもつことがある。これらの習慣は遠い戦国のころの武士ならば必要であろうが、三世紀ちかく無事泰平をつづけてきた時代の武士には必要はあるまい。

が、ちかごろではこれはやはり必要だと自分の身についたしつけを是認するようになっている。なるほど具体的にはさほど必要はない。しかしこういう常住の緊張が、武士というものの精神の骨格をつくりあげ、その立居振舞をうつくしくさせ、いざの場合、いつでも即座にうつくしく死ねる覚悟をつかせてゆくのであろう。武士はうつくしくあれというのが、武士という精神像をつくりあげている基本であった。

そのようにして寝た。が、むし暑い。どうにも身の持ちようのない暑さであった。

(京の夏の夜はあついときいていたが、これほどとはおもわなんだ)

子《ね》ノ刻《こく》(十二時)にならぬと、とても眠れぬという。それにはだいぶ間がある。

そのとき、廊下を人のわたってくる足音がきこえた。

(なんだろう)

乾いた足音で、忍び音というような陰にこもった音ではない。それが、継之助のこの部屋の障子むこうでとまった。わざとその足音のぬしは大げさに障子の音をたてた。どうも、気配が陽気すぎる。

「わたくしです」

その声が、からりとしている。織部の声であった。声とともに障子がひらき、やがて身を入れ終えたらしく、鎖《と》ざされる音がした。

継之助は起きあがった。

「御用ですか」

女はすぐには答えず、身をさらさらと移動させている。やがて近づき、継之助の間近にすわったらしい。

「お伽《とぎ》を、つとめて差しあげます」

声がすこしふるえているが、しかしつとめて明るくふるまおうとしている様子が、
継之助にもかすかにわかった。

(お伽?)

継之助は、この瞬間ほど生涯《しょうがい》でおどろいたことはない。まさか、京の貴族社会の風
習ではあるまい。これはどうなっているのか。

「お返事を」

と、女は容赦もなく強要した。いいかわるいか、返答せよ、というのである。

「京のおんなと寝たい、とおおせられましたゆえ、わたくしが馳走《ちそう》します」

「馳走。……?」

継之助は寝床のうえにあぐらをかき、腕を組みながらつぶやいた。馳走とは、要す
るに自分のからだをもって客人をなぐさめようということであろう。

(聞いたこともない)

そういう話を、である。なるほどよほどの山里などにはそんな風習が残っていると
いうことはきいた。身分のある旅人がとまると娘などをさしだすという。それが日本

の古俗であるともいうし、また山里では血が濃くなりすぎているから、他の血を入れるための優生的な理由からきたものだともいう。しかしここは花の都である。

「京には、つまり」

そういう奇俗があるのでござるか、ときくと、織部は声をたてて笑いだした。

「ございませぬ」

どうも、声があかるすぎる。継之助は闇のなかで閉口し、理由をきいた。理由がわからぬと、どうにも機嫌《きげん》がわるくなってしまうたちである。

「さあ」

織部は、適当な言葉をさがしている。

「菩薩行《ぼさつぎよう》でございましょうか」

仏法に通ぜぬ継之助には、そのことばがわからず、解釈を乞《こ》うた。妙な濡《ぬ》れ場である。

菩薩とは、仏法のなかではよほど高級な衆生《しゆじよう》（大衆）のことをいう。つまり、サトリにちかい状態にあるひとをいう。仏法について智恵《ちえ》ふかく、行ふかく、いま一歩でホトケになりうる境地にあり、かつ大慈大悲という大いなる心をもち、しかも利他の行をなすひとのことをいう。織部がやや冗談まじりでいう菩薩行とは、「仏のこころをもって他人を利益《りやく》しようとする行」ということであろう。それが、自分を継之助のために提供しようということらしい。

継之助は、黙然としている。

その沈黙が、織部を当惑させた。当惑のあまり、多弁になった。

「あの、わたくしは」

と膝《ひざ》をうごかした。

「本願寺家のうまれでございます」

織部のいうには本願寺家に伝説がある。その開祖親鸞《しんらん》上人がまだ修行時代、おのれの行道をさまたげるものとして性欲のことになやみぬいた。性欲を超克する以外に成《じょう》道《どう》できぬとあれば自分はついに救われぬ。そのことにつき、六角堂に参籠《さんろう》してみずからの欲望に鞭《むち》うちつづけたところ、満願の日に夢にかがやくような女人《にょにん》が立った。自分は観世音菩薩である、とその女人はいう。そなたがどうあっても異性へのおもいが断てぬとあればいっそ自分が女人になってやろう、女人になり、そなたに抱かれてやろう、生涯、そなたに抱かれることによってそなたの成道をたすけてやろう、という意味のことを、偈《げ》(宗教詩)をもっていった。親鸞はその後僧の身ながら妻帯をし、妻帯をすることによって性欲の課題から解放された。つまり親鸞における妻——女人

というのは成道のための観世音菩薩であるという。織部はそれらのことを意味にふくめつつ自分のこの行動を、

「菩薩行」

といったのである。

継之助はあわあわとした不可思議な霧に巻かれて酩酊《めいてい》するようなおもいがした。

「おわかりくださいましたか」

と、織部は微笑をふくんだ声でいった。手のこんだ求愛であった。

継之助は、やっとうなずいた。

「つまり、添《そ》い臥《ぶ》ししてお抱き申しあげればよいのでござるな」

継之助はほっと息をついた。疲れた。

(待てよ)

この奇妙人は首をひねった。ふつうならここまで女人に迫られればそのまま抱きすくめてやればいいであろう。

が、継之助はどうやらよほどの奇妙人であるらしい。この断崖《だんがい》の、ぎりぎりの切所《せつしょ》につまさきだちつつもなお考えねばならぬ。抱くが美か、抱かぬが美か、ということ

である。そのくせ継之助の股間《こかん》は――尾籠《びろう》ながらむざんなほどに熱くなっている。

継之助は本来、女は遊女のほかには抱かぬという信条をもっている。例外はある。いわずとしれている。妻である。

しかし妻は好色の対象ではない。妻が好色の対象であっては人倫のきびしさは水に浸《つ》けた膠《にかわ》のようにほとびるであろう。好色の対象はあくまでも玄人《くろうと》でなければならぬ。

「おれは、女郎を専一にしている」

と、ここで断乎《だんこ》一声を放つべきであったが、しかし相手への多少の遠慮が、継之助を沈黙させつづけていた。

(地女《じおんな》はこまる)

と、かねがねおもっている。地女とは、継之助の当時、素人女《しろうとおんな》という意味のことばである。地女と好色の縁をむすべば、事は好色だけでなくなり、さまざまの厄介《やっかい》やさわぎがもちあがるであろう。好色はあくまでも色のみの純粋さであるべきであり、厄介やさわぎは好色の邪道であった。

(まったく、色というのは難物だな)

と、継之助はおもった。継之助はあくまで自分の行動を意思で決定してゆく教法の信徒であるのに、性欲だけはどうにもならぬ。げんに継之助のからだは継之助の意思とはなんの関係もなく喚《わめ》くがように息づき、それをどう叱《しか》りつけても鎮《しず》まりそうにない。

（滑稽《こっけい》だな）

と、われながらおもった。人間現象のなかでどうやら性欲ほど奇怪なものはない。

（孔子でさえ、どうにもならなかった）

と、ふとおもった。孔子もこの性欲という暴慢な現象についてはひどく消極的であり、手をつかねていた。男女はもう六、七歳で性欲の萌芽《めばえ》がある。だからその年齢からおなじ席にすわらせるな、まして一緒に寝かせるな、という程度のことをいったにすぎない。また孔子はいう。自分は色を好むほどに学問や道を好む者をみたことがない——と。性欲の暴慢さをみとめ、その性欲のままに行動する人間現象の猛々《たけだけ》しさにあきれ、ひたすらに目をふせ、息をひそめ、むしろ人間のそのときのすがたを恐怖した。

「どうなされました」

「ちょっと、思案を」

と、継之助はいった。声がいまいましいほどかすれていた。

「正直に言おう」

と、継之助はいった。じつは自分はこんな男だ、という右のような次第を、継之助はゆるゆると語った。ことさらに気を鎮めるためにゆるゆると語ったが、息づかいと言葉がうまく一致せず、次第に呼吸がくるしくなってきた。

（笑止なやつだ）

と、われながら、自分がおかしい。

語りおわると、織部がひとことでその問題を解決した。

「わたくしが遊女になればよいのでございましょう」

両断したような、放胆さである。

（なるほど）

小娘のような顔をしているくせに、色のことになると女とはこれほどに慧《さと》い。

雨戸を、かすかな雨が濡らしている。濡れてゆく気配が、闇のなかに満ちはじめていた。

継之助はすでにふしどのなかにいる。織部の意外にちいさな肩が、継之助の胸のなかにうずめられていた。胸のなかの肉が、嫋《たお》やぎつづけた。

継之助はすでにかれ自身が考えてきた人ではなくなっている。餓豹《がひょう》であるかもしれない証拠に、その肉をあらあらしく食いつづけた。そのこと以外になんの存念もない。

やがて時がすぎた。

継之助の意思が復活し、後悔がはじまった。後悔が、平素の継之助の柄《がら》から、別人のようにかれを凋《しぼ》ませた。

（どうにも、いかぬ）

自分が、である。相手がほんものの遊女である場合、ふしどのなかの逸楽は情事の完結であり、あとはなにごともない。あとは完全な継之助に立ちもどることができるのだが、しかしいまのばあい、この逸楽はむしろ情事や情念の出発になるであろう。

「御縁が」

と、織部は小さな声でいった。

「ございましたね」

（御縁か。――）

継之助は別な思案をしつつも、織部のことばづかいをおもしろいとおもった。なるほどこれも御縁にはちがいない。

「いつ、京へおもどりあそばす」

「京にはもどりませぬな」

「情のお剛《こわ》いこと」

と、織部は継之助の小指をさぐり出して触れた。小指の関節を、きゅっと折った。

（痛い）

と、継之助は堪えた。織部は、力まかせにその小指を折りつづけている。

「痛うございますか」

織部はいったが、継之助はだまってそれに堪えていた。痛い。しかしなんのために
この女はそのようなことをするのか。

「備中の松山へいらっしゃるのでございますね」

「行く」

「京におとどまりになればよろしいのに」

「とどまって、なにをする」

「このようなことをします」

「毎日か」

「はい、毎日毎夜」

といいながら、織部はくすくす忍び笑っている。むろん冗談なのだが――その暮しをしようにも互いの立場がゆるさぬことを百も承知でいるのだが――しかし気持だけ

は本気らしい。

「縛《くく》ってさしあげて」

と、織部はおそろしいことをいう。継之助の手足を縛りあげて昼間は押入れへ入れておき、夜だけ出してさしあげます、と言いながら声をたてずに笑い、みぞおちのあたりを痙攣《けいれん》させつづけている。

「ご飯だけは、ちゃんとさしあげますよ」

(いやなことを言やがる)

にがい顔で、継之助は小指の痛みに堪えつづけている。

「浪人するのか」

「主人が、わたくしに変るだけでございますもの。士《さむらい》のお扶持《ふち》とはつまり、士を押入れに閉じこめて御飯だけをあたえるということでございましょう?」

(それもそうだ)

さむらいの不自由さとお扶持の関係は、いかさま、虚飾をあらいおとしてしまえばそれにちがいない。

織部の痴語が、つづいている。

「継之助さま」

と、ときにあらためて呼んだ。ともすれば別な思案にふけろうとする継之助を、織部は自分のほうにひきよせておきたい。

――痛いっ。

と、継之助はそのつど、肚《はら》のなかで叫ばねばならなかった。織部の利口さは、継之助の小指の自由を奪っていることだった。かれを別な思案からひきもどそうとすれば、その小指の関節を思いきって折ってやればよい。そうされつつ、

(人間など、他愛もない)

と継之助が思わざるをえないのは、そのわずか一本の小指の痛みで、いかに深刻な、あるいは深遠な、そういう思案もけむりのように消え、全身の関心が小指にあつまってしまう。となれば、つまり小指一本でその思念が雲散霧消するとなれば人間ははたして継之助が考えるほどに高いいきものなのであるか、どうか。織部の利口さは、その小指を虜《とりこ》にしつづけていることであった。

「その小指を放せ」

と、継之助はたまりかねて低声《こごえ》で要求したが、織部はすこし破顔《わら》ったきり黙殺した。

「なんのために備中松山へいらっしゃるのでございます。山田方谷先生のもとに?」

継之助はしばらくだまっていたが、やがて、

「そう。お会いして人物を見たしかめ、たしかなるようならば入門する」

「なんの学問を」

「生きかたの学問をだ。どのようにすれば自分がこの世で奕々《えきえき》とかがやきうるか、という学問を、だ」

「立身なさろうとするのでございますか」

「ちがう」

女にはこの点、わかりにくい、と継之助はおもった。聡明《そうめい》だといわれている自分の母でさえ、こんどの遊学に反対していたそうであった。立身のためならそのような学問道楽をするよりも早く藩にもどって役職につくがよい、そのほうが栄達が早い、と母はいう。立身というだけなら母のいうことはもっともであり、少々な凡庸であっても河井家は勘定奉行までは昇れる家格なのであった。が、継之助の志はそうではない。

(人の世は、自分を表現する場なのだ)

とおもっていた。なにごとかは人それぞれで異なるとしても、自分の志、才能、願望、うらみつらみ、などといったもろもろの思いを、この世でぶちまけて表現し、燃焼しきってしまわねば怨念《おんねん》がのこる。怨念をのこして死にたくはない、という思いが、

継之助の胸中につねに青い火をはなってもえている。

「男は、たれでもそうだ」

「そうでございましょうか」

織部は、闇《やみ》のなかでくびをかしげたようであった。宮廷にいる親王、公家《くげ》、諸大夫《しょたいふ》といった男どもにそれほどの青い火があろうとはおもえない。

「いや、大なり小なり、男はそうだ。遂げようにも遂げられぬ志が、いわば怨念となって青い火をあげている。女はいかに利口でも、それを見てやろうとしない」

「女が、わるいのでございますか」

「いや、悪いというわけではなく」

そういう目を、天が女に持たせていないのであろう。もっともいちいち女が男の青い火をみとめてやるとすれば、収拾のつかぬことにもなる。男の何割かは、西行法師のごとく妻子をすてて野へ走ってしまうだろう。

備《びっ》中《ちゅう》松山

継之助は備中松山の城下に入った。

備中松山とは、いまの地名では、岡山県高梁《たかはし》市になる。この地はむかしから高梁・松山というふたつの地名をもっていた。維新まえは、城と武家屋敷町をいうときに「松山」といい、城下町をいうばあいに「高梁」といったりした。区別がややこしい。

このため明治二年、愛媛県に松山というおなじ名前の町があることでもあり、高梁に統一した。しかしながらいまでもその城のことをいうばあいは高梁城とはいわず、備中松山城という。

継之助は毎日、烈日の下をあるきつづけた。いったん山陽道の岡山へ出、そこから北へむかった。中国山脈をめざしてゆく。

「十二里はございましょう。山のなかの町でございますよ」

と、岡山の旅籠《はたご》の女郎がおしえてくれた。女郎は、偶然松山のちかくの出身で、

——それならば方谷《ほうこく》先生の名を知っているか。

ときくと、知っているという。しかし私は備中松山藩（板倉家）のご領内の出身ではございませぬ。すこし離れた在方で、他領でございます。

——もし私が、方谷先生のいらっしゃる松山にうまれていたら、このように女郎に売られずにすんだでございましょう。

といった。

「なぜだ」

「暮しむきがよいからでございます」

その備中松山藩も山田方谷が藩政をたてなおすまでは負債を山のようにかかえた藩で、領民も重税にあえぎ、藩紙幣の濫発《らんぱつ》などでくらしも極度にわるく、女郎に売られる者なども多かった。しかしいまは昔にくらべると夢のように安楽な土地になっているという。

（女郎にさえ、方谷は神のごとく畏敬《いけい》されている）

継之助はおもいつつ、高梁川に沿い、北の天をめざしてのぼってゆく。

川は、大きい。

日がかたむくころにはその川は狭くなり、流れも急になった。

途中、大雷雨に会い、濡《ぬ》れながらあるいた。水をくぐったほどに濡れそぼったが、この男のくせで走らない。しぶとく濡れてゆく。途中やっと一軒の百姓家をみつけ、軒をかりた。

「ちょっと、はだかにならせてもらう」

とことわり、下着までぬぎ、ざあっと雨水をしぼった。家の者がおどろき、火をおこしてあぶってくれた。

それが生がわきになるまで休息したが、そのあいだにこの家の亭主から藩札《はんさつ》のことをきいた。

この備中、備前《びぜん》、美作《みまさか》の三州（岡山県）は大名の数の多いところで、大は三十一万石の岡山藩から小は備中岡田一万石の伊東家にいたるまで十藩ある。どの藩も藩財政が火の車で、みな紙幣（藩札）を発行している。

「このあたりに住んでおりますと」

と、亭主がいった。それら諸藩の紙幣がみなあつまるという。ほとんどの紙幣が領民に信用されておらず、ただひとつ松山札だけが重く信用されている。

方谷がいるからであった。

あるとき方谷は五匁札《もんめ》が発行されすぎて信用度がうすいと気づき、布令《ふれ》を出して回収し、銀とひきかえ、それを領民の目の前で焼きはらってしまった。その後一時に松山札の信用があがった、という話を、亭主はした。

雨があがって、継之助はふたたび川ぞいの街道に出た。

夜になると、夜をまちかねたように右手やや前方の山林から団々たる月が昇った。十六夜《いざよい》の月である。

その月光が左手の高梁川の川瀬にかがやき、すさまじいばかりにうつくしい夜景になった。

「吉備《きび》（岡山県の古称）の月」

と、継之助はおもわず口ずさみ、この感動を歌にしようとしたが、あふれてくる涙がそれ以上のことばをうしなわせた。風景に感動したのか、それともこの夜中、なにに憑《つ》かれて見も知らぬ他郷の渓流《けいりゅう》をさかのぼってゆくのか――そういう自分の孤影にわれながらも同情し、月光のすさまじさよりも、地に落ちている自分の影に涙したのか、継之助自身にもよくわからない。

継之助の旅日記の文章をかりると、

「夜は晴れて月も冴《さ》え、左右絶壁ゆえ、前岸の山上に月照り、此方《こなた》の山のかげ、前山の半にうつる。中央《なか》に清川ながれて好風景なり」

とある。

夜八時、備中松山に入った。山峡《やまかい》の町ながら板倉家五万石の城下である。夜とはいえ、城下は盆踊りでざわめいていた。

「泊めてくれるか」

と、旅籠を一軒々々たずねたが、どのやども盆の期間中のこととて満員だった。近在の村々から城下の盆をたのしむべく泊りがけでやってくるのであろう。

「泊めてくりゃえ」

と、最後の旅籠に入ったとき、やっと、

「左様でございますな、相宿でよろしゅうございましたら」

といってくれた。

十畳の間に、他の九人と一緒に寝かされることになった。他の九人はいずれも近郷の百姓たちで、娘がふたりまじっていた。

「お武家さまはどちらから」

と富裕そうな老百姓がおずおずときいた。

「越後《えちご》」

継之助が答えてやると、はたしてみな目をみはった。

「長生きしてよかった」

と激しく昂奮《こうふん》する馬鹿《ばか》までいた。長生きのおかげで越後という遠い国の人間を見られてよかった、ということらしい。

「備中松山というところは、人情も暮しむきもおだやかな土地らしいな」

と、継之助は例によって、さまざまの評判をきくための誘い水をむけた。みなうなずき、

「方谷様のおかげでございますよ」

と、一様にいった。十年前までは暮しも悪く、盆踊りもかほどににぎやかではなかったが、方谷様が藩政の表におたちなされてからなにもかもよくなった、という。

（なるほど、聞きしにまさる評判だ）

とおもった。

ことに山田方谷が百姓の出身でありながら藩にとりたてられ、ついには藩政の実権をゆだねられた、という異数な経歴が、百姓たちに親しみをおぼえさせているのであろう。

「して、お武家さまはなんの御用で」

「その方谷先生にぜひとも会っていただき、できれば門人にしていただきたいとおも

ってやってきた」

「あ、そいつは」

と、ひとりがいった。

「ご無理かもしれませぬよ。方谷先生はめったに他藩のお人にお会いなされぬ、ということでございますから」

当夜は、そんな会話のすえ、ともあれ寝入った。


翌朝、靄《もや》である。

旅籠のそばが渓《たに》になっており、継之助は露にぬれながら降り、瀬で顔をあらった。

(あれが、松山城か)

と、川むこうの山を見あげた。みるからに坂のけわしそうな山である。

いわゆる「山城《やまじろ》」であった。この種類はめずらしい。城がけわしい山の上にあるというのは鉄砲渡来以前の常識であり、当然ながら敵をふせぐのにこれほど便利なものはない。

が、戦国後期に鉄砲が渡来して、この形式ははやらなくなった。鉄砲という、弓よりも射程のながい兵器が、山城にこもる敵を苦もなく打ちくだくようになったのである。そのころ、城は平地に降りた。

継之助らの越後長岡城は、江戸城や大坂城と同様、平坦地にあり、いわゆる「平《ひら》城《じろ》」である。山城などは数百年前にすでに流行おくれであるのに、この備中松山城は典型《モデル》のような山城である。

（古格でいいものだ）

と、継之助は見あげつつおもった。山腹に靄がうごいており、山頂の白壁に朝のひかりがきらきらと映えている。天守閣は二層で、大小三十いくつの建物がそれぞれ岩場に基礎をかまえ、たがいに連結し、その威風はいかにも武門の象徴といえるようであった。

そのあと宿を出て、武家屋敷町に入り、山田方谷の屋敷をたずねた。

「方谷先生のお屋敷は？」

と、ひとにたずねると、方谷先生はお屋敷などは持たれぬという。家老に準ずる役目である方谷が、城下に屋敷をもっていない、というのはどういうことであろう。

（これは、いよいよ師とするに足る）

と、継之助はおもった。方谷は屋敷をもつというような無用の費《つい》えをしないのである。

城下では、方谷はつねに仮のすまいであった。藩主のふるい別邸のひとすみを借りているらしい。そこへ訪ねた。

「先生は、ご不在でござる」

と、別邸番の足軽がにべもなくいった。ござらっしゃらぬ、城下にもござらっしゃらぬ、ここからずっと北の山中にいらっしゃる、という。

「どこに」

「遠い。遠いところだ」

と、足軽は不親切だった。継之助は腹をたて、

「遠い遠いといっても、おれは江戸からきたのだ。その以前は越後だ。いまさら遠いといわれておどろいていられるか」

と大声をあげた。足軽はおどろき、ここから三里むこうの渓谷に家をたて、開墾に従事していらっしゃる、といった。その場所も教えてくれた。どの土地にも大声でおどさねば神経のしゃんとせぬ人間がいるらしい。

継之助は、城下をはなれた。

(開墾か)

と、継之助はそのことをおもった。

方谷というひとはこの藩におけるこれほどの要人でありながら、その俸禄《ほうろく》は下級侍程度しか受けず、それをもって財政と制度の大改革をした。みずからむさぼらぬために、家中の不平はすくなかった。

が、方谷は藩経済をすくうために藩士に開墾させる政策をとった。そのことが、不平を買った。開墾を命じられた連中が方谷を仇《かたき》のように憎んだため、方谷みずからも開墾に従事し、その不平を封じようとしているのだという。

（いよいよおもしろい）

と、継之助はおもった。

依然、渓流がつづいている。備中松山から北へ二里、すでに山はふかい。継之助は道をゆきつつ、

（道はこれでいいのか）

と、多少まよった。ところが、道をたしかめるにも人影がなく、行きあうのは、栗《り》鼠《す》か雉《きじ》ぐらいのものである。

（たいへんなところに住んでいる）

と、歩きつつ何度も溜《た》め息《いき》が出た。藩の首相ともあろうものがいかに開墾政策をと

ったといってもみずから開墾者にならなくてもよいのにとおもうのだが、実際の事情はもっと深刻であったらしい。

方谷は、藩でも役たたずの無頼漢をえらんで開墾者に指定したらしい。自然、かれらの恨みがふかく、

――方谷を殺す。

といきまき、反感が充満した。方谷の諸種の改革政策のなかでこの政策がもっとも大きい抵抗をうけた。方谷ほどの大功労者もこのため一時職を辞し、みずから開墾者になって山中にかくれざるをえなくなったというのだが、大変なことであったであろう。

(本当なら、殺されているところだ)

と、継之助はおもった。改革者というものは多くは美名が残らない。むしろ悪名が残る。

(古来、そうである)

というのが、継之助のかねての感想であった。元禄のころから、どの藩も財政にゆきづまった。当然なことであった。藩というのは藩士の俸禄を石高で勘定するように米穀中心のふるめかしい経済が土台になっているが、しかし一方で貨幣中心の資本主

義が大いに興り、町人階級が富のもちぬしとして出現した。どの藩もこの矛盾になやみ、改革しようとした。

改革は、たいてい冗費をきりつめ、極度に倹約をするという政策であった。あわせて藩みずからが町人のように産業をおこし、商売をする。これしかなかったが、ところがこの産業主義や商業主義を推進するには、それだけの才能のもちぬしを必要とした。その才能は多くは下級藩士のなかにいた。そういう財政家を大いに抜擢《ばってき》し、藩の重役にする。

藩士にとっては、ただされ、

——成りあがり者め。

ということで、その存在が腹だたしい。

ところが財政家たちは、財政という性質上富商を屋敷に出入りさせねばならず、かれらと接近すればよほど気をつかっていてもついつい賄賂《まいない》を受ける。暮しもやがてはぜいたくになり、改革の窮屈面であえいでいる他の藩士から白眼をもってみられるようになる。結局は、

——お家の大悪人。

ということで、素朴《そぼく》で単純な頭脳のいわゆる「忠臣」から天誅《てんちゅう》の刃《やいば》をうけるにいた

る。古来多くの改革者はこの運命をたどり、死後も「悪人」として汚名をのこした。

(方谷は、それを知っているのだ)

と、継之助はおもわざるをえない。知っていればこそ方谷は藩士の平均石高よりもひくい俸禄にあまんじつづけ、知っていればこそ政策者としては無用の、みずから鍬《くわ》をもつ開墾者になって反対世論をかわそうとしているのであろう。

(その細心さ)

智恵《ちえ》のふかさ、おどろくべき人物であるといえるであろう。もっとも継之助の好みとしては細心すぎ、智恵が細い根のようにゆきとどきすぎ、このため人物が小さく見えるかのごとくでもある。

継之助が山田方谷の開墾屋敷をたずねたのは、午前九時すぎであったろう。

——まるで箱の底だ。

とおもったほど、まわりを山でとりかこまれた谷間の底にあった。その谷の最も深い底を、渓流が音をたてて流れている。

あたりに、方谷屋敷のほか人家らしいものはなく、要するに古来、人間が住んだことのない土地である。

（こんな谷間を、開墾できるのか）

無茶だとおもった。狭い河原のほかは平地というものがないのである。

（すこし、無茶だな）

おかしかった。方谷は開墾政策で家中の人気が悪化し、居たたまれなくなってみずからをこんなところに流刑《るけい》に処したとしか思えない。真相は自分を隔離することによって悪評の冷めるのを待っているのではあるまいか。

現在《いま》は、この山中を伯備《はくび》線が通っている。伯備線は昭和三年に開通したが、開通して半世紀ちかくなるのにいまなおこの付近には人家はなく――つまり人間の居住に適せず、まわりの景色は継之助が訪ねたときとほぼかわらない。

ただ、駅舎がある。

駅舎は、方谷の開墾屋敷の敷地に立っている。

「めずらしい駅でございますよ」

と、筆者が訪ねたとき、駅長さんがストーブのそばで語ってくれた。

「駅のそばに村がありません。こんな駅は全国でもまれだとおもいます」

人間の集落というのはここから奥へ六キロの山中にある中井までゆかねばないという。あとは狐《きつね》か狸《たぬき》でも住んでいるのであろう。ところが朝夕の乗降客はわりあいに多い。それぞれ奥地から出てきて、この無村駅（といっても駅前に自転車をあずかってくれるような店が十二軒あるが）にあつまるのである。

「なぜ、駅ができたのですか」

「地元の請願の結果でございますよ」

この駅が、いわばこの付近の山家や山村の玄関になるのであろう。

——玄関口に村がなくても玄関は玄関です。駅ができればどれだけ山里が文明の利に浴しますか。

というのが、請願の理由であった。

駅名を、

「伯備線方谷駅」

という。いかに方谷がここに居たからといって人名を駅名にする例はない。日本ではここだけであるという。この駅名も、地元の請願であった。鉄道省は当然反対した。

——人名は駅名にならない。

というのが、その理由であった。しかし地元は大いに運動した。山田方谷という学者がいかに偉大であったかということを説いたが鉄道省ではその名を知らなかった。

地元では、

――三島中洲《ちゅうしゅう》という名をもち出した。この人物はすでに大正八年、九十歳で死亡していたが、盛名は昭和に入っても全国に知られていた。維新後の漢学界の巨星であり、大正天皇の侍講であり、宮中顧問官であった。

――その中洲先生の先生が、山田方谷先生であります。

という説明で鉄道省も了解し、了解したが、先例は曲げられず「方谷は人名ではなく地名である」として命名された。

「谷間の駅でございますからね。太陽はわずかな時間昇っているだけでございます。冬は十時に陽《ひ》が出て、二時すぎにはもう沈みます」

と駅長さんが言うような、そういう土地に方谷は住んでいた。

継之助がその門前に立った時刻、山田方谷は裏の畑にいた。畑は山の斜面にあるために、下のほうの門前の継之助の視点からその様子がみえる。

(小さな人だな)

という印象が、まずうかんだ。手足がこまごまとうごいていた。豆の世話でもしているのだろうか。

一方、方谷のほうは若い門人の取次ぎで継之助の来訪を知った。

越後長岡藩　河井継之助

と、紙片に名が書かれている。巧《うま》くはないが、力のこもった墨蹟《ぼくせき》である。

「どういう御用だ」

「御門人のはしにお加えくださいますよう、と申しております」

「それはだめだ」

方谷は、わずらわしかった。他藩の者を指導するどころか、いまは松山藩の建てなおしで手いっぱいであり、さしあたってはこのあたりの傾斜地を切りひらいてそれを畑にしなければならない。しかも三日に一度は松山へ出て藩政を見る、といった生活なのである。

「ことわれ」

方谷は気むずかしい男ではないが、しかしこの忙しい生活ではどうにもならなかった。

「しかしわざわざ越後から」

「それは先方の事情だ。かれの事情にわしがあわさねばならぬことはない」

「が、学問を」

「左様、学問ならわしにまなばなくとも、どこにでも師は居る」

「ここに師名を書きつけてありますが」

と、若い門人は別の紙片をとりだし、方谷にみせた。斎藤拙堂、古賀謹一郎、それに佐久間象山、といった名がある。しかし方谷はべつに興をおこさなかった。

「私の申すとおりにしなさい」

「お言葉でございますが、ちょっとひきあげそうにない骨柄《こつがら》でございます」

「通せ」

方谷は、じきじき断わってやろうと思い、手をあらい、紋服に着かえた。袴《はかま》はつけない。

座敷に出ると、すでに継之助が岩をすえたようにすわっている。鄭重《ていちょう》にあいさつした。

「越後長岡の河井継之助でございます」

（ああ）

と、方谷がおもったのは、その声の響きであった。夜陰、渓谷《けいこく》にいて深い滝の音をきくような、なにかそういう体《てい》の奥ふかいところから出ているようにおもわれた。

（この男、人として本物だな）

滲《にじ》んでいるなにかが、それを思わせた。眼《め》が冴《さ》えざえとしているのがこの顔の特徴だが、しかしつとめて鋭さを内へ蔵し、瞼《まぶた》がゆるやかに上下している。死ね、と天が命ずれば、そのまま瞼を閉じるだけでこの場で死ねるような、そういう覚悟ができているような人物におもわれた。しかしながら方谷は物憂《ものう》かった。

「お気の毒ですが、私にはひまがない。とても講学はできませぬ」

「心得ております」

継之助は、ふかくうなずいた。

「私は先生から経書（儒学の原典）の講義を拝聴しに参ったのではございませぬ」

「では、なにをしに」

「先生の日常になさることを学びたくて参ったのでございます」

方谷は、継之助に魅力を感じてしまった。しばらく考えていたが、「では二、三日、松山の旅籠《はたご》で返事を待ってくれ」と、自分でも予期しなかった返答をした。

継之助はその日はこの谷間の開墾屋敷に泊めてもらい、翌朝、いったん松山城下にひきあげた。

「花屋に宿をとる」

と、継之助はその旅日記「塵壺《ちりつぼ》」にかいている。花屋とは旅籠の名で、風変りなことに、武士以外に人を泊めない。

同宿者が、ひとりいた。会津藩士土屋鉄之助であった。

小柄な男で、人なつっこい。

「よきひとを知り申した」

と無邪気によろこび、酒を運ばせ、継之助にはしきりとすすめるが、自分はほとんど飲まない。

「下戸《げこ》でござるか」

継之助が不審《いぶか》しがると、

「うにゃ、うにゃ」

と、かぶりをふった。そうであろう、鼻さきが赤く、いかにも酒が好きそうであった。しかしきょうは飲みませぬ、つつしみまする、という。

土屋鉄之助は、はなしのあいまあいまに手帳をとりだし、継之助の言ったことなどをしきりと書きこんでいる。横浜のはなし、東海道の様子、京での感想など、

――なるほど、なるほど。

といちいち感心しながら、いそがしくメモをとってゆく。

べつに奇人でもない。

この当時、志をもつ者はしきりと諸国を歩いた。ペリーの来航以来、対外緊張が、日本人にはじめて日本とはなにかということを考えさせた。このため志をもつひとびとの遊歴がはじまった。諸国ですぐれた者に会ってその意見をききまわることであり、同時に諸藩の実情をみて日本の現実をつかみとろうとすることであった。

(このひとも、その一人なのだ)

と、継之助はおもった。時代は、たぎっている。幾千人の土屋鉄之助と同類の者が、いまも刻々諸国を歩いているであろう。そのうち革命的熱気を帯びた者は、旅のなかでたがいに同志を得つつ、後日の蹶起《けっき》のためのつながりの糸を結びつつあるであろう。

夕刻、妙な武士が入ってきた。

「ご酒興のところを、お邪魔つかまつる。拙者は」

と、廊下で膝《ひざ》をつき、朗々と自己紹介をはじめた。

「信州松代《まつしろ》藩士稲葉隼人《はやと》と申すものでござるが、ご座談のお席にお加えねがえませぬか」

「どうぞ」

会津人は愛想がいい。わざわざ立って信州人のためにざぶとんを持ってきた。

たがいに自己紹介を終え、三人がたがいに知った諸国の情勢ばなしを交換しはじめた。

（妙なやつだ）

と、継之助はこの新入りの信州人には多少迷惑した。信州松代藩といえば一藩こぞって読書欲がさかんで、その藩士教育の水準のたかさは、すでに定評がある。しかしこの稲葉隼人だけは例外なのか、やたらと声のみが大きくて言うことがいちいちくだらない。

「ご遊歴の目的は」

ときくと、なんと法螺貝《ほらがい》の勝負だというのである。法螺貝は、陣貝ともいう。古来、戦陣で用い、士気を鼓舞したり、進退の合図に用いたりする。稲葉がいうには、

「国難到来のおりから、諸藩をめぐって法螺貝を吹きくらべ、そのわざをたがいにきそい、それによって洋夷《ようい》どもを撃ちはらう」ということであった。この男は継之助の前で法螺貝を一声、吹きあげてみせた。

「とるに足らざる者」

と、継之助はその日記に書いた。

暑い日が、つづいている。

この間、いますこし待つように。

——入門のこと、

と、山田方谷から何度か使いがきた。方谷が城下に出てきたときは、すぐよばれて話もきいた。が、入門の許可が降りない。

「藩庁に願いは出してあるのだが」

と、方谷はつねに言う。しかし許可が降りないのさ、というのである。藩の政務長官である方谷の願いだからすぐにゆるされそうなものだが、どうしたことであろう。

(おれを観察しているのだ)

と、継之助はおもった。他藩の者であるため、一応も二応も、藩庁では疑う。間諜《かんちょう》ではないか、ということをである。

許可がおりたのは、この城下に入って十数日経《た》ってからであった。その間の旅籠代も、ばかにならない。

「よう辛抱なされた」

と、方谷もほめてくれた。

継之助は城下の旅籠「花屋」をひきはらって二里むこうの方谷の開墾屋敷にひき移

った。

入門料、授業料といったものは、わずかなものであった。

「松魚料百疋《かつおぶしりようびき》」

というのが、束脩《そくしゆう》（入門料）である。一疋が銅銭二十五文だから、たかが知れている。それに方谷の家人への手みやげとして菓子折りを買って行った。それだけであった。

「学問の講義は要りませぬ」

と最初に継之助のほうからことわってあったから、先生と起居を共にするだけのことである。夜分など、方谷にひまがあると雑談をしてくれる。その雑談が、継之助にとって宝石のように貴重であった。

継之助のこの開墾屋敷での在学期間は、一ト月半でしかない。

その間の方谷の雑談は、たとえば、

「古来、英雄は自立した」

と、方谷はいう。しかしながらいまは封建の世であり、上に将軍、大名がいる。英雄の資質をもっていても自立はできない。

「な、河井。そうであろう」

と、方谷は念を押した。方谷は継之助の性格がきわめて独立自尊の気概に富んでいることを見ぬいての上であろう。

「それゆえ、いまの世では英雄は人に使われなければならぬ。いまの世で人に使われることが出来ぬ人間は、大した男ではない」

「されば、佐久間象山はいかがです」

と、継之助はきいた。象山は信州松代藩真田《さなだ》家の家来である。しかしながら象山は自分の才を恃《たの》み、藩の重臣たちを軽侮し、かれらとことごとくそりがあわず、その活動はむしろ藩外が中心になっている。

「佐久間の才は、百年か千年に一人、出るか出ぬかという巨才だ。しかし性格が驕慢《きようまん》で鼻もちならぬ。人はその才を怖《おそ》れるが、その人物を蛇蝎《だかつ》のようにきらう。これではせっかくの才が、世に行われようもない。封建の世を動かそうとすれば人に使われねばならず、人に使われるためには、温良で謙虚であらねばならぬ」

——河井、心せよ。

と、方谷は継之助の人柄をみて、わざわざ佐久間象山を悪例としてひきあいに出したのであろう。

やがて、九月の半ばになった。

日中は、方谷は鍬《くわ》をふるって開墾していた。他の内弟子たちもそれを手伝っている。が、継之助は手伝わない。

(ばかなことをする)

と、むしろ方谷のその点を軽蔑《けいべつ》していた。

——百姓のまねをしても何になるか。

という肚《はら》だった。

「河井さんは、なぜ鍬をとりませぬ」

と、若い内弟子が、詰《なじ》るようにいったことがある。継之助は言下に、

「厭《いや》だからだ」

と、そういった。

「なぜです」

「きらい好きに、理由はなかろう」

「はて、そのようなものでしょうか。天下第一の学者といわれている方谷先生でさえ、率先して鍬をとっておられます。越後の河井どのだけが、日中、書見ばかりしていることはありますまい」

「私はな」

と、継之助は苦い顔でいった。

——侍の表芸である剣術、槍術《そうじゅつ》、馬術でさえ、いちいち他人から教わるのがいやで身を入れなかった男だ。ちまちまとわが筋肉を動かしてはねまわるのがどうにもきらいなたちにできている。そんな私が——という。

「いまさら百姓のまねができるか」

「なるほど」

といわざるを得ぬほど強引な意見である。しかし——と若い内弟子は反論した。

「おのれの好むところのみをおこない、好まざるところを行わず、ひたすらに避ける、という河井氏の態度や生き方はどうでありましょう」

「人の一生はみじかいのだ。おのれの好まざることを我慢して下手に地を這《は》いずりまわるよりも、おのれの好むところを磨《みが》き、のばす、そのことのほうがはるかに大事だ」

「怠け者の耳に入りやすいお言葉ですな。それでは、良薬ハ口ニニガシ、とか、艱難《かんなん》ナンジヲ玉ニス、という諺《ことわざ》はどうなります」

「貴公は、諺で生きているのか」

と、継之助はふしぎそうに相手の顔をながめた。そういう人間の単純さのほうに興味をもったらしい。

「いくつくらいの諺を、頭にのせて生きている。二十ほどか。それとも百もあれば安心するのか」

「ばかな」

相手は怒りだした。しかし継之助はしゃらりとした顔で、

「諺なんざ、死物だぜ。世界中の諺を万とあつめたところで、どうにもならぬ」

「話は百姓仕事のことです。諺のことではありませぬ。なぜ先生の開墾を手伝われませぬ。それでは方谷先生を愚弄《ぐろう》していることになる。――いったい」

と、若い内弟子はひらきなおった。

「河井氏は方谷先生を尊敬なさっているのでありますか」

「あたりまえだ。尊敬もせずにはるばる越後から来れるか。しかしながら尊敬するのあまり、おれのきらいな百姓仕事まで手伝うとなれば、これはおべっかさ。尊敬はあくまで醇乎《じゅんこ》たるべきものであり、おべっかがまじっては相成らぬ」

――変なやつだ。

というのが、この開墾屋敷の内弟子たちのなかでの評判であった。

しかし方谷だけはなにもいわない。その方谷がある日、百姓姿のまま継之助の背後に立った。

継之助は書見をしている。

「なにをお読みだ」

と、方谷はおだやかにきいた。継之助は机を押しやり、師のほうにむかって膝をただした。

「これでございます」

と、その書をさしだした。方谷はそれをとり、膝の上に置き、最初の頁《ページ》からよみはじめた。

「…………」

方谷は読みつづけている。ざっと二時間ばかり、方谷は無言をつづけて読み、読みおえると小首をかしげた。

(この男、よほど珍物だな)

と、深刻な問題として考えた。この書物は、

「陸宣公奏議集」

というものであった。

陸宣公とは、唐の衰亡時代に出た名臣で、その生涯《しょうがい》は数奇であった。

大唐皇帝九代の徳宗（七四二—八〇五年）につかえた。徳宗のころ、唐の国勢は大いに傾き、天下はみだれにみだれた。辺境に派遣している武将どもがみな自立同然のかたちをとり、その軍事力にものをいわせて帝室を圧迫した。帝室では宦官《かんがん》が勢力をもち、皇帝の権威が地におちた。

（当節に似ている）

と、方谷もおもわざるをえない。幕権がおとろえ、薩摩《さつま》、長州といった強大な外様《とざま》藩が自立のいきおいを示しはじめ、将軍をかろんじ、幕命をきかない。唐の末期に似ている。

この徳宗皇帝は、その不幸な時代にうまれながら懸命に世をたてなおそうとした。まず税制を改革した。中国史上における最大の税制改革であったといえるであろう。

ついで、辺境の武官どもが、自分の権力を勝手に世襲して一種の「藩」のごとき勢力をなしているのを潰《つぶ》そうとし、その武職を帝室に返還させようとした。多くの武官どもはこれに反対し、反乱をおこした。徳宗はそれを討伐した。

が、あるとき大いに破れ、ついに帝都長安をすてて諸方に逃げた。この前後の徳宗を輔《たす》けつづけたのが、首相の陸宣公であった。

この書は、奏議集である。陸宣公が、その政策などについて徳宗の裁可をあおぐために書いた「奏議文」をあつめたもので、その政策がよくわかる。だけでなく、その名文を通して政策者である陸宣公の感情までよくわかるのである。

——陸宣公の文章を読んで泣かぬ者は人ではない。

と、一部の学者からいわれていた。乱世のなかで孤忠を全うする者の悲愴《ひそう》さが波うつがごとくその文章に出ているからであろう。

「貴公は、いつからこれを読んでいる」

「二年ばかり前からです」

(よほど気に入っているのだ)

と、方谷はおもった。

「似ている」

方谷は、つぶやいた。方谷が想像している陸宣公の風姿と、この越後長岡藩河井継之助のそれとが、である。

「もし貴公が、この唐の徳宗の世にうまれていたとすれば、どうなさるか」

「陸宣公たるべく努めるでしょう」

「なるほど」

方谷は、貌《かお》をひきしめた。陸宣公への道は多難であり、悲壮であり、しかも痛烈な美に満ちている。継之助はその悲壮美の行者たろうとしているのであろう。

継之助が備中松山を去った日は、山峡《やまかい》は煙雨でけむっていた。笠《かさ》をかたむけ、高梁川を南下した。遠く長崎をめざしている。

「長崎へ参りとうございます」

と師の方谷にいったとき、方谷は鉢《はち》のひらいた頭を、無言でうなずかせた。

(とめても仕方がない)

という思いが、方谷にはあった。継之助は人の意見ではなく、おのれの意見で、それも一分のすきもなくおのれ自身の規定によって生きてゆこうとするのであろう。

方谷は継之助が去ったあと、

「大変な男を弟子にもってしまった」

と、驚きと不安さをこめて、他の門人に洩《も》らした。大変な、という言葉はどういう意味なのか、それについては方谷は口をつぐみ、説明しなかった。

継之助が長崎に入ったのは、十月五日であった。この開港場に十四日間滞留している。

——世界の動向を察したい。

というのが、その目的であった。単に見聞をひろめるというのではなく、その見聞のなかから長岡藩の今後のゆきかたを決めてゆきたい、ということであった。

「すると、貴殿は長岡藩のご家老か」

と、継之助にたずねたのは、長崎繋留《けいりゅう》中の幕府軍艦観光丸の艦長矢田堀《やたぼり》景蔵であった。

矢田堀は、のち讃岐守《さぬきのかみ》に任官した。素姓は、幕府の関東代官の弟で、幕臣の矢田堀家を継いでいる。維新後は鴻《こう》といった。

学歴は、幕府の昌平黌《しょうへいこう》の出身で、修業後洋式海軍を学んだ。とくに算数に秀《ひい》で、測量の権威でもあり、幕府海軍としては勝海舟と同期であった。勝はのちに政論家として知られるが、矢田堀はあくまでも海軍技術の世界に終始したため、世間での名声はあまり顕《あら》われていない。

継之助は、

——長崎での案内者は矢田堀だ。

と、最初からきめてかかっていた。横浜での案内者が福地源一郎（桜痴）であったように、未知の世界への案内者はつねに一流の人物をえらばねばならぬと継之助はおもっている。

このため、まっすぐに矢田堀を訪ねた。矢田堀の官舎は、長崎の西役所のなかにあり、

——越後長岡藩　河井継之助

という名札をみてすぐ会ってくれた。継之助という名は、継之助の江戸での師匠の古賀謹一郎を通して記憶していた。

「いや、家老ではござらぬ」

と、継之助はいった。

（家老でもないのに）

と、矢田堀は不審であった。家老でもないのにわが藩の指針をきめるために長崎をみにきた、というのはどういうことであろう。

「いやさ」

継之助は軽くいった。

「将来、拙者が家老になりましょう。藩にはそれほどの人物が、不幸にもおりませ

ぬ」

「ははあ」

矢田堀は、毒気を抜かれた。継之助のいうところでは、将来結局自分が藩の運命をになわされざるをえないから、そのときこまらぬようにいま自分自身を育てている、この遊歴も、このたび長崎にきたのも、それが目的でござる、というのである。

「どこを、ご覧になりたい」

「一つは軍艦を拝見したい。いまひとつは、洋人の屋敷を訪ねたい。そのふたつでござる」

矢田堀は、承知した。

長崎では、二軒の旅籠《はたご》にとまった。

最初の旅籠は銀屋町の万屋《よろずや》であり、つぎは西浜町――回船問屋の多い――の山下屋であった。

――藩邸があればよいのだが。

と、継之助は何度もおもった。藩邸があれば、そのお長屋にでもとまる。泊らなくても、駐在役人に長崎事情をきける。

さらに、

（おれの藩は、長崎に藩邸をもたぬ）

ということは、重大な問題であった。西国の雄藩のほとんどが、この開港場に藩邸——藩の貿易出張所をもっているのである。

薩摩藩や肥前《ひぜん》佐賀藩などは、浜ぎわに堂々となまこ塀《べい》をめぐらした藩邸をもっていた。かれらはここを根城に、外国の人々と直接貿易をやっているのにちがいない。

（西国の雄藩に金があるはずだ）

とおもった。土佐藩のごときは藩邸こそもたなかったが、藩出身の長崎商人ととくべつな関係をもち、藩邸同様の機能をはたさせている。

が、東日本の諸藩はもっていない。信越、関東、奥州《おうしゅう》の諸藩は、長崎という世界への窓とはまったく没交渉であった。

（これは、立ち遅れる）

という恐怖が、継之助の心臓を凍らせた。将来、幕威がおとろえ、諸藩が戦国の群雄割拠のようにそれぞれ独立した場合、西日本の雄藩は、兵器などの物質的威力によって東日本の諸藩を圧倒するであろう。

（それに。——）

と、継之助はおもった。将来、幕府を倒す者は西国の雄藩であるとすれば(世間ではたれもがそうささやいている)、これは可能にちがいない。かれらはこの長崎からたっぷりと養分を吸いあげ、いずれはまるまると肥えふとるであろう。

(東日本諸藩は、ねむっている)

地の利のわるさであった。日本列島という縦に細長い列島が、長崎という最西端において玄関をもっているというのは、東方の藩にとってはどうにもならぬほどの不利である。

(おれたちは、横浜だな)

と、継之助はあらためて横浜の価値というものを長崎にきて気づかされた。あの開港早々の条約港を東方の諸藩が大いに利用しなければ、ついには西方に圧倒されるにちがいない。

(しかし、東方の諸藩はそれに気づいていない。みな、固陋《ころう》な攘夷《じょうい》思想のかさぶたのなかで息をひそめている)

なるほど西方の諸藩は尊王攘夷の声をたけだけしく叫んでいる。しかし薩摩藩の例をみても、かれらは口に攘夷を叫びながら、ひそかに長崎で貿易をしているではないか。

横浜

と、継之助は毎日長崎の港や町をあるきながら、恋人を想《おも》うがようにあの出来あがったばかりの開港場をおもった。

継之助は、幕府軍艦観光丸の艦長矢田堀景蔵の好意で、このオランダ製の蒸気軍艦の内部を見学させてもらった。

すべてが、洋式であった。

最後に艦長室におちついたとき、

「いま日本は攘夷さわぎの渦中《かちゅう》にあるが、しかし十年後にはすべてが洋式になる。それが、文明（ということばは使わなかったが）の勢いというものだ。勢いというものは山から落ちる水のごとく、なにものにも阻《はば》まれぬ」

という、有名な予言をした。

艦長の矢田堀はふかくうなずいたが、この西洋通の幕臣でさえ、そうは簡単なものとは思えなかった。しかし九年後に明治維新が成立した。

長崎滞在中の十月七日、継之助はオランダ商館をたずねた。

矢田堀がつけてくれた通訳（通辞）をつれている。通訳は金倉某といい、まだ若い。

「なにがお目的《めあて》です」

と、通訳はあらかじめそうきいた。頭のいい男だった。

「いやいや、ただオランダ人を見るだけで結構です。見て、なにかを感じたい」

「要するに見るだけでいいのですね」

「しかし人間を見物するわけにもゆくまい。多少の話もせずばなるまい。貴殿がご懇意のオランダ人なら、いっそう好都合です」

「懇意なのがいます」

通訳のこの若者は、長崎通辞という幕府役人になるために語学修業中の男で、ことばの修業のために特定のオランダ人と交際している。

「なんという名です」

と継之助はきいた。通訳はナニナニと答えてくれたが、継之助にはその名が記憶できなかった。

その商館は、大浦海岸にある。商館のむこうに、各国の船舶が碇泊《ていはく》していた。継之助が勘定すると、
西洋船　　十六、七隻《せき》

シナ船　　　　　　　三隻
朝鮮船（漂流の小舟）　一隻
ほかに、幕府軍艦観光丸、咸臨《かんりん》丸、それに水戸藩がつくった国産の洋式帆船もうかんでいた。見様見まねの出来そこないのために、世間では厄介《やっかい》丸とあだなされていた。

蘭館《らんかん》にゆき、応接室に通された。ほどなく主人があらわれた。まだ二十五、六という若さで、継之助はまずその若さにおどろいた。横浜のスイス人も若かったが、このほうがいま一段と若い。

「こちらは」

と、通訳は継之助を紹介した。日本国エチゴの小さな藩国の侍で、いずれは首相になる男だ、とたいそうな法螺《ほら》をふいた。

相対座している。

継之助はしばらく沈黙していたが、あまりだまっているのも失礼かと思い、

「あなたは、たいそう美である」

と、ほめた。

正直なところであった。この日の日記にも継之助は、「美男子なり。予、はなはだ美なりとほめたり」と書いている。

さらに継之助は、

「ゆで卵を剝《む》いたようだ」

といった。通訳はこまってそれを伝えず、先方は意味もなく笑った。

やがて先方は葡萄酒《ぶどうしゅ》を出してくれた。継之助は二杯のみ、

(あまりうまいものではない)

とおもった。巻煙草《まきたばこ》も出してくれた。継之助はわずかに知っているオランダ語で、

「イキテペイ(ありがとう)」

といった。通訳は「ちょっとちがう。イキテペイレーゲンというべきです」と訂正した。

卓子《テーブル》の上には、日本の煙草盆も用意されていた。オランダ人は気をきかし、

「このほうがいいのではありませんか」

と、すすめた。継之助はかぶりをふり、

「夜、丸山の女郎を買うつもりだから」

と、妙なことわり方をした。通訳がそれを伝えると、オランダ人は理解に苦しんだ。

通訳はやむなく説明した。

「この男は女郎買いがすきで」

女郎を買うと、女郎がキセルに火をつけてくれる。その予定があるから、いま喫《の》まない、いまは巻煙草をのむ――という旨《むね》のことを、ながながと説明した。

会見は、それだけでおわった。


このあたりで、河井継之助についての前半部をおわらねばならない。前半は、何事もなかった。後半、この人物はその性格と思想どおりみずから進んで嶮峻《けんしゅん》によじのぼり、わざわざ風雲をよび、このため天地が晦冥《かいめい》するほどの波瀾《はらん》をよぶのだが、しかしその根はすべて前半にある。このため、なだらかで物語的起伏のすくない前半の風景のなかを、筆者は読者とともに歩かざるをえなかった。


継之助は九州遊歴後、ふたたび備中松山の山田方谷のもとにもどった。

この年いっぱい方谷の塾《じゅく》で起居し、翌万延《まんえん》元年の正月、方谷のもとを辞することになった。

「いったん江戸に帰り、しかるのちに帰藩します」

と、数日前、方谷にいった。この年は例年よりも寒く、中国山脈は盆地も峰々も、満目の雪景色であった。

「そうか、やはり発《た》つのかえ」

と、方谷はさすがに別れを惜しみ、毎朝、継之助の顔をみてはつぶやいた。涙をにじませていた。

「何もしてやれなかったが、すこしはわしから得るところがあったか」

と、最後の夜に方谷がいうと、継之助は生涯《しょうがい》でもっとも充実した日々でございました、と答えた。世辞ではなかった。

が、方谷はむろん世辞だとおもった。方谷は忙しくて継之助の読書の相手にさえなったことがないのである。

ただ、継之助は観察した。ひたすらに方谷を観察しつづけた。その観察が充実しきったものであった、と継之助はいったのである。

ちなみに、後年のはなしになる。

方谷が公用で江戸へ出てきたとき、継之助の義兄にあたる梛野《なぎの》嘉兵衛が、

「義弟がお世話になりましたので、御恩を謝しとうございます」

と方谷に使いを出し、方谷を柳橋の酒楼に招待した。

そのとき、梛野は継之助からきいていた備中松山藩の改革政治について話題を出した。

方谷は、おどろいた。

「左様なことを、河井に話したことがない」

しかも、いちいち事実のとおりだし、事実理解がいちいち核心をついていた。じつをいえば継之助が方谷の塾にいたころ、方谷はなにぶんこの門人が他藩の者でもあり、機密にわたることはいっさい言わなかったのである。方谷は何度も驚きの声をあげ、

「河井の才ですねえ、河井の才ですねえ」

と、そのとおりの言葉をくりかえしくりかえし言った。この嘆声は、棚野嘉兵衛が維新後、死ぬまでのあいだ、事にふれてはひとびとに伝えた。

また方谷は、のち、ひとに語った。

「どうも河井は豪《えら》すぎる。豪すぎるくせにあのような越後のちっぽけな藩にうまれた。その豪すぎることが、河井にとり、また長岡藩にとり、はたして幸福な結果をよぶか、不幸をよぶか」

別れる朝、継之助は門を辞し、丸木の橋を渡って対岸の街道へ出た。

方谷は門前で見送っていた。

継之助は路上に土下座した。土下座し、高梁川の急流をへだてて師匠の小さな姿をふしおがんだ。この諸事、人を容易に尊敬することのない男が、いかに師匠とはいえ

土下座したのは生涯で最初で最後であろう。

庭前の松

江戸にもどった継之助は、すぐには越後《えちご》にもどらず、すこし江戸であそぼうとおもった。

古賀塾《じゅく》に、もどった。

「よく出たり入ったりするな」

と、師匠の古賀謹一郎は苦笑した。

もっともよろこんだのは、鈴木佐吉であった。半年あまりですっかり大人びて、月代《さか》《やき》もひろびろと剃《そ》ってしまっている。

寮の二階の部屋に落ちついた継之助を、佐吉はまっさきに訪ねてきて、再会のよろこびをのべた。継之助も、よろこんだ。

「すっかり大人びたな」

「なぜ、この久敬舎（古賀塾）にお帰りになったのですか」

「理由か」

帰り新参の理由である。理由のすきな継之助はしばらく考えていたが、

「ひとつには、女だな」

といった。佐吉はおどろいた。古賀塾には女はいない。

「吉原・稲本楼の小稲さ。あれには恋情がある。訪ねねばならぬ」

「吉原通いの足場としての久敬舎ですか」

「そうだ」

明快にうなずいた。江戸で旅籠《はたご》にとまるよりも古なじみの学塾にいたほうが、はるかに安あがりである。しかも塾のそなえつけの書籍はあるし、諸藩の一流の人才も訪ねてくる。

「人間はな」

店舗とおなじだ、と継之助はいった。場所が大事である。人のあつまる目抜き通りに店を出せば繁昌《はんじょう》するように、古賀塾におれば学問はせずとも自然に耳目が肥える。

「古来、諺《ことわざ》がある」

田舎の三年・京の昼寝――ということわざであった。田舎で三年懸命に学問するよりも京で昼寝しているほうが、はるかに進歩するという。

「当節風に言いかえれば、田舎の三年・江戸の昼寝だ。数カ月、昼寝する」

「藩に帰らなくともよいのですか」

「おっつけ帰る。しかし、いま帰っても長岡の田舎びとは、まだまだにぶい」

にぶい、というのは時勢に対してである。時勢に対し、緊迫感も危険感もない。そういう状態のなかで継之助が帰藩して、時勢の強烈な電流をつたえたところで、かれらはまるで感電せぬか、それとも不快がり、継之助を奇人視するばかりで、かえって結果がよろしくない。

「帰るべき時期がある。いずれ、天下がゆらぐような事変がおこるだろう。そのとき、ゆるりと帰る」

「どのような事変ですか」

「士《し》は、みだりに予言せぬ」

と継之助はつつしんだが、かれは幕政はじまって以来の強烈な独裁者である大老井伊直弼《なおすけ》が襲撃されるのではないか、という予感を濃厚にもっていた。

「山田方谷《ほうこく》先生とは、どのようなお方でありました」

「左様さな」

継之助は、方谷観をのべた。政治と行政の実力であのひとに及ぶひとは天下にない、と言い、かつ最後に意外なことをいった。

「すこし、人物が小さいな」

その理由は、たかだか五万石の小藩の宰相だからである、小天地は所詮《しょせん》はその柄《がら》にあう人物しか育てぬ、これは方谷先生の不幸である、といった。

「辛辣《しんらつ》でありますな」

「これは尊敬とは別だ。たとえば蝦《えび》が好物だといって好むがあまり、鯨ほどの大きさがある、とはいえぬ」

――春になり、雪がとければ越後に帰ろう。

とおもっていた。ところが藩は継之助の存在をわすれてしまったようで、いっこうに帰れといって来ない。

(妙なものだ)

とおもった。ときどき藩邸へ行って重役とも会うのだが、かといって、

「いつ帰藩する」

とは、先方から言い出さないのである。継之助は藩からみれば無期限の「漫遊者」になってしまっている。藩は、わすれたらしい。

(いいあんばいだ)

と、むしろ継之助はひらきなおって、このまま江戸で遊びつづけることにした。むろんひそかに腹は立つ。

(おれほどの男を)

という自負心があった。この河井継之助というほどの男を藩はなぜ用いないのであろうか。泰平の世ならばよし、藩経済がゆたかならばよし、しかしながらいまはそれとは逆の、なにもかも行きづまって一国一天下が崩壊の寸前にあるというのに、この危機を回避し、未来へ飛躍させる人才をなぜ用いようとしないのであろう。

藩の江戸詰めの重役のひとりである義兄の椰野《なぎの》嘉兵衛にもときどき会う。椰野は、継之助のことを肉親以上に心配していた。あるときなど、

「なぜ越後に帰らぬのだ」

と、父親のような声音《こわね》でいった。これは重役としていっているのでなく、親戚《しんせき》としていっているのである。

(重役として言え)

と、継之助はおもった。

考えてもみよ、と継之助はおもう。いま漫然と藩に帰ったところで、信濃《しなの》川で魚つ

りでもするか、老父を相手に盆栽に水でもかけてやるしかない。役職を用意して迎えに来いと言ってやりたかった。いま長岡藩を救える者は自分以外にないではないか。が、継之助は男としてその一件だけは口が裂けてもいわなかったし、けぶりもみせなかった。棚野ほどに敏感な男でもこれだけは察することができず、

「老父が心配しているぞ」

と、せいぜいそれだけしかいわない。棚野は、この義弟を、ただの学問好きの変り者、としかみていなかった。

継之助は、江戸ばかりにはいなかった。江戸も退屈になっていた。

横浜がいい。

(横浜にはあすの日本がある)

と、継之助はおもっていた。しばしば横浜へ行き、ときには十日も十五日も滞在した。その宿は、若いスイス人ファブルブランドの商館であった。このスイス人が、

「自分の家だとおもってください」

といって、いつも懸命にひきとめては長逗留《ながとうりゅう》させてしまうのである。長岡藩の重役よりも、この異人のほうが河井継之助の尋常でないなにかを発見していた。

(このひとは、いずれは事を成す)

と見ぬいていたし、将来かけて親交していて損な相手ではない。

継之助は、この商館の食客であった。

「ただの居候《いそうろう》では心ぐるしい」

と言い、夜、手拭《てぬぐい》で頰《ほっ》かぶりをし、拍子木をたたいて火の用心を触れまわった。

「それはこまります」

と、若いスイス人は、心からとめた。しかし継之助はきかなかった。

このころ、挿話《そうわ》がある。

横浜百七十五番館、ファブルブランドの商会は、おもてに時計の看板が出ている。が、銃や大砲などの兵器もあつかっており、このため諸藩の士《さむらい》がしばしば訪ねてくる。

「異人ながら、誠意のある男だ」

というのが、諸藩のそういう連中のあいだでの評判だった。

この時期、遠州掛川《かけがわ》藩（太田家）の福島住弌《すみかず》という藩士が洋式銃を買いつけるために数度この商会に足をはこんだ。

（いつも、あの男がいる）

と、福島は継之助の存在に気づき、なんとなく気になった。いつ見ても粗末な綿服の着ながしで、兵児帯《へこおび》をぐるぐる巻きにし、脇差《わきざし》のみをさして、大刀は帯びていない。

(何者だろう)

商会主のファブルブランドのその男に接する態度が、いたって慇懃《いんぎん》で心から敬している様子なのである。あるときおもいきって、

「わたくしは遠州掛川藩のこういう者でありますが」

と、鄭重《ていちょう》に名乗ってみた。鳶色《とびいろ》の目のその男はうなずき、

「私は長岡の河井継之助ですが、この横浜潜伏が藩に知れればこれさ」

と、腹を切るまねをしてみせた。当然であろう、歴《れっき》とした藩士たる者がこんな横浜の異人館でごろごろしていることが幕府や藩に知られれば、ただでは済むまい。攘夷《じょうい》浪士の耳に入っても、真っぷたつにされてしまうだろう。

「時節がら、お度胸のよいこと」

福島は、心《しん》から感服した。

「いったい、なんのご目的で」

と、問うた。

継之助は、にやにやと笑って答えない。かれの本心は、ファブルブランドを通じて

世界状勢を知りたいということであり、またこの商会であつかう兵器を実地に見ることによって近代的な軍事知識を得ようとしていた。が、そのことはいわず、単に、

「食客ですよ」

といった。

「とんでもない」

と横からうち消したのは、ファブルブランドのほうであった。

「河井様は、食客ではありませぬ。わたくしどもを保護してくださるお方です」

この点、事実であった。日本全国の攘夷志士たちが横浜をねらっている。横浜を襲撃し、外国公館や商館を焼打ちすることによって幕府に攘夷の肚《はら》をきめさせようとくわだてていた。もしその連中が来襲した場合、継之助が防戦してかれらを追っぱらってくれるであろうという期待をファブルブランドはもっていた。

「私は地球を見てあるきたい」

と、継之助はいった。しかし海外渡航は三百年来の国禁であり、安政条約でもこればかりは解けていない。

「行くわけにも参らぬから、この横浜から地球の景色をうかがっている」

「見えますか」

と、福島は笑った。見えるはずがないではないか。

「それが、見えるのさ」

継之助がいった。かれのいうところでは、日本人ほど想像力のたくましい人種はいない。古来、シナの古典を読み、ただそれだけでシナを想像してきたという途方もない実績をもっている。いまこの横浜で心眼をこらせば欧米の動きがありありとみえてくる、というのである。

この間、万延元年三月三日、幕府の大老井伊直弼が、江戸城桜田門外で水戸浪士らのために斃《たお》された。

継之助は、横浜にいた。

「きた」

と、おもった。継之助のみるところ、この日以後、日本は混迷し、幕権は衰え、諸侯は戦国期のように自国や自城で独立し、浪士は京にあつまって朝廷を擁しつつ幕府に対抗するであろう。

「この日以後、幕府三百年の天地は崩れてゆく」

と、継之助は手まねをし、若いスイス人にいった。

「一国の首相が、将軍家のご親類筋の家来の手で殺されるなど、信じられぬことです」

スイス人は、事件の解説を継之助にききたがった。

「左様さ」

継之助が、聞きかじっているかぎりのオランダ語でいったが、通じなかった。そこへ横浜運上所通辞の福地源一郎がやってきて、会話がやっと通じた。

井伊は、極端な幕権回復策をとり、このため幕府への批判勢力に大弾圧をくわえた。いわゆる安政ノ大獄であり、被害者は大名や公卿《くぎょう》から下は浪人にいたるまでおびただしい数にのぼった。

水戸の「ご隠居」といわれている徳川斉昭《なりあき》もそのひとりであり、水戸浪士たちのこの襲撃の目的は主君のあだを討つということが第一であった。目的の第二は井伊の開国政策への反対である。

「井伊どのも、奇妙な人だった」

と、福地源一郎がいった。例の安政通商条約を、朝廷の反対をも黙殺して断行するほどに剛愎《ごうふく》な男であったのに、べつに開国思想家でもなかった。それどころか極端な保守主義者で、洋化思想をきらい、幕府の軍備をふたたび旧式にもどしたり、幕府の外国方の秀才たちを大量に整理したりした。

「この点、黒白さだかならず、牛なのか馬なのか、えたいの知れぬ怪物だった」

と、福地源一郎がいうのである。福地のいうところでは、井伊の死をもっともよろこんでいるのは、幕府の外国方の連中――外務官僚――であるという。

「それは、いずれでもいい」

継之助はいった。継之助が深刻に感じているのは、井伊そのひとよりも、その変死ということであった。幕府の最高責任者が、江戸城の城門のそばで、登城行列中に襲われるなど、あってよいことではない。

「天下に幕府の無力と乱世であることを布告したようなものだ。こののち、これ以上の事件がつぎつぎにおこってゆくだろう」

(こうはしておれぬ)

と、継之助はいそぎ江戸へもどり、藩邸に詰めたが、しかし藩の江戸詰め重役たちはおどろくほどに鈍感であった。

「なにをさわぐ。他藩のことではないか」

と、継之助にいう者もあり、こういう空気ではなにを献言するという気もおこらなくなり、そのまま古賀塾《じゆく》の寮にもどった。

ごろごろするうちにこの年が暮れ、文久元年になった。

このころ、国もとからの送金も尽き、ながい遊学をきりあげざるをえなくなった。

春、三国峠の雪どけを待って帰国した。

城下に、春が来ている。

「継之助さが帰国したらしい」

ということは、すぐひろまった。なぜならば継之助は毎日、この狭い城下をとっとと歩いた。

あいさつまわりであった。家老職の家をはじめ河井家に縁のある上司の家にあいさつまわりをせねばならないし、親類縁者の家々もまわらねばならない。

それが、十日もかかった。そういう義理の用事だけでも、武家社会というものは並たいていなものではない。

「なににしても、無事なればこそめでたい」

と、父の代右衛門は日に何度もいった。旅で病死することの多い時代だけに、死なずに生きてもどっただけでも、めっけものであった。

一ト月を過ぎた。

「妙だな」

と、代右衛門は、その老妻にいった。じつは継之助について藩は沈黙している。

——出仕せよ。

と、いって来ないのである。せっかく遊学を終えて帰藩したというのに藩は役職を用意してこれを迎えてくれる様子がない。

「妙だよ」

代右衛門はくりかえした。この老父は、二十《はたち》のときから出仕して、四十代で新潟奉行になり、五十代で勘定奉行にすすみ、まずまず百石程度の家格の者としては順調に栄達した。

「継之助は、どう申している」

と、老妻のお貞にきいた。

「なんとも、申しておりませぬ」

「不満だろう」

「さあ」

お貞は、くびをひねった。どうも、この温厚な夫とあの継之助とは、おなじ男でもまったくくちがう種族に属しているらしい。

「不満でありますか、どうか」

「そりゃ、不満さ」

代右衛門は、功成り名遂げて官途を退《ひ》き、いまは好きな茶事をして暮している。茶道がなによりも好きで、ことに茶道具についての鑑定《めきき》のたしかさは長岡でもおよぶ者がない。いわば泰平の世の典型的な藩吏僚といえるであろう。

(夫の、そういう目から継之助の心を推しはかれば、当然不満ということになるだろう)

と、お貞はおもった。

「あいつの性格では、出世はちょっと無理かもしれぬなあ」

といった。

「先日もきくと、三間《みま》安右衛門どののほうにはあいさつに行っていないそうな」

三間は、参政である。藩首相とでもいうべき役職にあり、その威勢は及ぶ者がない。この三間が、継之助を憎んでいることを代右衛門は知っていた。

「継之助は、あれは吏員にはなれぬ」

と、三間はつねづね言っていた。

過去に、いきさつがあった。継之助がまだ二十代の安政元年、抜擢《ばってき》されて「目付格、評定方随役《したがいやく》」という小さな役職についた。先代の殿様（忠雅《ただまさ》）がまだ在世当時のことで、忠雅じきじきの人事だったという。

ところがその職につくや、その吏務をせず一藩の方針や施策といった大きいことのみを藩主に献策しつづけ、このため家老たちはつねに鼻をあかされた。

「出すぎ者である」

として重臣たちの圧迫をうけ、ほどなく辞職せざるをえなかった。そのときのしこり、を参政の三間はまだ持っていて、継之助の官途をはばんでいるのであろう。

城下長町の河井屋敷は、門を入ったところに巨大な松がある。

——どうみても、これは竜《りゅう》だ。

と、継之助はこの地を這《は》う老松のたくましさが、少年のころからすきであった。幹に苔《こけ》がはえているため、竜は竜でも蒼竜《そうりよう》であろう。

ある日、文字を書いていて、

「蒼竜窟《くつ》」

と、署名した。それを雅号にした。この日も、書を稽古《けいこ》していた。

そこへ、声がした。

「お八寸《やす》です」

と、澄んだ声がして足音が庭へまわり、やがて縁側にすわった。末の妹のお八寸である。

「ああ」

継之助はいちばん可愛《かわい》がっていた妹だけに、ひどく上機嫌《じょうきげん》な顔をしてみせた。お八寸は、すでに娘ではない。継之助が遊学に出かける前に、同藩の牧野金蔵に片づいていた。

「お見せしにきたのです」

と、お八寸は手をあげ、胸のあたりをたたいてみせた。長岡では見られぬ呉絽《ごろ》の帯である。

「似合う」

「でしょう?」

と、お八寸は気どってみせた。継之助の長崎みやげであった。帰国したとき継之助自身がお八寸の婚家へとどけ、

――おれが長崎からはるばる背負ってきてやったのだ。

といった。お八寸はそれを掻《か》い抱き、うれしさのあまり泣いてしまった。その帯が、

いま出来あがったからみせにきたというのである。

「似合う、似合う」

継之助は他愛なく手を拍《う》った。が、お八寸は不意に真顔になった。

「お兄様は、なぜ出仕なさいませぬ」

と、意外なことをきいた。

「だしぬけに、なにを言やがる」

継之助は苦笑した。お八寸というこの妹のくせなのである。話頭が、急にかわる。

「なぜ、そんなことをきく」

「でも」

お八寸は、両親から継之助の真意をきくようにたのまれた。なぜならば、一昨日、家老の山本家によばれ、

――勘定方の見習として出仕せぬか。

という話があったのを、継之助はにべもなくことわったというのである。

「お役が、ご不足なのですね」

お八寸は、おもったとおり言う。不足とすればこれほど尊大なことはない、という非難も語気にこめていた。そうであろう、父の代右衛門でさえ、若いころは勘定方の

見習から出発しているし、たれもが必要な階段を踏まなければならない。

「不足なものか」

継之助は、大声でうち消した。

「不足どころか、おれがそういう地道な事務にむいているなら、どれほど幸福かもしれぬ。第一おすがよろこぶだろう」

「ええ、お嫂《ねえ》様も、心配なさっています」

「いくら心配してくれても、このおれにはそういう下僚の才は無いさ。人間、適せぬことをやってはならぬ」

「お兄様は、なににお適しになります」

「家老だな」

「えっ」

お八寸はどぎもをぬかれた。つまり、いきなり藩の宰相にしろ、とこの兄は正気でおもっているらしい。

「人間の才能は、多様だ」

と、継之助はいった。

「小吏にむいている、という男もあれば、大将にしかなれぬ、という男もある」

「どちらが、幸福でしょう」

「小吏の才だな」

継之助はいった。藩組織の片すみでこつこつと飽きもせずに小さな事務をとってゆく、そういう小器量の男にうまれついた者は幸福であるという。自分の一生に疑いももたず、冒険もせず、危険の淵《ふち》に近づきもせず、ただ分をまもり、妻子を愛し、それなりで生涯《しょうがい》をすごす。

「一隅《いちぐう》ヲ照ラス者、コレ国宝」

継之助は、いった。叡山《えいざん》をひらいて天台宗を創設した伝教大師《でんぎょうだいし》のことばである。きまじめな小器量者こそ国宝である、というのである。

「お兄様は？」

「お見かけのとおりさ」

どうみても、伝教大師が愛した小器量者ではない。

「大器量者？」

「そうとしか、おもえぬ」

と、照れもせず、にがい顔でいった。このうまれつきは不幸である、と継之助はいう。小器量者の職分なら世に無数にあるが、しかし大器量者の職分はめったにない。つねに失業せざるをえない。

「大名か家老にうまれ、生れつき一藩をひきいてゆくというのならなんのこともないが、このおれのように百石取りの家にうまれてしまえば、ちょっと滑稽《こっけい》だな」

「滑稽」

お八寸は、笑いだした。なるほどこの兄が力こぶの入れようもないまま、庭前の松をながめてくらしている姿は、悲愴《ひそう》というよりもむしろ滑稽にちかい。

「さしあたって、なにをなさるのです」

と、お八寸はきいた。そのへんのことを継之助からきいてくれと両親にたのまれていたのである。

「謀叛《むほん》かな」

継之助のような男が藩政を改革しようとおもえば謀叛でもおこして実権を得る以外にないが、「それはせぬ」といった。

「いま一つの道は脱藩である。これは天下に流行している」

しかしそれはせぬ、と継之助はいった。

「となれば、書物でも読んでぶらぶらしているほかはないいさ」

「いずれは?」

「そう、いずれは藩のほうからおれを呼びにくる」

「来なければ?」

「酔生夢死だな。為《な》すこともなくこの世に生き、そして死んでゆく、その覚悟だけはできている。この覚悟のないやつは、大した男ではない」

お八寸は継之助の机の上に薬袋が一つのっているのを見つけた。袋に、

「長命丸」

と書かれている。有名な薬である。江戸両国の四ツ目屋が調剤元になっている薬で、黒い小粒の丸薬であった。

「江戸で買ってこられたのですか」

「いや、もらったのだ」

備中の山田方谷のもとを発《た》つとき、方谷がどういう謎《なぞ》か、この薬を餞別《せんべつ》にくれた。

「どういう謎なのか、ちょっと気になる」

継之助はそう言いながら、それを手箱に蔵《しま》った。

越後長岡で、年を越した。

「なんと、継之助が家で正月をしやった」

母親のお貞は、元旦《がんたん》の朝から晩まで、何度もそれをいった。それだけで、もう珍奇なのであろう。ここ数年継之助は長岡で正月をしたことがない。

代右衛門は、ちかごろ神もうでのすきな老人になっていた。武士のくせに、商家の隠居のようなことを願う。……

家内安全
家運繁昌《はんじょう》
無事息災
長寿万歳

ただそれに、つぎの一項をつけくわえることをわすれなかった。

「どうか継之助が大それたことをおこしませぬように」

大それたことをおこしてしまえば、家内安全も家運繁昌もありえないであろう。生涯、藩官僚としてぶじにつとめおおせた代右衛門としては、次の代も波風たたずに家運がのびてゆくことを祈らざるをえない。

一月十五日は、

「女正月」

という。この日は小豆粥《あずきがゆ》を祝い、女どもはいっさい仕事をせず、なんとはなくあそびまわって時をすごすことになっている。

河井家では、台所仕事はこの日にかぎって男がするしきたりになっていた。

継之助は暗いうちに台所に入り、嫁のおすがを追っぱらった。

「おれが、みなする」

「いいえ、おすががいたします」

と、おすがは当惑した。が、継之助はきかず、ついにおすがを抱きあげ、かまちへほうりあげてしまった。

「でも、勝手が」

おすがが、泣きそうにいった。何がどこに置かれているか、そういう台所の勝手が継之助にはわかるまいというのである。

「わかっている」

事実、継之助にはわかっていた。すでに昨夜おそく台所を検分し、道具や材料のおき場所などをこまごまと見てある。

「あっちへゆけ」

継之助は、鶏を追うような手つきをしておすがを追いやった。そのあと、下男に水を汲《く》ませたり、かまどに火を入れて小豆の鍋《なべ》をかけたり、神棚《かみだな》の水をかえたり、仏壇の花を入れかえたり、廊下を拭《ふ》いたり、またかまどへもどってきてかゆ鍋をかけたりしているうちに、夜があけた。

終日、そんな仕事をした。

そのあいだ、おすがは実家に帰っていたが日暮前にもどってきた。

「旦那《だんな》さまは？」

と、下女にきくと、お疲れあそばしてお部屋でお寝《よ》っていらっしゃいます、という。

おすがは、そっとのぞいた。

なるほど継之助はこたつに足をさし入れたまま、横だおしにたおれている。おすがは、そのからだへ搔巻《かいまき》をかけてやった。が、継之助は目をさまさなかった。

その姿をのぞきこむうち、

——うっ。

と、おすがは胸をおさえ、あわてて廊下へ出た。涙が噴きこぼれそうになっていた。こういう安穏《あんのん》な日が、いつまでつづくのであろう。つづいてもらいたいという願いと不安が、おもわずおすがの気持を昂《たかぶ》らせた。

継之助は、平穏である。

――どうやら、お虫がおこりそうにない。

と、妻女のおすがは、ひそかに観察していた。おすがは、毎日が楽しい。理由は、継之助がいつも屋敷にいるという、ただそれだけのことである。

（この家に嫁いできて、こんなに嫁女《よめじょ》らしい毎日を送ったことがない）

と、おすがは、実家のお宗旨の阿弥陀如来《あみだにょらい》に感謝するおもいであった。

越後にも、爛漫《らんまん》の春がきた。

「おすが、春だからどこかへ連れてやろう」

と、継之助は、その日、めずらしいことをいってくれた。長い留守居をしてくれた慰労であるという。

「たんぽぽを摘みに？」

と、おすがは、ばかなことをいった。春になれば野に出てたんぽぽを摘み、それを仏の供花にしなければならない。いつ出掛けようかとこの数日おもいつづけていたために、ついそんなことを口走った。

「ばかだな」

継之助は、おすがの白いひたいを指で弾《はじ》いた。武士が花摘みなどにゆけるか、というのだ。

「では、どのような所へつれて頂けます」

「いいところだ」

芸者をあげにゆこう、という。芸者をあげて酒をのみ、大いに唄《うた》でもうたおう、というのである。なるほど男にはおもしろいだろうが、しかし女の自分になにほどかおもしろいだろうか。

継之助は、両親にゆるしを得た。

「おすがを、あとで寄越《よこ》してください」

と言い、日暮前に出て行った。

「おかしなやつだ」

あとで、父の代右衛門が腹をかかえて笑った。自分が芸者遊びがすきだからおすがにも面白かろうと思いこんでいるらしい。

そのあと、おすがは舅姑《しゅうと》たちにせきたてられ、駕籠《かご》をよんで出かけた。

場所は、旅籠《はたご》の枡屋《ますや》である。おすがが座敷に入ってゆくと、継之助はもう酔っており、三人の芸者にかこまれて上機嫌になっていた。

「あれさ、これが主賓じゃ」

とおすがを上座にすわらせ、芸者に酒をつがせた。

「酔わせよ」

鞭《むち》うつように注ぎ手をはげました。

「おすがは、飲めるのだ」

(そうだろうか)

おすがも、自分がわからない。継之助から飲める、飲める、といわれてにこにこしながら杯をかさねた。

継之助は、長崎でおぼえたカンカン踊りをおどった。芸者が唄をうたうときは、継之助が三味線を弾いた。

(なんと、芸達者だろう)

おすがは夫のこの奇妙な一面にあきれ、その印象がひどく新鮮で、胸がどきどきした。

とにかく、継之助はこういう遊びがたまらなく好きであるらしい。

「さあ、十八番《おはこ》だ」

と、例の唄をうたいはじめたときは、あの鋭い貌《かお》が、溶けそうにゆるんでいた。

四海波《しかいなみ》でも
切れるときゃ切れる
三味線枕《まくら》で　チョイト
コリャコリャ　二世《にせ》三世《さんぜ》

「あっははは」

男のように大口をあけて笑ってしまったのは、おすがのほうであった。よほど酔ったらしい。


「おすが、長岡甚句《じんく》を弾け」

継之助は立ちあがり、手拭《てぬぐい》でほっかぶりを、芸者のしごきを借りてたすきをした。

「盆踊りでございますか」

「ああ、みなも踊りヤイ」

これが滅法すきときている。

おすがが河井家に嫁入りしてきたころ、継之助の妹のお八寸が、

「兄はね、盆踊りが好きでございましてね、その好きさときたら、可哀《かわい》そうなくら

い」

といったことを、おすがはおぼえている。

越後長岡城下の盆踊りのにぎやかさというのは、ちょっと類がないであろう。城下城外の町人や百姓が浴衣《ゆかた》に、ちりめんのたすきがけで繰り出してきて、昼は仁輪加《にわか》で押して歩き、夜は辻々《つじつじ》に櫓《やぐら》を組みあげて輪になっておどる。

宵《よい》の口は、さほどでもない。夜ふけになるほどいい音頭《おんど》とりが出るためにいよいよ踊りが締ってゆく。唄は長岡甚句であったり、「近江源氏《おうみげんじ》」の段物《だんもの》であったりするが、それぞれ名人達者がきそいあって、みごとなものであった。ただし武士は参加できない。

武家の子女も、そうである。

ところが継之助は十七、八のときから、こっそり変装して出てゆく。お八寸に、

――浴衣をかせ。

といって出させる。その真岡《もおか》の浴衣の子供着物をつんつるてんに着、手拭で顔をかくし、

――母上にはだまっていろ。

と命じて出てゆく。おすがが嫁《き》てからもこれはかわらなかった。この新妻の浴衣を

着てほっかぶりをし、

——母上にはだまっていろ。

というせりふまでかわらない。

いま座敷で踊りだしたのは、その得意の盆踊りなのである。

芸者が、長岡甚句をうたった。

アッサ　お山の千本桜
花は千咲く　なる実はひとつ
九百九十九は　ソリャ
無駄《むだ》の花
アアヨシタヨシタ

踊りおさめると、継之助は、

「おすが、帰ろう」

と、座敷を出た。おすがが、あとを追って玄関へ出た。まさか二人で歩けまいから、

「わたくしはあとで」

といったが、継之助は無言だった。ついに二人で歩かざるを得ぬはめになった。

「やっぱり、はずかしゅうございます」

と、おすがが、継之助から半歩ばかり離れて歩いていった。一緒に歩くことが羞《は》ずかしいというのである。

若党の松蔵が先頭に立ち、提灯《ちょうちん》を地面に這《は》わせている。灯《ひ》が風にゆれていた。

「一緒に歩いても、たれも怒るまい」

「そりゃ、怒りはしませぬでしょうけど」

屋敷まで、道は三丁ほどあるだろう。ただそれだけの道を、なんの趣向もなしに歩いたにすぎない。その程度のことが、おすがにとって生涯《しょうがい》の思い出になった。帰宅すると、継之助は両親の部屋にあいさつにゆき、ついでおすがもそのようにした。

そのあと、夫婦の部屋で茶を服《の》んだ。

「どうだ、芸者あそびはおもしろかったか」

「殿方ほどには」

「そりゃあたりまえだ。男ほどに芸者遊びがおもしろければ、これはこまる」

「どこが、面白いのでございましょう」

と、おすがが小首をかしげた。かんどころをききたい。

「金さ」

つまり、金をどぶに——あの無意味でばかげた遊びに叩《たた》き捨ててしまう、そういう感じがおもしろい、と継之助はいう。みるみる無一文になるというそういう痛烈さを味わいにゆくのだ、といった。その痛烈が刺戟剤《しげき》になって、その刺戟に沈湎《ちんめん》せずばいられないのが蕩児《とうじ》であり、その刺戟を腹中に入れて心胆を練るのが大丈夫たる者だ、と継之助はいうのである。

「あの」

おすがは、顔をあげた。この機会にいつも案じていることをきいておきたい。

「お城には御出仕なさらぬのでございますか」

「役人になることか」

継之助は、急に表情を固くした。おすがの実家の兄の梛野嘉兵衛からもそのことはよくきかれた。

「いまは、非常の時だ。みな気づいていまいが、藩というものがここ十年保《も》つかどうかもわからぬ。そんなときに、お城にのぼって帳面つけをしていてもどうにもなるまい」

「そんなに」

危険なのか、とおすがにはふしぎにおもわれた。御家中のたれもがそういうことをいっていないではないか。

「このままでは、藩はつぶれる」

潰《つぶ》れぬよう、建てかえねばならない。その建てかえの大仕事なら自分は出来るが、しかし現体制のままの小役人はつとまらぬ、と継之助はいった。つまり、継之助のやれる仕事というのは非常時宰相以外にない、というのである。

「だから、遊んでいる」

(それならそれで、このまま一生あそんでくだされぱよいのに)

と、おすがはおもった。継之助はそれを察したらしく、

「おれには虫がいるのさ」

といった。

「その虫ごと、おまえの亭主なのだ。こういう虫つきの亭主をもてば、世間なみな女房の楽しみなどは一生なかろう」

時候が、暑くなった。

七月に入ったころから、継之助の虫がおこりはじめたらしい。

九月になった。

ある夜、継之助は夜ふけても部屋に入らず縁側で端居《はしい》していた。

「なにをなされております」

とおすががきこうとしたが、まるで鋳物《いもの》になったような、その凝然とした姿をみては、聞く勇気をなくした。虫がさわがしいほどにすだいている。

おすがは、蚊遣《かや》りをとりかえた。

(町人の女房ならば、こういうこともあるまいに)

と、ふとおもった。おすがはその嫁入りの呉服屋《ふとものや》の番頭の娘が、ことしの春、城下の小間物屋に嫁入りした。おすがはその嫁入りについてずいぶん面倒をみてやったのだが、先日、他行《たぎょう》のついでにふと思いたち、その店に立ち寄ってみた。

店といっても裏通りの、しかも軒店程度のもので、その二坪ほどの土間で夫婦が互いに身をこすりあうようにして働いている。

「一軒ちゃんとした表店をもちたいのです」

と女房のほうがいった。そのため亭主は越後一帯の村々に行商し、この軒店は女房がまもっている。たまたま亭主が帰っていたが、おすががおどろいたことに、世帯をもってまだ半年にもならぬというのに女房がぴしぴし亭主をへこましていたし、亭主のほうも負けずにへらず口をたたいていた。

「まさか、喧嘩《けんか》をしているのではないでしょうね」

おすががあきれていうと、ふたりは恐縮し一つリズムでぺこぺこ頭をさげ、おすがの耳障りになったことを詫《わ》びた。

「でございますけど」

と、若い女房が弁解した。十年さきには表通りへ出とうございます、そのためにはこの人の気をゆるめさせちゃなりませんし、わたくしも骨が鳴るほどに働かなくちゃなりませんもの、といった。だからつい気が立ち、陽気にぽんぽんやりあってしまう、と、女房はいうのである。

(こんな夫婦もあるのか)

と、世間しらずのおすがは、新奇な国でものぞき見たような驚きをもった。

が、歴《れっき》とした武家の家庭はちがう。継之助がいまなにを考えているのか、それを問うことさえ憚《はばか》られるのである。

ぴしっ

と、継之助は腕の蚊をたたいた。それが合図であったかのように、継之助は気を抜き、おすがのほうをふりむいた。

「また、居なくなるぜ」

（おやおや）

と、気持が暗くなった。が、できるだけあかるく、

「また江戸へご勉学でございますか」

「いや、もう塾《じゅく》には行かぬ」

継之助のいうところでは、こんど殿様が寺社奉行から京都所司代に栄転された。泰平のころなら、これほど慶賀すべき栄転はないであろう。

江戸幕府の重職は、家康以来の法により、親藩大名や外様大名などはつけない。譜代大名のみにかぎられていた。最終の栄職は老中（閣僚）だが、それには奏者番《そうじゃばん》――寺社奉行――大坂城代――京都所司代を経ねばならない。ところがこんど、牧野備前《びぜんの》守忠恭《かみただゆき》は寺社奉行から一足とびに京都所司代に抜擢《ばってき》された。

「とんでもないこのご時勢に、京都所司代などとは、焔硝蔵《えんしょうぐら》に火を抱いてとびこむようなものだ。どうあってもおとめせねばならぬ」

（変っている）

と、おすがはおもった。無役の継之助が、殿様の御栄転を制止するなど、できることではあるまい。

余談だが、徳川幕府では、政治の最高担当者を、

老中

若年寄

などという、それ以前の政体にはなかったことばを使っている。

家康の遺法である。元和《げんな》二年、家康は自分の死をさとるや、遺言し、

「家政のたてかたは三河のころのままにせよ」

といった。徳川家がまだ三河松平領の小領主——庄屋《しょうや》程度の——であったころ、代々、その家政は家つきの郎党がみていた。老中、若年寄というのは、そのころからの呼称なのであろう。

徳川家が大きくなると、そのころの郎党が大名（万石以上）になったり、旗本（万石未満）になったりした。それを譜代という。幕府の政務官は、この二種類の家の当主でなければつくことができない。

老中の上に「大老」という職があるが、これはつねに置かれているわけではない。

徳川三百年のあいだ、大老がおかれたのは十三度しかなく、非常の職である。この職につく家は譜代大名筆頭の井伊家と酒井家にかぎられて(例外は三度あるが)いた。常は、老中が最高職である。こんにちにおける大臣というべきであろう。若年寄は、老中次席というべきもので、今日の各省次官と局長を兼ねたような職位といっていい。これも老中同様譜代大名からえらばれるが、老中になれる家格よりもやや低い、一万石から二、三万石程度の大名をもって充《あ》てられる。

牧野家は、七万四千石ながら、老中になりうる家格である。

継之助の幼少のころの殿様は、名君といわれた牧野家九代忠精《ただきよ》であった。この忠精の官歴は江戸城西ノ丸大手門勤番からはじめて、奏者番を六年半、寺社奉行を五年、大坂城代を六年半、京都所司代を二年半つとめ、その後老中を十五年もつとめた。つぎの十代忠雅《ただまさ》もよく似た官歴をもっている。忠雅には人物眼があり、若いころの継之助をみて、

「よほど、使える」

と言い、一時、軽い職につけてやったことがある。もっとも継之助のほうが官僚組織のなかでとうてい勤められず、ほどなく辞任したが。

現藩主、十一代忠恭は、養子である。三河西尾六万石松平家からきた。

「まずまずの明君」

と、ひそかに評する者がある。大名としての教養は水準以上であり、幕府の行政家としての腕も、普通以上であった。

その寺社奉行在任中の多忙さは、歴代の寺社奉行のなかでは類がない。

「ご運がいいのか悪いのか。牧野様ほど事の多いお人はない」

というのが、江戸城のお茶坊主のあいだでの評判であった。かれが寺社奉行に就任してわずか半年のあいだに、歴史的な事件がいくつもおこった。

伏見の寺田屋事件

江戸東禅寺のイギリス人殺傷事件

生麦《なまむぎ》事件

それがこんど、京都所司代に抜擢されるという。京は浪士の横行がはなはだしく、無政府状態といっていい。

「これは大変なことになる」

というのが、継之助の心配であった。

継之助の勝手な——おすがにはそうとしか思えないのだが——多忙がはじまった。

その翌日、意見書を書き、家老の牧野市右衛門の屋敷をたずねた。

「なんだ、これは」

市右衛門は、継之助の来訪をあきらかに警戒している様子だった。

「お読みねがいます」

「そのほうが声を出して読め。わしは聞く」

「それはご料簡《りょうけん》ちがいというもの」

継之助はいった。

「文字は目でみるべきものでござる」

文章という言語は目を通して頭と心に訴えるようにできあがっている。それを耳できくと、まるでちがった印象をうけやすい、というのである。

「どうぞ、お目をもって」

と、命ずるようにいった。

市右衛門はやむなく目を通した。論旨は要するに殿様は京都所司代に就任すべからずということであった。

家老は、みるみる顔を赤くした。怒りがこみあげてきたのだろう。

「かかるおめでたきことに」

と、いって、だまった。罵倒《ばとう》のことばをさがしているのだろう。

「なぜ下世話《げせわ》でいうけちをつけるのか」

「その理由も、その意見書に書いてあるはずです」

「いいや、これは妄言《もうげん》だ。いや妖言《ようげん》か。すくなくとも時勢を誇張している」

「とんでもござらぬ」

京はあたかも革命前夜のごとき観がある、という旨《むね》のことを、継之助はかいた。

事実、万延元年三月三日、大老井伊直弼が桜田門外で水戸と薩摩《さつま》浪士に殺されて以来、その事件をさかいに京の情勢は一変してしまっていた。

井伊の生きているうちは安政ノ大獄という志士弾圧が暴風のごとく吹きまくり、その井伊が斃《たお》され——それも将軍の居城の門前で殺されると、風むきは逆になった。京都にあつまっている志士はみな時世得顔《ときよえがお》に横行し、きのうまで井伊に協力した佐幕派の公卿《くぎょう》をおどし、その家来を殺し、幕府の奉行所役人をさえ私刑にし、私刑の危険におびえさせている。

「すでに京には幕府はござらぬ」

継之助はいった。かれが備中松山への旅の途中にたち寄った京は安政ノ大獄の進行中で、井伊政権のすさまじい検察政治に声もなくふるえあがっていた。桜田門外以後の情勢については、継之助は江戸でこまかく風聞をあつめて知っている。

幕府は、手をやいた。ついに決意し、強大な警察軍をここに置くことにした。

会津《あいづ》藩を移駐させる。

この藩は徳川家の「御家門」として格別な待遇をうけているだけでなく、藩の統制力は日本でもっとも整然としており、藩士の教育水準の高さは諸藩にぬきんで、かつその兵力としての強さは、これに匹敵する藩は薩摩藩をのぞいてないであろう。幕府はその藩主松平容保《かたもり》を「京都守護職」という従来なかった新設の職につかせ、京都の重鎮にし、この治安を混乱からすくいだそうという。

その京都守護職の下に、従来の京都所司代がそのまま存置される。その役目に、継之助らの殿様の牧野忠恭が任命されたのである。

「会津もほろぶ。時勢の暴風のなかで、会津藩ほどの大船でも、船体を割られて海底に沈みましょう」

と、継之助は意見書にかいた。

「その道づれとして長岡藩ごとき小船は、たちまち帆柱を折られ、舵《かじ》をとられ、海のもくずになってしまう」

不愉快である。

家老の牧野市右衛門は、なんとしても継之助の意見が不愉快でたまらない。

「ばかな」

何度もいった。

「ぬしの意見は、えたいが知れん」

と、はげしく頭をふりつづけた。継之助の意見書は時勢のゆくすえを極楽図としてえがかれたものではなく、地獄図としてえがかれている。しかもそれを極彩色にしてつきつけられた。

「ご理解なしくだされませぬか」

継之助は、相手がいまひとつなっとくしかねている理由が、かれなりにわかる。もっとも重大な観測を、継之助の意見書は隠しているからである。

――幕府はほろびる。

ということであった。それをいえば、継之助は不遜《ふそん》不敬の罪で下獄せねばならぬかもしれない。しかしそれを言わねば、この凡庸な家老は、意見書がついに理解できぬであろう。

「ご家老、いまから継之助の申すこと、最後までおききくだされ」

と、声をひそめた。

継之助は、徳川幕府の滅亡を、世界情勢から説きはじめた。

——地球、地球。

ということばを、継之助はしきりとつかった。このような議論を展開できる者は、同時代の日本で何人あったであろう。佐久間象山は世界知識のもちぬしであったが、しかしこの大天才はおのれの知識をほこるのあまり、知識技術者に堕してしまっている。ほかに求めれば、幕臣で軍艦技術者の勝麟太郎《りんたろう》(海舟)ぐらいのものであろうか。象山も海舟も、天下の名士であり、世間はそのことばを権威としてうけとるであろう。

が、継之助は無名の士にすぎない。そのことばは、同藩の上司にさえ、権威としてうけとってもらえなかった。

「継之助、うぬは流行《はやり》の勤王かぶれか」

と、家老はいった。

「ご家老、お低い」

継之助は、声に凄味《すごみ》をきかせた。理解の度合が浅薄でひくい、というのである。さらに幕府の滅亡を、その経済的理由からも説いた。

「よし、わかった、としよう」

家老はついに追いつめられ、やむなくいった。しかし不満であった。幕府がほろびるとなると、長岡藩はどうなる。長岡藩も一緒にほろびるのではないか。

「ぬしの意見は、そこがあいまいだ」

と、一喝《いっかつ》した。家老のいうのに、長岡藩牧野家は、徳川家の譜代大名である。幕府の亡《ほろ》びぬよう、尽力すべきではないか。

「それは空論」

継之助は明快であった。

「空論でござる。幕府のことは幕府自身が考えるべきであり、一長岡藩がなにを考えてもどう仕様もござらぬ。われらは」

と、継之助はいった。

「長岡藩士でござる。天地に存在しているのは、長岡藩士としてであり、それ以外に立場はござらぬ」

それゆえ、長岡藩の現在と未来をのみ考えてゆけばよい。人は立場によって生き、立場によって死ぬ。それしかなく、そうあるべきだ、と、継之助はいった。

数日して長岡藩の家中全体にうわさがひろがった。

「継之助は、大公儀（幕府）はほろびるといったげだぁ」

「うんにゃ、幕府など亡ばばほろべ、とこいたそうだ」

そういううわさを、牧野家に嫁《い》っている妹のお八寸が聞きこんでやってきた。

「ほんとうですか」

お八寸は、もし本当なら兄といえどもゆるせない、とおもった。わが藩は長州藩、薩摩藩、土佐藩、芸州広島藩などといった外様藩ではなく、将軍のご直臣の藩である、その藩士たるものは陪臣《ばいしん》ながら徳川家に対しては格別な忠誠心をもつべきだ、というのが、お八寸の意見であり、家中の気持である。

「らっちもねえ（つまらん）」

と、継之助はするどく吐きだした。

「徳川家と幕府はちがう」

継之助はいった。幕府は一つの体制であり、徳川家は直轄領《ちょっかつ》四百万石を持った一つの家である。別々に考えるべき概念だ、という。

「わしは徳川家をうんぬんせぬ。ただ幕府というこの体制がつづくかぎり日本は自滅する」

「ではお兄さまは討幕論者でございますか」

「えっきゃ(ちがう)」

継之助はいった。幕府はここ十年以内に朽木のごとく倒れるだろう、という観測をのべたにすぎない。倒そうとはおもわない。

「では、倒れるのを、お兄様はじっとごらんになっているだけでございますか」

「まあ、そうだ」

長岡藩は、幕府とは無関係に自主独立の体制をとらねばならぬ、その用意をいまからすべきだ、というのが継之助の意見である。

「だから殿様が」

のこのこと京都所司代などになり、幕府の楯《たて》になって時勢の矢をあびることはない、というのである。

「これがおれの原則だ。同時に長岡藩の原則でなければならぬ」

という意味のことを、継之助はいった。人は原則をもたねばならぬ。

と、継之助はいう。

「みみずにはみみずの原則がある。おぎょろ、、、、、、おぎょろったま(おたまじゃくし)にはおぎょろったまの原則がある。その原則によって生きている。人間でも上等な人間にはある。親《しん》鸞《らん》、道元、日蓮《にちれん》、良寛、利休、信長、謙信にはみな原則がある。しかしながら他の人間には、みみずのような明快な原則がない」

「この点、夷人《いじん》はちがう」

と、継之助はいった。すべての夷人については知らないが、横浜で懇意になったスイス人と長崎で語りあったオランダ人には、みなそれがあった、というのである。

「大夫《たいふ》（家老の尊称）にわしがいったのは、そのことだ。幕府をあしざまにいったのでもなんでもねえ」

継之助は江戸に発《た》つべく、藩庁あてに許可ねがいを出したが、ぴしゃりと却下された。意見書がたたったのだろう。

が、

（石は投げこんでみるものだ）

とおもったのは、この意見書は国家老ににぎりつぶされたが、そのうわさは江戸につたわり、藩公の耳に入ったのである。

「継之助に京へ来い、といえ」

と藩主牧野忠恭は言い、そう言いのこして江戸を発ち、京へのぼった。これが縁で、継之助は役人になった。

京は、秋である。

越後長岡七万四千石の藩主牧野忠恭が、京都所司代として京に入ったのは、文久二年九月二十九日であった。

この時期、継之助はまだ京にきていない。おそらく急の藩命によって越後を発ったほどの時期であろう。

(意見がほしい。なによりもいま欲しいのは、筋のとおった意見だ)

と、ことし三十代の最後の年齢をむかえる牧野忠恭は、粟田《あわた》口《ぐち》から京に入る行列のなかでそうおもった。職務に自信がない。あの河井代右衛門せがれ継之助なる者は微《び》禄《ろく》ながら深く天下のゆくすえを洞察《どうさつ》しているという。なにがしかの智恵《ちえ》を、自分のためにこらしてくれるのではないか。

辻々《つじつじ》に、茜《あかね》とんぼが舞っている。幸い、入京のこの日は前夜来の雨があがり、はるか西山の空は群青《ぐんじょう》の濃《だみ》をつくったように晴れている。

しかしながら重臣たちは前夜、

「まことになさけなき御入京にて」

と、この藩主の晴れの日のためになげいた。

京都所司代といえば、京都朝廷の最高監視官である。家康以来、幕府は京都朝廷を凍結してしまう方針をとり、天子、公卿からいっさいの政務をとりあげ、自由を拘束した。朝廷は学芸にのみ専従すべきことを命じ、御所をもって一個の牢獄《ろうごく》とみなし、たとえば天子が京都近郊へ出ることさえ禁じた。大名が京都の市中に立ち寄ることも禁じた。かれらが京都朝廷を擁して討幕に立ちあがるかもしれぬという心配は、すでに家康のころから徳川家がいだきつづけた恐怖妄想であった。いまやそれが「妄想」ではなく、現実的な予感になりつつある。

ほんの前任者の時代までは、京都所司代の着任といえばなんと威厳にみちたものであったであろう。

そのころまでは所司代の入京行列があす京に入るという日、京都町奉行以下京におけるあらゆる吏僚が山科《やましな》の御廟野《ごびょうの》まで出かけてここで行列を出むかえるのが、慣例であった。かれら出迎えの者が先導行列をつくって京の市中に入り、その沿道の家々は路上を掃ききよめ、水を打ち、家々の軒に手桶《ておけ》を出して行列の通過を待つ。

所司代といえば、京都における将軍の代理者である。幕権がいかにおごそかなものであり、幕威がいかに重いものであるかを、京の者に知らしめねばならぬ。それが、この慣習をつくった。

が、こんどは廃止された。その廃止を知らされたのは、前夜、山科においてである。京都町奉行永井主水正《もんどのしょう》がきて、そういった。

「かえって、刺戟《しげき》をあたえることになります」

という。京にあっては尊王過激の議論が沸騰《ふっとう》し、諸藩の志士が公卿たちをおだて、公卿たちは気驕《きおご》り、眼中幕府がない、という。そのさなかに京都所司代の行列が旧来のまま威厳をつくって繰り込んでくれば、かれらの反感を刺戟し、不測の事態がおこるであろうというのであった。

忠恭の行列は、市中の者の表現によれば、

「おびえるがごとく、こそこそと入ってきた」

というかたちで、二条城わきの所司代屋敷に入った。

京都所司代という、この時勢のなかでもっとも多難な職についた藩主牧野忠恭は、きょろっとした目をもっている。

殿様顔というのであろう。馬づらといっていいほどの面長《おもなが》で、鼻がきわだって高い。余談ながらこの時期、日本にきたある西欧人が、

「どういうものか、日本人のうち貴族は鼻梁《びりょう》が高く、その点、ヨーロッパ人のごとく

である。また貴族でなくても学問をした者も鼻梁が高い。庶人には鼻の貧弱な者が多い」

といっている。わずかな例だけをみた印象だからあてにはならないが、とにかく牧野忠恭はそういう鼻をもっていた。

「なるほど、思った以上に困難な職だ」

と着任早々頭をかかえこんだのは、宮廷人の暴慢であった。かれら公卿は猫《ねこ》が野性にもどったように、京都所司代という檻《おり》の錠番のいうことをきかなくなっていた。

「井伊様御生存当時の圧政のほうが、あるいはよかったかもしれませぬな」

というのが、忠恭側近の嘆きであった。

しかしながら、尊王ということは、この当時の読書階級――将軍から幕吏をふくめて――の普遍概念になっている。あたかも二十世紀後半における民主主義ということと同様であろう。

倒幕派は、この尊王を「勤王」という行動的なことばに言いなおし、それを倒幕の原理にしようとしていたし、幕府側は現行秩序――幕藩体制――のままで天子をうやまうということをもって「尊王」としていた。後年の民主主義という概念の二重性となんと似ていることであろう。

ともあれ、忠恭は、

「皇室をうやまうように。皇室に対して不敬あってはならぬ」

ということを藩士にさとし、外部への言動をつとめて温和にし、過激論者から無用のあげあしをとられたり、世論に無用の刺戟をあたえたりすることをつつしませた。

着任の翌月の十月十一日、この新任所司代にとっておどろくべきことがもちあがった。

「明日、勅使が江戸へ出立する」

ということが、宮廷における対幕交渉官である伝奏《てんそう》の坊城大納言《ぼうじょうだいなごん》から忠恭のもとに通告されてきたのである。

一片の通牒《つうちょう》であった。

「冗談ではない」

忠恭の側近は、色めき立った。公卿《くぎょう》は旅行してはならぬというのが三百年来の幕府の厳法である。それが無視された。

だけではない。そういう重大事は、将軍の代官である京都所司代に対し、あらかじめ内意を得べく相談があらねばならぬ。

それが、ない。完全に無視された。しかも今日のあす、という急な通告である。これほど幕府が無視され、これほど侮辱されたことはないのではあるまいか。

その勅使は、正使が中納言三条実美《さねとみ》、副使が少将姉小路公知《あねのこうじきんとも》という若い、過激公卿である。その用むきたるや、

「江戸幕府に攘夷《じょうい》をせまる」

というものであった。条約国と即時開戦し、通商条約を破棄し、かれらを居留地から追っぱらえ、というものであった。幕府として出来ることではない。

「わしはどうすればよいのだ」

と、忠恭はついに悩乱したように叫んだ。しかしながらとにかく夜中ながら京における幕吏を招集した。

しかし、この事態をどうすることもできず、ついに不名誉きわまりない「黙認」のかたちをとった。このころ継之助は、京にむかって道中をいそいでいる。

二条の所司代屋敷の南塀《みなみべい》に、蔦《つた》がからんでいる。京の故老のはなしでは百年も前からあったといい、どういう種類の蔦なのか、その葉が奇妙なほど徳川家紋章の葵《あおい》に似ていることで京の閑人《かんじん》たちの話のたねになっていた。

その蔦が、美しく紅葉しはじめたころ、継之助が京に着き、この屋敷に入った。

「御用は、公用方だ」

ということを、重役が達した。

公用方というのは、京都で活躍する諸藩に設置されたあたらしい職である。藩によっては周旋方、などといったりする。家老級の公用人に属し、藩外交を担当し、藩の京都政界での方針をきめてゆく役目であった。

屋敷に、公用方の詰め間がある。継之助はそこに顔を出すと、古参の公用方が、

「なあに、することといえば、祇園《ぎおん》で諸藩の公用方と酒をのむのがおもな仕事だ」

といった。だから月のうち二十日ほどは酒びたりだという。たがいに情報を交換し、今後の見通しを語りあうというのがたてまえだが実際は茶屋酒を飲むだけがしごとらしい。

「貴殿にはうってつけの役目だ。お座敷酒がすきだろう」

古参がいった。

「江戸での遊蕩《ゆうとう》はきいているぞ」

「…………」

継之助は、沈黙していた。

「お返事をさっしゃい」

と、古参が叱《しか》りつけた。継之助は、せせら笑った。

「茶屋酒は好きだが、しかし手前の金で飲んでいる。フレマイ酒（公用の酒）がどれほどうまいものか、ついぞ存じませせぬな」

一座が、白けた。

そのあと、継之助に藩主がおよびであるという。継之助はすぐ立って行ったが、これは残された一同にとって意外であった。公用方の一新任官吏が藩主に単独で拝謁《はいえつ》するなどは例のないことであろう。

藩主の牧野忠恭は、継之助の着京をまちかねていた。きょう、重役からそういう報告があったとき、

「河井継之助とは、国もとにて意見書を出したというあの男だな」

と、念を押し、会う、といった。重役は迷惑そうな顔をした。藩の一小吏——たとえ拝謁権をもつ家格の者にせよ——に殿様が単独で会うようなことは秩序のみだれになる。継之助の意見を殿様がききたければ、しかるべくかれの上司に命じ、その上司の口からかれの意見を述べさせるのが穏当であり、慣習であった。

「一人だけを座によべ」

忠恭は、いった。

重役は難色を示した。一人だけで殿様に会う慣例もない。かならずその上司が付きそい、かつ目付の者が陪席する。忠恭はそれは無用だというのである。

「身のわがままを通させよ」

忠恭は、重役に頼むようにした。重役はやむをえず、そのようにした。

忠恭は、継之助を引見した。

（なるほど、いい面魂《つらだましい》をしている）

と、忠恭はこの家来の顔を、熟視した。その言葉をきこうとした。

「申せ」

腹のなかのことを、みな申せ、予に申していると思うな、独りごとのつもりでことごとく吐きだせ、といった。

「されば」

継之助は口をひらき、日頃《ひごろ》の存念をいった。

継之助は、言った。

「古来、ごまめの歯ぎしりということがござりまする」

「ごまめとは、片口いわしのことか」

殿様ながら、そのちっぽけな雑魚《ざこ》の名前ぐらいは知っている。力もないのにごまめが物事に憤慨してもどうにもならぬというのが、ごまめの歯ぎしりということでござりますると、継之助は、この教養ある殿様のためにその地口《じぐち》の解説をした。

「たかが七万四千石」

と、継之助はいった。長岡藩はおそれながらごまめでござりまする、という。とても京都所司代などはつとまりませぬ。

「わしは、ごまめか」

「左様」

継之助はうなずいた。

この男のいうのは、世の中は力である。強大な力を背景にして立つ者は、たとえ平凡な能力者でもその吐く言葉は世間を震えあがらせることができる。力なき者はいかに能力があってもごまめの歯ぎしりにすぎぬ。

「継之助」

牧野忠恭は、まゆをひそめた。

「ごまめというが、わしは将軍家の代官であり、大公儀《おおこうぎ》というものを背景としている。決してごまめではない」

「それはおそれながらお考えが」
お浅うござる、と継之助はいった。幕府はなるほど日本の支配組織であり、将軍はフランス公使などもいうようにヨーロッパにおける皇帝陛下かもしれぬ、さらにはその直接の家来は俗に「旗本八万騎」といわれているように、どの大名も及ばぬ最大多数の武士団をかかえている、しかしながら、
「幕府などあてにはなりませぬ」

幕府というのは決していざとなれば京における長岡藩を支援しない、という観測とその理由を継之助はこまかく解きあかした。

この地球上の、いかなる国のいかなる政治史にも例のないことだが、幕府自身が珍妙にも「自分の支配体制は非合法ではないか」とひそかに思いはじめている時代なのである。
「京の天子こそ日本における唯一《ゆいいつ》の合法的主権者であり、将軍とその幕府は仮政権にすぎぬ。強《し》いてその存在を合法化するとすれば、将軍は天子から仮に日本の政治を委託されているにすぎぬ」

これが、水戸学の尊王思想であり、日本におけるあらゆる読書階級（将軍、大名、幕吏をもふくめて）は時代思想としてそれを是認するようになっている。幕府の創設

者である徳川家康の思いもかけぬ思想であったであろう。

「そんなばかな考えはない」

と、国際法的な立場からフランス公使などは幕府を勇気づけてはいた。フランスははるかな以前に革命をおこして王家は倒れており、その後曲折をへてナポレオン皇帝が出現し、それも倒れ、いまはナポレオン三世があやしげな術策を弄《ろう》してあらたに帝位についているため、自国の状勢から考えても将軍を皇帝とみなしたい。が、他の国の外交団は、すでに天子こそ公式の元首であるという実情に気づいている。

右のように幕府は自分の政体じたいに自信がないため、いざ京に勤王革命がおこれば、京都所司代などは見殺しにするだろう。長岡藩は京で孤軍になり、歴史の上で犬死せねばならぬ、と継之助はいうのである。

継之助はその後も京都情勢をさぐってみるのに、事態は容易ではない。おそらく数年にして倒幕革命がおこるであろう。

「長岡藩が京にいるべきではない」

という信念はいよいよつよくなった。京は危地である。

「たしかに危地である」

という見方では、在京藩吏がことごとく継之助とおなじであった。かといって、

「京都所司代をすぐさまご辞任なさるというのもどうであろう」

と、在京重役はその点で踏みきれない。殿様にも面目ということがおありであろう。ご着任早々ご辞任というのでは、大公儀の人事命令をあまりにも軽んずることになるのではあるまいか。

が、継之助はそういう重役連を説きまわった。

次第にかれらも継之助の意見に、意見としては賛成するようになった。

「ただ、現実の問題としてどうか」

「そこがまちがいです」

継之助は、重役たちに物の考え方というものを説いた。

「物事をおこなう場合、十人のうち十人ともそれがいいという答えが出たら、断乎《だんこ》そうすべきです。ちなみに、どの物事でもそこに常に無数の夾雑物《きょうざつぶつ》がある。失敗者というものはみなその夾雑物を過大に見、夾雑物に手をとられ足をとられ、心まで奪われてついになすべきことをせず、脇道《わきみち》に逸《そ》れ、みすみす失落の淵《ふち》におちてしまう。大公儀に気がねなどしていてはついにわが長岡藩もそうなるでありましょう」

「物事はそのほうの言うように簡単にはいかぬ。世間は単純ではない」

「そこさ」

と、継之助はおどした。

「そこが失敗者の考え方でござるよ」

諸重役はみな顔をしかめた。

「どうも、あいつの議論にかかると」

と、かれらはこぼした。

「自分たちが次第に無能で役立たずの、つねに失敗の淵にうろつくしか仕方のない人間とし か自分自身おもえなくなる」

かといって継之助を突き伏せるほどのするどい意見をもった者はたれもいない。

文久二年も押しつまったころ、京都朝廷では勝手な官制を創設した。

「国事掛」

というものであった。青蓮院宮《しようれんいんのみや》を総長として二十数人の過激公卿を任命し、これをもって国事(日本問題)を議し、決定するということになったのである。国政は幕府が担当しているのに、これまで日本における有名無実の宗主権しかなかった朝廷が、にわかに政権に似たものを贋造《がんぞう》したのである。

「それは偽権である」

と、もし幕府が盛んならば京都所司代が法に照らして弾圧粉砕したであろう。が、この事態になっても継之助らの殿様である牧野忠恭は黙認せざるをえなかった。しかもこの国事掛公卿にびっしりと過激志士が人形使いとしてくっつき、かれらを自由におどらせて幕府を困らせはじめた。

その志士の一部は、たとえばかつての佐幕家である千種《ちぐさ》家（公卿）の家臣賀川肇《かがわはじめ》を私刑にし、その首をはね、それを三方《さんぼう》にのせて一橋慶喜《ひとつばしよしのぶ》邸にほうりこむなどの暴をあえてしたが、それでも所司代はなんともできない。

この年が明け、春、ついに新選組という、非常警察隊が組織され、剣には剣をもって対抗する事態になった。

初夏になるころ、藩主の牧野忠恭はさすがにこの京都所司代という重職に耐えきれなくなり、

「継之助をよべ」

と、ある日、側近に命じた。継之助はこの日、黒谷《くろだに》へ行って会津藩士と時勢についての情報を交換していたが、すぐ二条の所司代屋敷にもどり、廊下を駈《か》けるように渡って、忠恭に拝謁した。

（お痩《や》せになった）

と、仰ぎながら、そうおもった。さほど有能でもない小藩のぬしが、柄《がら》でもない職についているのはもはや悲痛さを通りこして滑稽《こっけい》であった。

「やはりわしは辞めたい」

と、悲鳴をあげるようにいった。が、忠恭は教養人だけに、いざ辞めるとなれば辞めるについてのずっしりとした理屈がほしい。

「継之助、わしに肚《はら》を据《す》えさせてくれ」

「お肚を？」

継之助はくびをひねった。

「最初から申しあげておりましたとおりでござりまする」

継之助のいうのは、藩も人間とおなじで、情勢収拾の確乎とした成算もないのにこの京という危険きわまりない場所にいてはならない、ということであった。身をほろぼすもとである、というのである。

「わが藩がとるべき緊急の方針は、この情勢から身をひき、独立の立場をとり、大いに兵制をあらため、武備を洋式化し、強大なる力をつくりだすことでござりまする」

力ある者のみが正義を唱えることができる、と継之助はいうのである。

「わかった。辞任運動はそのほうにまかせるゆえ、よきにはからえ」

と、忠恭はいった。

継之助はさっそく実行にとりかかった。この男が、幕末の風雲のなかで最初にやった事業は、皮肉なことに藩主の官職をやめさせることであった。皮肉にも、その仕事で腕をみとめられた。

継之助は藩主の手紙を代筆し、藩主の署名をもらい、それを持参してたまたま京に駐在していた老中水野忠精に会い、一にも二にも藩主が病気であることを理由に辞職方を懇請した。

この年（文久三年）六月十一日、ついにそれが聴き入れられ、忠恭は江戸に帰ることをゆるされた。

このため、藩士一同は藩主を擁して江戸に帰った。

「江戸は不可である。いっそ越後へ帰国なされるほうがよい」

と継之助は力説したが、聴かれなかった。継之助は、

（まだおわかりでない）

とおもった。藩主忠恭は、他の殿様仲間からみればまずまずの出来の人である。そういう人材が江戸にうろうろしていると、

（老中にさせられるのではないか）

というおそれが、継之助にあった。老中つまり閣僚になればいよいよ幕府という泥《どろ》沼《ぬま》に首までつかることになるであろう。

その観測があたった。たのである。牧野忠恭は江戸に帰って二ヵ月目に、老中を拝命してしまったのである。しかもその職掌は時局がらもっとも問題の多い外務関係であった。

継之助は、大いに抜擢《ばってき》されて御用人兼公用人になった。すぐ藩主に献言し、

「おやめになりまするよう」

と、大いに説き、重臣とも激論してそれらを屈服させ、とりあえず忠恭を病気として引きこもらせることにした。

幕府は、疑いはじめた。

妙なものである。

「結局、あの男が藩の中心になってきた」

と、継之助の義兄の椰野《なぎの》嘉兵衛なども、好意と不安の目で、継之助の活動をみていた。

椰野はおすがの兄である。まるい目とまるい顔をもった温厚な長者といった人柄の

人物で、継之助のような男でさえ、

「棚野の義兄はどうも大人っぽくて、頼もしくもあり、窮屈でもある」

といっていた。

この当時、棚野は国もとに、継之助は江戸にいる。

おすががたまに実家に帰ってくると、棚野嘉兵衛は、

「おすがは、途方もない亭主をもった」

と、微妙なことをいう。この日もそうであった。

「継之助が、江戸詰めの御用人兼公用人になったぜ」

と、おすがにいった。

「ご出世でございますか」

「まあそうかな」

殿様の参謀という役である。上司には家老がいるが、ある意味ではそれ以上に実権をふるえるかもしれない。御用人とは内政むきの参謀であり、公用人とは藩外交のうえでの外交官である。両刃《もろは》の剣のような役目であろう。

「こわいことになった」

「なぜ」

「あいつはやりすぎるだろう」

しかしながら棚野にとってこの場合、目をみはる思いで継之助を見たのは、一個の人物が世の中に出るという、その出方だった。それを棚野嘉兵衛は継之助においてありありとみた。

「継之助には、翼があるのだ」

「つばさでございますか」

「あの男は、家中のたれもがもっておらぬものをもっている」

棚野のいうつばさとは、継之助がその思想と日本の将来への見通しから導きだした「今後の藩はこうあらねばならぬ」という原理であろう。かつその実行方法であろう。

「長い遊歴のあいだ、あの男はそのことばかり考えていたらしい」

「いったい、どのようなことをなさってお認められになったのでございます」

「なにもしてはおらぬよ」

やったことといえば、藩方針への反対ばかりである。本来なら殿様が京都所司代を無事おつとめあげなさるよう、それをみごとにお輔《たす》け申したということで腕を認められ、栄達することになるのだが、継之助は殿様に官職をやめさせることにのみ大働きに働いた。

「いまも、せっかく御老中におなりになった殿様をやめさせようとしている」

「まあ」

「江戸の重役連は怒っているぜ」

「すると旦那《だんな》様は、御重役方から憎まれていらっしゃるのでございますか」

「憎まれる？」

棚野は、くびをひねった。

「なるほど憎まれているだろう。しかし、御重役たちは憎む能力もない、といったほうが正確かもしれない」

憎むには継之助を攻撃できるだけの理論や材料や見通しなどが必要なのだが、かれらはそれを持っていないため、息をひそめて継之助のやることを見ているほかないのである。

「あいつも、藩政に躍り出たな」

棚野はいったが、しかしそのよろこびには不安がつきまとっている。

継之助には、断言癖がある。

「それは良し」

「それはわるし」

と、断平として言い、つねにその議論が明快で、そうともいえるしこうともいえる——といったたぐいの他の日本人がつねに使いたがるあいまいな言葉をつかわなかった。

「あれは風変りなやつだ」

と、家中でも思われたのは、ひとつはそういうこともあるであろう。

ちなみに、日本人がずいぶんの昔から身につけている思考癖は、

「真実はつねに二つ以上ある」

というものであった。これは知識人であればあるほどはなはだしい。

たとえば、

「幕府という存在も正しくかつ価値があるが、朝廷という存在も正しくかつ価値がある」

そういう考え方である。神も尊いが仏も尊い。孔子孟子《もうし》も劣らず尊い。花は紅、柳はみどりであり、すべてその姿はまちまちだがその存在なりに価値がある、というものであった。

一神教を信じている西洋人ならばこれをふしぎとするであろう。かれらにすれば神

は絶対に一つであり、自然、真理も真実も一つでなければならない。が、日本人は未開のころから、山にも谷にも川にも無数の神をもっていた。どの神もそれぞれ真実であったが、そこへ仏教が渡来して尊崇すべき対象がいよいよふえた。さらに儒教がそれにくわわり、両手にあまるほど無数の真実をかかえこみ、べつにそれをふしぎとしなかった。

しかもその無数の矛盾を統一する思想が鎌倉時代にあらわれた。禅であった。禅は、それらの諸真実を色《しき》（現象）として観《み》、それらの矛盾は「それはそれで存在していい」とし、すべてそれらは最終の大真理である「空《くう》」に参加するための門であるにすぎない、だから意に介する必要はない、とした。

右は物の考え方のうえでのことだが、現実の暮しのなかでも日本人は多神教的な気楽さとあいまいさを持ってきた。

たとえば幕府や諸藩の役職は、かならず同一職種に二人以上がつく。江戸の施政長官である町奉行は南北二人存在し、二人が交代で勤務する。大坂の町奉行も東西二人であった。すべてが二人以上であり、その点で責任の所在がどこかでぼやかされていた。

公務のための使者というのもつねに二人であり、二人でゆく。このため、幕末にオランダに留学した幕府の秀才たちは、むこうで子供からさえ軽蔑《けいべつ》された。

「日本人はいつも二人で歩く」

それがよほどめずらしかったのであろう。そういうからかいの唄《うた》まで出来、子供たちは日本人のあとからついてきて囃《はや》したてた。

が、継之助はこの点で異風であった。

「御老中にお就きあそばすことは長岡藩の自滅を意味します。断乎、なりませぬ」

と、殿様の忠恭に説きつづけるのである。

忠恭は最初、

(へんなやつだ)

とおもっていたが、次第に接触するにつれてその論旨が高層建築のように土台があり、力学があり、層々として組まれていてもゆるがぬものであることを知り、その「断言」に惚《ほ》れるようになった。ついで継之助のことばの絶対的な響きに一種の信仰を感ずるようになり、

(他の者はあいまいである。継之助のみは頼りになる)

と思いはじめた。

「仮病ではないか」

と、幕府は越後長岡藩主牧野忠恭の老中辞任ねがいを、当然ながらそう疑った。

「時節がら、わがままはゆるされぬ」

と、老中たちの評定《ひようじよう》の席で問題になった。大名といえばろくでもない者が多い当節、牧野忠恭程度の人材でも幕府にとっては貴重きわまりないものであった。

——なぜ仮病をつかうか。

という理由も、老中はほぼ察している。経済問題であろう。譜代大名が幕府の重職につくと多少の役料はもらうが、その程度の役料では焼け石に水といっていいほどに自前の費用が要る。

——それを惜しんでいる。

と、すくなくとも老中のうちの一人はそう見抜いていた。牧野忠恭よりも一年前に老中に昇格した備中松山藩主板倉勝静《かつきよ》がそれであった。勝静が老中になるとともに例の山田方谷《ほうこく》がその謀臣として江戸に出ていた。

「河井が背後にいるのでございましょう」

と、この継之助の師匠は継之助の「一藩独立思想」を見ぬいているだけに、そのように観察した。

「河井とは、そのほうの門人か」
「さればそのほうから河井を説けばどうか」
「まずは」
「とうてい」
方谷はあわててかぶりをふった。河井のような明快断乎《だんこ》とした男を説得しようとするのは、砂糖きびのからで石をたたき割ろうとするようなものでございます、と方谷は答えた。
「とあれば牧野の親族に説かせよう」
それが正攻法であろう。
徳川大名として牧野氏ほど繁栄している一族はめずらしい。たとえば井伊氏は一軒だけ大名になっているにすぎないが、牧野氏は五軒が大名になっている。
越後長岡侯　七万四千石
信濃《しなの》小諸《こもろ》侯　一万五千石
越後三根山《みねやま》侯　一万一千石
丹後田辺《たなべ》侯　三万五千石
常陸《ひたち》笠間《かさま》侯　八万石

みな定紋は三《み》ツ葉柏《ばがしわ》であり、旗じるしはハシゴである。徳川家康の創業にあたってこのハシゴの旗じるしをかざした牧野勢の軍事的功績がよほど大きかったことがわかるであろう。これら五軒の牧野氏のうち本家は、長岡牧野ということになっていた。

「笠間に説かせよう」

ということに、老中評定できまった。徳川体制にあっては上は大名から下は百姓、町人にいたるまで親族の連帯責任制ということになっている。

このため笠間侯牧野貞明は恐縮した。本家の不始末は分家の責任でもあるという立場上、貞明はなにがなんでも本家の非をたださねばならない。

牧野忠恭は、辰《たつ》ノ口の老中屋敷に居住している。笠間侯はいきなりそれへ訪ねた。すぐ出かけた。

忠恭が出て来た。

「おやおや、お顔をお見うけするところ、一向にご病気らしくもござらぬが、なぜ出仕なされませぬ」

「いや、病気です」

と、忠恭は言いにくそうにいった。殿様だけに、うそをつくことに馴《な》れていないのである。

「その桜色のお顔で」

「いや、胸痛があるのです」

忠恭は言い張ったが、ついに問いつめられ、言葉をうしなった。継之助は忠恭のそばにひかえていたが、ひざを乗りだした。

これが、この男の失敗のもとになった。


継之助は、突如、長岡へ帰ってきた。

「帰ったのか。どうしたことだ」

と、父の代右衛門はおどろいた。ぶじ江戸で精励恪勤《かっきん》しているものとばかりおもっていたのである。しかも藩主のおそば近くで御用人をつとめ、かつ藩外に出れば藩を代表する公用人を兼ねているというのだから、一家一門の名誉はこのうえもない。

「やめさせられました」

継之助は、しきいのそとに手をつき、ひとごとのようにいった。その継之助の背後に庭の日ざしがあふれていて、そのために表情がよくわからない。

(なぜ罷免《ひめん》されたのか)

代右衛門は理由をききたかったが、しかし質問することをつつしんだ。

「そうかえ」

と言い、煙草盆《たばこぼん》をひきよせた。武家の慣習として、父といえども息子の職務の世界には立ち入ってはならない。継之助が失敗しようが、悪事を働こうがすべて継之助の責任であり、最後は継之助が腹を切ることでおさまることである。

「腹は、どうするのだ」

気弱な代右衛門は、煙管《きせる》をもつ手がふるえていた。

「切りませぬ」

「ああ、そうかえ」

代右衛門はほっとしたが、しかしそういう顔色はうかべなかった。

「ことしは長岡は暑いぜ」

父は、うちわを激しく動かした。北国とはいえ、長岡の真夏のあつさは定評がある。

「江戸の夏は、風があろうに」

「左様、長岡より凌《しの》ぎやすうございます」

「なぜやめたのだ」

とあやうくのどから出そうになったが、しかしうちわを動かすだけにとどめた。

継之助が帰った日から、家中の者がしきりと出入りしはじめた。継之助の義兄の梛野嘉兵衛もそのひとりであった。

代右衛門は、この棚野にきいた。

「こまったことですよ」

棚野は笑いながらいった。ことばほどにはこまったことではないのであろう。

笠間侯牧野貞明が、継之助らの殿様の忠恭を説得にきたとき、継之助は殿様のおそばでひかえていた。

ところが、忠恭が説得されそうになった。

「おそれながら」

と継之助は殿様をおしのけるようにして笠間侯に応対しはじめたのである。

激論になった。

「そのほう、家来の分際で無礼であろう」

と、笠間侯は真赤になり、ひっこんでいろと叫んだ。

「いいや、ひっこめませぬ。越中守《えっちゅうのかみ》さま（笠間侯）にすれば御親族のご体面のみでお説きあそばしております。しかしわれらにとっては主君の生死の問題でございます」

「生死と申しても、お見うけするところお顔の血色がよいではないか」

「殿はいつお医者におなり遊ばした」

そのあたりから継之助の舌鋒《ぜっぽう》がするどくなり、ついに笠間侯は蒼白《そうはく》になった。うまれてこのような痛罵《つうば》を浴びせられたことはない。

「無礼なり。ひかえろっ」

忠恭は見かねて継之助を何度か叱《しか》ったが、継之助はきかない。ついに笠間侯はあらあらしく席を立ってしまった。忠恭としては笠間侯への手前、継之助を免職させざるをえなくなった。継之助は藩の指示どおり「病気その任に堪えず」という辞表をかいて長岡に帰ってきたのである。

おすがの好日がはじまった。罷免された継之助は、ふたたび長岡の自宅で日常を送りはじめたのである。

ある夜、

「おすがはこのところしあわせでございますわ」

というと、継之助は寝床で腹這《はらば》いになりながら、

「おすが、油断すな」

と、くすくす笑った。油断しているうちにまたどっかへ行っちまうぞ、というのである。

「いったいなにを」

とおすがは言いかけたが、あやうく失礼な質問をしそうであわてて口をつぐんだ。

とはいえ一体なにをこの亭主はしようというのであろう。

あれだけ学問をおさめても他のひとのように学塾《がくじゅく》をひらこうとしないし、一人の門人も持とうとしない。学問を藩のために役立たせるといっても、出仕するともう罷《や》めてしまうのである。

「なんだ、おすが」

継之助は、聞きとがめた。亭主の一身に関する公的なことは言うな、とかねがね言いふくめてある。女房から閨《ねや》で批判さればいかに英雄豪傑でも外での精彩が次第になくなってくるというのが、継之助の持論だった。

「なにか言いかけたな」

継之助は、妙に上機嫌《じょうきげん》だった。

「おれという亭主が、よほど変な奴《やつ》にみえてきたのだろう」

「めっそうもございません」

「かくすな。おれでさえわれながらおれを変な奴だとおもっているのに、女房たるおみしゃんがそうおもわぬはずは無い」

「ほんと」

「おもっているのだろう」

「はい」

おすがは搔巻《かいまき》の端で顔をおおいながら、からだをこまかくふるわせはじめた。笑っているのである。たまらぬらしい。

「おかしいか」

「めっそうもございませぬ」

「笑ってやがる」

継之助は、閉口した。閉口ついでに閨では禁物の話題ながらおすがに一身上のことを答弁してやろうとおもった。

「おれが罷めたってこと、あれはあれでいいんだ。いいどころか、ちかごろ長岡藩としては大出色のできごとだ」

継之助の罷免は、形のうえでは病気による依願免職である。病名は、

「痔《じ》」

と書いた。うそではなく痔の気は多少ある。「私儀、痔疾にて」からはじまる辞表であった。継之助はこの辞表を書いているとき、

——まだ病気が足らぬようだ。

とつぶやき、「そのうえ胸病差迫り」と書きそえた。

「とにかくおれはよその殿様にあれほど悪口雑言をあびせたためにやめさせられたが、そのためにこっちの殿様もすらすらと老中をおやめなさることができた」

抱きあい心中のようなものだろう。とにかく殿様が老中をやめたために藩費は大いにたすかり、そのぶんだけ、藩の借財も返済できるし、他に必要なことにつかうこともできる。

「これだけの大仕事はなかったのだ」

「まあ、そうでございますか」

おすがはうなずいたが、しかし本心はなにがどうなっているのかわからず、とにかくも継之助が家にいることだけが彼女にとってうれしい。

無役だから、ひまである。毎日のようにして継之助は出てゆく。

「松蔵、来い」

というのが、外出の合図であった。松蔵とは河井家の若党である。おすがは、「松蔵、来い」がきこえると、佩刀《はいとう》、紙入れなどを用意し、玄関へ出る。

家中の友人の家へ行ったり、城外の農村へ出かけたりする。

この年は、元治元年であった。幕末の騒乱はこの年から本格化したといっていい。京では六月に池田屋ノ変があった。その報は、長岡藩京都詰めの者から、国もとへ急報されてきた。

「京は戦場らしい」

そういう印象を、長岡藩の者はもった。継之助も、友人の吏僚からそれをきき、くびをひねった。

「幕府も、思いきったことをする」

京の三条小橋西詰めの旅籠《はたご》池田屋に、長州系、土州系の志士が会合していたという。その密会の趣旨は、密偵《みってい》の偵知したところでは京都でクーデターをおこそうとするものらしい。まさか浪人ふぜいの者がいかに死力をふるったところでどうにもなるまいが、とにかく彼等は烈風の夜をえらんで京の町を焼き、その火に乗じて一手は黒谷の会津藩本陣をおそって京都守護職松平容保《かたもり》の首をはねる、というのがかれらの計画らしい。継之助の知るところでは会津藩は武装藩兵を京に千人駐屯《ちゆうとん》させている。たかが浪人の手にはおえまいとおもうのだが、それを正気でやろうというのが、時代の狂気をあらわすものであろう。ついで一手は京都所司代を襲い、さらに一手は御所を襲って天子をうばい、天子を長州に動座ねがうという。

それを偵知した新選組が、白刃をふるって池田屋をおそい、会合者二十数人をほとんど捕殺したという。

「ばかなことをしたものだ」

と、継之助はおもった。幕府みずからが兵を用いるなどは、みずからの法治能力を否定したことになる。

「乱をよぶだろう」

と、予言したとおり、その一カ月後に長州軍が瀬戸内海を航行して大坂湾に上陸し、京に乱入した。池田屋ノ変の復讐《ふくしゅう》であるという。

幕府と長州軍が京都市内ではげしく市街戦を演じ、長州軍は少数のために敗走した。京の都心部のほとんどはこの兵火で焼けたという。

同時に、幕府は日本政府としての威権を保つため、長州藩征伐を天下にむかって号令した。

この報は六十余州を駈《か》けまわり、当然ながら長岡にもさまざまのかたちで入った。

「おすが、幕府もしまいだでや」

と、継之助はこの詳報をきいた夜、おすがにいった。

「大公儀が？」

おすがは、信じられなかった。幕府は天地とともにあり、それがしまいだのどうだのということは、おすがなどには理解できない。

「おすがも、覚悟せよ」

大乱が来れば、長岡藩もそれにまきこまれるであろう。となれば、継之助も天寿を全うできるかどうかわからない。

この年も暮れた。

あくる年は、慶応元年である。継之助はなおも無役でいたが、この年の七月、ふたたび藩の役人として登用された。

（中巻に続く）

峠《とうげ》(上)

新潮文庫　し‐9‐40

平成十五年十月二十五日 発行
平成十八年十一月五日 十 刷

著者　司《し》馬《ば》遼《りょう》太《た》郎《ろう》

発行者　佐藤隆信
発行所　株式会社 新潮社
郵便番号　一六二―八七一一
東京都新宿区矢来町七一
電話 編集部(〇三)三二六六―五四四〇
読者係(〇三)三二六六―五一一一
http://www.shinchosha.co.jp

価格はカバーに表示してあります。

乱丁・落丁本は、ご面倒ですが小社読者係宛ご送付ください。送料小社負担にてお取替えいたします。

印刷・二光印刷株式会社　製本・加藤製本株式会社

ISBN4-10-115240-3 C0193